LES DOSSIERS DE LA CINÉMATHÈQUE

9

Madeleine Fournier-Renaud

Pierre Véronneau

ÉCRITS SUR LE CINÉMA

(bibliographie québécoise 1911-1981)

LA CINÉMATHÈQUE QUÉBÉCOISE/MUSÉE DU CINÉMA

Photo de la couverture: Claudine Monfette (Mouffe) entourée d'ouvrages sur le cinéma et de photos de films dans IL NE FAUT PAS MOURIR POUR ÇA de Jean Pierre Lefebvre (1967)

Nous tenons à remercier tous ceux qui ont collaboré à notre travail:

Pierre Allard
René Beauclair
Louise Carrière
Hélène Dubé
André Guérin
Raymond-Marie Léger
Bernard Lutz
Serge Thibaudeau
Rose-Aimée Todd

et tous ceux qui ont déposé des documents à la Cinémathèque québécoise ou au Centre de documentation cinématographique.

Cette publication a bénéficié de l'aide du **Conseil des Arts du Canada** et du **Ministère des Affaires culturelles du Québec.**

ISBN 2-89207-022-8
Copyright: **La Cinémathèque québécoise** 1982
Dépôt légal: **Bibliothèque nationale du Québec**, premier trimestre 1982

MUSÉE DU CINÉMA

LA CINÉMATHÈQUE
QUÉBÉCOISE

335, BOUL. DE MAISONNEUVE EST, MONTREAL, QUEBEC H2X 1K1, CANADA.

TEL. (514) 842-9763 CABLE: CINEMATEK

à tous ceux qui, un jour,

choisirent d'écrire sur le cinéma

Présentation

Le nombre de textes écrits sur le cinéma québécois ou tout simplement sur le cinéma au Québec est plus imposant que d'ordinaire on le croit. Toutefois peu de gens en connaissent l'existence et on peut s'étonner de ce qu'une infime proportion de ces documents se retrouve dans les bibliothèques du Québec. Combien de fois, au cours de nos recherches, avons-nous constaté que la documentation qui nous serait nécessaire, lorsque nous en connaissions l'existence, se trouvait éparpillée dans les lieux les plus divers. Et combien de fois avons-nous découvert des textes jusqu'alors méconnus.

Depuis les années soixante, l'intérêt pour les études cinématographiques croît au Québec. Cela explique que certaines personnes aient voulu y répondre en publiant ci et là des bibliographies où l'imprimé-livre dominait. Ces entreprises, pour louables qu'elles étaient, restaient évidemment sommaires tout en mettant en évidence l'état anémique de la documentation cinématographique au pays.

Il faudra attendre la création du **Département de documentation cinématographique** en 1972, et les recherches systématiques qu'il entreprend afin d'acquérir le maximum de documents québécois portant sur le cinéma, pour qu'un étape qualitative soit franchie qui ouvre la porte à un travail plus approfondie.

C'est ce travail qu'entreprend en 1978 Madeleine Fournier-Renaud dans le cadre d'une recherche en bibliothéconomie. Sa bibliographie est malheureusement un ouvrage scolaire d'accès limité; les obstacles que nous avons soulignés au début ne sont donc pas pour autant abolis pour l'ensemble des personnes intéressées à la recherche ou à l'étude cinématographiques: elles se heurtent toujours à une documentation éparpillée, peu connue, peu accessible. C'est alors que la **Cinémathèque québécoise** commença à envisager la mise à jour et la publication de la bibliographie de Fournier-Renaud. Certains obstacles d'ordre pécunier se dressèrent mais finirent par être surmontés. Les lacunes étaient en voie d'être comblées.

Nous avons d'abord déterminé quel type d'instrument bibliographiques nous désirions; un instrument capable de répondre aux besoins des étudiants et des chercheurs. Rapidement nous apparut la nécessité d'avoir des index et des résumés. Déjà se dessinait l'objectif à poursuivre: faire un relevé critique de l'édition cinématographique au Québec, peu importe ses formes ou ses contenus. Madeleine Fournier-Renaud entreprit de retravailler et de compléter sa bibliographie et d'amorcer le processus d'indexation. Pierre Véronneau se chargea de la recherche dans les universités et dans d'autres fonds de documentation et d'archives; il vit aussi à compléter et à actualiser la bibliographie de base; il rédigea finalement les résumés-synthèse des ouvrages mentionnés et mena à terme le processus d'indexation. Tout ce travail aboutit à doubler le nombre des entrées que contenait la bibliographie initiale.

Vu la masse de documents disponibles et le fait qu'un autre

chercheur avait déjà commencé à débroussailler ce domaine, nous avons mis de côté les articles publiés dans les revues québécoises. Notre corpus devint donc clairement délimité: toutes les publications québécoises, imprimées ou polycopiées, portant sur le cinéma et toutes les publications étrangères portant sur le cinéma québécois. Nous avons dérogé légèrement à notre exclusion des revues en les incluant lorsqu'elles ne portaient que sur un seul thème sous forme de numéro spécial ou autrement. Nous avons aussi décidé d'inclure dans notre travail les scénarios de films. Théoriquement, pour tout film de fiction existe un scénario; concrètement bon nombre d'entre eux ont disparus ou dorment dans les tiroirs de leurs auteurs. Nous avons toutefois préféré l'arbitraire à l'ignorance en recensant les scénarios conservés en archives ou en bibliothèques. Même chose pour les mémoires des associations professionnelles; certains ont pu nous échapper mais leur importance est telle que les mettre de côté aurait constitué un manquement grave. Nous avons par contre été drastique pour les catalogues de distributeurs; nous avons choisi ceux qui représentaient un intérêt évident pour le cinéma québécois ou révélaient une face insolite de ce secteur de l'industrie. Jusqu'à l'amorce de notre recherche, il était commun de croire que peu d'étudiants universitaires avaient porté leur attention sur le cinéma; cette impression devra maintenant être nuancée car le nombre des thèses s'avère surprenant. Finalement les lois qui touchent au cinéma sont assez nombreuses; nous nous sommes limités à celles qui ont une incidence directe sur la présentation des films (incluant la censure) et sur leur production. Le lecteur qui voudrait prendre connaissance des autres lois pourra se référer aux textes suivants: loi imposant des droits d'entrées sur les personnes qui assistent à certains divertissements; loi sur les licences; loi sur les licences des opérateurs de machines servant aux vues animées; loi sur la sécurité des édifices publics; loi sur les électriciens; loi sur les publications et la morale publique, etc.

Nous sommes conscients qu'en élargissant notre définition du mot "publication", nous nous éloignions de l'exhaustivité. Mais pour ceux qu'intéresse la recherche et pour répondre aux objectifs que nous poursuivions, un tel choix se justifiait amplement car il donnait une image beaucoup plus significative de la face écrite du cinéma québécois, un visage dont on devait garder trace et rappeler. Nous espérons que nos lecteurs nous aideront à rendre notre entreprise moins relative en nous signalant tout document qui nous aurait échappé et même mieux, en nous le fournissant.

Il est évident que la **Cinémathèque** ne possède pas tous les documents que nous mentionnons ici. Toutefois son but, par son centre de documentation et ses archives, est d'en acquérir le plus possible, de les conserver dans les meilleures conditions et de les rendre aisément accessibles aux étudiants et aux chercheurs. Il tombe sous le sens qu'une telle bibliographie facilitera justement cet accessibilité.

Cette bibliographie comprend quatre parties. Dans la première, le répertoire, les ouvrages sont classés par ordre alphabétique de titre; à noter toutefois que les titres débutant par un chiffre arabe ou romain se trouvent avant la lettre A et que ceux débutant par "un" ou "une" sont classés à U. Les trois autres parties forment les index: années de publications, auteurs et général; on y retrouve quelques renvois.

Les études cinématographiques au Québec prennent chaque jour davantage d'importance et les chercheurs s'intéressent de plus en plus à une discipline qui fut trop longtemps boudée, et qui l'est souvent encore, par les autres disciplines installées qui se laissaient trop aisément enfermer dans l'étroitesse de leur champ d'étude. Nous croyons que la publication de cette bibliographie sera un outil essentiel pour rendre plus dynamiques et plus fructueuses les études sur le cinéma au Québec et qu'elle en favorisera une évolution qualitative.

Pierre Véronneau

0-9

1   Festival international du film de la critique québécoise, 2e, Montréal, 1978. **2e Festival international du film de la critique québécoise.** Montréal, 1978. 88p.

Programme du festival avec, comme élément d'originalité, de longs textes d'analyse sur chacun des films présentés.

2   Giraldeau, Jacques. **3 âges d'une ile**; production: F- 20-66. S.I., 1966. 66p.

Découpage d'un film non-réalisé.

3   Institut québécois du cinéma. **3e Marché international du film Montréal 79.** Montréal, 1979. 34p.

Films québécois présentés au Marché à l'occasion du Festival des films du monde.

4   Office national du film du Canada. **4 Days in May (6 to 9);** Films, Workshops, Share and Exchange Ideas; a Report. Montréal, 1975. 118p.

Durant 4 jours, en mai 75, les femmes anglophones de l'ONF se réunirent en ateliers pour discuter de nombreux sujets ayant trait à leur expérience. La brochure rend compte de ces discussions en mettant l'accent sur les témoignages rappelant les premières années de l'ONF.

5   Festival international des films du travail, 5e, Montréal, 1967. **5th International Labour Film Festival Report, August 11-15, 1967, Montreal, Canada.** Montréal, 1967. 37p.

Brochure commémorative du 5e festival international des films du travail organisé, cette année-là, par l'ONF, le CTC et la Confédération internationale des syndicats libres.

6   Festival international du film de Montréal, 6e, 1965. **6th Montreal International Film Festival.** Montréal, 1965. 40p.

Programme du festival.

7   Québec (Province) Service des moyens techniques d'enseignement. **7 auteurs québécois.** Montréal, 1972. 8p.

Notes sur une série de films consacrés à Marie-Claire Blais, Marcel Dubé, Jacques Ferron, Alain Grandbois, Gaston Miron, Félix-Antoine Savard et Yves Thériault.

8   Festival international du cinéma en 16mm, 7e, Montréal, 1978. **7e festival international cinéma en 16mm.** Montréal, Coopérative des cinéastes indépendants; Centre du Cinéma parallèle, 1978. 26p.

Programme du festival.

9   Lafrance, André. **8, super 8, 16.** Montréal, Éditions de l'Homme, 1973. 242p.

Publié en anglais en 1974 par Habitex Books. Initiation à la technique et à la pratique cinématographique.

Programme du festival.

10 Festival international du cinéma en 16mm, 8e, Montréal, 1979. **8e festival international du cinéma en 16mm — Montréal 79.** Montréal, Coopérative des cinéastes indépendants; Cinéma parallèle, 1979. 30p.

Programme du festival. Notes sur chacun des films au programme.

11 Ciné-club de l'amitié. **10e anniversaire.** Montréal, 1966. 61p.

Historique et réflexions sur le ciné-club fondé par le frère Léo Bonneville.

12 Festival international du nouveau cinéma, 10e, Montréal, 1981. **10e festival international du nouveau cinéma, 22 octobre au 1er novembre 1981.** Montréal, 1981. 70p.

Programme du festival.

13 Association coopérative de productions audio-visuelles. **15 Nov; a Turning Point in Quebec History.** Montréal, 1976. 8p.

Brochure publicitaire sur le film de Hugues Mignault et Ronald Brault.

14 Office du film du Québec, **15 questions sur l'Office du film du Québec et autant de réponses.** Montréal, 1970. 4p.

Informations générales sur l'OFQ.

15 Greater Montreal Film Council. **16mm Films.** Montréal, 1963. 17p.

Films distribués par le GMFC.

16 Office national du film du Canada. **16mm Films.** Ottawa, 1945. 139p.

Catalogue.

17 Office national du film du Canada. **16mm Films Available for Rental and Purchase in the United States.** Ottawa, 1956. 58p.

Catalogue qui sera publié de façon irrégulière jusqu'aux années 70.

18 Associated Screen News Limited, Montreal. **16mm Short Subject Catalogue.** Montréal, 194-?. 110p.

Publié durant la guerre, ce catalogue recense tous les films distribués par ASN.

19 Associated Screen News Limited, Montreal. Benograph. **16mm Short Subject Catalogue.** Montréal, 1949. 144p.
— Suppl. 1949-1950. 30p.

Films distribués par Benograph, une filiale de ASN.

20 Office national du film du Canada. **16mm Sound Films Produced by the National Film Board of Canada.** Ottawa, 1945. 60p.

21 Associated Screen News Limited, Montreal. Benograph. **16mm Sponsored Films: Catalogue.** Montréal, 1952. 12p.

22 Graphic Consultants Limited. **28mm Film Catalogue 1907-1930.** S.l., 1931? 45p.

22a Coop vidéo de Montréal. **30 images / secondes;** mémoire présenté par La Coopérative de Production Vidéoscopique de Montréal à la Commission d'étude sur le cinéma et l'audiovisuel. Montréal, 1981. 12, 2p.

Après avoir décrit le fonctionnement de la Coopérative et devisé sur l'utilisation de la vidéo et le rejet dont elle est l'objet par rapport au cinéma, la Coopérative recommande que l'Institut québécois du cinéma s'occupe aussi de la vidéographie et que celle-ci soit placée sur le même pied que la cinématographie dans les politiques gouvernementales.

23 Cinémathèque québécoise. **40 ans de cinéma à l'Office national du film.** Montréal, 1979. 46p. (Copie Zéro no 2)

Numéro sous la direction de Pierre Véronneau. Textes sur chaque décennie eth-principaux films de la période. Notes sur l'animation rédigées par Louise Beaudet.

24 **45 photos couleur: biographies de vos vedettes.** Ville d'Anjou, Publications Éclair, 1970 (Collection Mini-poche Éclair).

Contient quelques biographies sommaires de vedettes du cinéma canadien et étranger.

25 Office des communications sociales. **100 films pour enfants.** Montréal, 1979. 1v. (paginations diverses)

Notes sur 100 films.

26 Canada. Secrétariat d'Etat. Bureau d'émission des visas de films. **100% Capital Cost Allowance For Certified Canadian Film And Videotape;** Review of the Certification Program. Ottawa, 1980. 95p.

Voir la version française du document intitulé Déduction pour amortissement de 100% des films...

27 Gobeil, Charlotte. **500 Films for Screen Education.** Montréal, National Film Board of Canada, s.d. 137p.

R 1973. Survey of film Libraries **voir** Sondage sur les cinémathèques. 1973.

28   Festival international du film de Montréal, 3e, 1962. **IIIe Festival international du film de Montréal, 10-16 août 1962 au cinéma Loew's. Third International Film Festival of Montreal, August 10-16 Loew's Theatre.** Montréal, 1962. 48p.

Programme du festival. Comprend notamment des textes sur le festival lui-même, sur l'animateur John Hubley et sur Alexandre Dovjenko.

29   Festival international du cinéma en 16mm, 4e, Montréal, 1974. **IV Festival international 74 cinéma en 16mm, Montréal 23-27 oct.** Montréal, Bibliothèque nationale du Québec, 1974. 20p.

Programme du festival.

30   Festival international du film de Montréal, 5e, 1964. **Ve Festival international du film de Montréal, 7-13 août 1964, Place des arts. Fifth Montreal International Film Festival, August 7 to 13 1964 Place des Arts.** Montréal, 1964. 6, 6p.

Programme du festival.

31   Festival international du cinéma en 16mm, 6e, Montréal, 1976. **VI Festival international 76 cinéma en 16mm, Montréal 27-31 oct.** Montréal, Bibliothèque nationale du Québec, 1976. 21p.

Notes sur chacun des films présentés.

32   Journées cinématographiques de Poitiers, Xe, 1972. **Xe Journées cinématographiques de Poitiers, 4-10 février 1972.** Montréal, Conseil québécois pour la diffusion du cinéma; Cinémathèque québécoise, 1972. 32p.

Notes sur le cinéma canadien et sur les films présentés à Poitiers.

33   Festival du film amateur de Montréal, 2e, 1964. **A l'O.N.F. Festival du film amateur de Montréal.** Montréal, 1964. 17p.

Programme du festival. Deux films québécois étaient présentés: PETITE HISTOIRE MÉCHANTE, une animation de Pierre Hébert et OÙ VAS-TU HAÏTI de Lucien Bonnet. Sur le jury on retrouvait notamment Jean-Yves Bigras et Claude Jutra. Secrétaire: André Lafrance.

34   Léger, Raymond-Marie. **À propos de Charles Chaplin.** Montréal, Société Radio-Canada, 1978. 15p.

Hommage à Charlie Chaplin rendu le 31 janvier à l'émission "L'Art aujourd'hui" de CBF-FM.

35   Association des producteurs de films du Québec. **À propos du Bill C-163.** Montréal, 1963?. 20p.

Analyse d'un projet de loi qui touche aux relations entre l'industrie du cinéma et Radio-Canada. On veut que la Société se retire de la production de films et qu'elle définisse sa politique pour que l'industrie puisse planifier son activité.

36   Lareau, Danielle. **À qui appartient ce gage;** synthèse du compte-rendu des commentaires et réactions recueillis par téléphone à la suite de la présentation du film à la télévision. Montréal, Office national du film du Canada, 1974. 63p.

Pour Société nouvelle, un document sur le film de Marthe Blackburn, Susan Gibbard, Jeanne Morazain, Francine Saia et Clorinda Warny. Données objectives, données d'attitudes, réactions aux éléments du film qui porte sur les garderies.

37   Jutra, Claude. **À tout prendre. Take It All.** Montréal, Les Films Cassiopée et Orion Films, 1963. 1v. (non paginé)

Brochure sur le film.

38   Québec (Province) Direction générale du cinéma et de l'audiovisuel. **À votre service.** Montréal, 1978. 8p.

39   Devlin, Bernard. **L'abatis.** Montréal, Office national du film du Canada, 1957. 48, 53, 55, 54, 57p.

Inspiré de NUAGES SUR LES BRÛLÉS, scénario-découpage de LES BRÛLÉS. En 1952 Devlin avait réalisé sur le même sujet (même projet) L'ABATIS.

40   Sauriol, Brigitte. **L'absence.** Montréal, s.n., 1974. 130p.

Deuxième version du scénario.

41   Sauriol, Brigitte. **L'absence.** Montréal, s.n., 1975. 160p.

Scénario.

42   Sauriol, Brigitte. **L'absence.** Montréal, s.n., 1975. 163p.

Découpage.

43   Leclerc, Jean. **L'accident.** Montréal, s.n., 1974.

Scénario non-réalisé.

R   An Act Respecting the Cinema **voir** Loi sur le cinéma.

R   An Act Respecting the Cinema; Bill 52 **voir** Loi sur le cinéma; bill 52.

R   An Act Respecting the Cinema; Bill no. 1 **voir** Loi sur le cinéma; projet de loi no 1.

R   An Act Respecting the National Film Board **voir** Loi relative à l'Office national du film.

R   An Act to Create a National Film Board **voir** Loi pour créer un Office national du film.

R   An Act to Provide for the Establishment of a Canadian Film Development Corporation **voir** Loi établissant une Société de développement de l'industrie cinématographique canadienne.

44   Office diocésain des techniques de diffusion. **Actes du Congrès des ciné-clubs d'étudiant.** Montréal, 1963. (Cinéma et culture 6,7,8)

45   **Action.** Montréal, Office national du film du Canada, 1973. 36p.

Transcription des interventions dans le film de Robin Spry.

46   **Action, Reaction.** Montréal, Office national du film du Canada, 1973. 35, 5p.

Transcription des commentaires des deux films de Robin Spry.

47   Université du Québec à Rimouski. Cinémathèque. **Activités.** Rimouski, 1973 — Annuel.

Rapport statistique de l'utilisation des documents de la Cinémathèque.

48   Véronneau, Pierre. **Actualité du cinéma bulgare.** Avec la collaboration de Louise Beaudet. Montréal, Cinémathèque québécoise, 1978. 15p.

Notes publiées à l'occasion d'une rétrospective à la Cinémathèque. Comprend trois volets: 1- Points et repères, 2- Dialogues par Nedeltcho Milev sur la période 67-78, 3- Textes sur les films et les réalisateurs au programme.

49   Marie-Emmeline, soeur, S.S.A. **L'adaptation cinématographique de Jean-Pierre Melville pour Léon Morin, prêtre.** Québec, Université Laval, 1964. 127p.

Thèse de D.E.S. (lettres). L'auteur (qui s'appelle en réalité Gertrude Sabourin) analyse d'abord séparément le roman de Béatrix Beck et le film de Melville puis concentre son attention sur l'analyse dramatique, psychologique et cinématographique du film. Le tout est précédé d'une mise en situation du rapport littérature/- cinéma et du personnage du prêtre dans ces deux média. L'auteur trouve au film plus de richesse qu'au roman, plus de créativité, et estime que le film met davantage en lumière le caractère du prêtre qui devient un authentique visage humain du Christ.

50   Gould, Michael. **L'adaptation cinématographique de l'oeuvre de Guy de Maupassant.** Québec, Université Laval, 1977. 277p.

Thèse de doctorat ès lettres. Dans une première partie, l'auteur aborde la théorie et le conditionnement de l'adaptation: littérature comme matière première, influences externes, restrictions internes. Puis il analyse le cas spécifique de Maupassant (41 films tirés de son oeuvre) avec les problèmes qu'il pose: problèmes de transfert, modifications scéniques, bande sonore non verbale et verbale, mise en scène visuelle, discours de la caméra. Il termine en étudiant les possibilités et les limites de l'adaptation chez Maupassant et en général.

51   Queffélec, Henri. **L'adaptation d'un roman au cinéma.** Montréal, Centre diocésain du cinéma de Montréal, 1959. 32p. (Cinéma et culture 4)

Texte d'une conférence prononcée à l'invitation de la Commission des ciné-clubs du Centre diocésain du cinéma de Montréal. L'auteur développe 4 points: la délimitation du sujet, l'incarnation des personnages, les avatars du scénario et les chances du tournage. En annexe, critiques du film DIEU A BESOIN DES HOMMES de Jean Delannoy d'après Queffélec.

52   Benoit, Jacques. **L'affaire Coffin.** Montréal, Les films Alliance et Les productions Vidéofilms, 1978?. 183p.

Scénario du film de J.C. Labrecque. A noter que le héros s'appelle alors Collins.

53   Benoit, Jacques et Labrecque, Jean-Claude. **L'affaire Collins (inspirée de l'affaire Coffin).** Montréal, Les productions Vidéofilms, 1978?. 116p.

Scénario de L'AFFAIRE COFFIN.

54   Hynd, Noel. **Agency.** Montréal, RSL Productions, 1978. 130p.

Scénario-découpage du film de George Kaczender.

55   Les Productions Albinie. **Albert et Léo en Albinie: une oeuvre cinématographique long métrage.** Montréal, 1978. 78p.

Circulaire d'information pour amener des investisseurs à participer au film. La circulaire explique en détail le projet de film, le rôle de l'Institut et les considérations fiscales d'une telle approche. Cet appel de souscription n'aura pas le succès escompté mais le film de M.A. Forcier sera quand même tourné sous le titre AU CLAIR DE LA LUNE.

56   Léger, Raymond-Marie. **Albert Tessier ou le chêne qu'on abat.** Montréal, s.n., 1977. 7p.

Hommage à l'homme et au cinéaste à l'occasion de son décès.

56a   Larouche, Michel. **Alexandro Jodorowsky ou l'esthétique du masque: analyse structurale des films El topo et La montagne sacrée.** Montréal, Université de Montréal, 1980. 362p.

Estimant que Jodorowsky a imposé au public une oeuvre cinématographique particulièrement étonnante composée de milliers d'images fantastiques, l'auteur essaie d'en donner une approche précise à l'intérieur même du champ cinématographique. Il interroge les différents textes pluri-filmiques des deux principales réalisations de Jodorowsky et met en valeur les aspects suivants du langage cinématographique du cinéaste: Vers une syntagmatique "éclatée", Un syncrétisme culturel, De retour au théâtre, Libérer la couleur et la musique, Le mythe: du mystère au réel concret?, Les personnages: un cinéma de marionnettes. Ainsi l'auteur avance que le thème fondamental de l'initiation, dans toute sa dimension ésotérique, devient la clé-maîtresse qui permet l'accessibilité à l'oeuvre et soulève le masque né de l'apparente confusion des autres systèmes. Il termine en affirmant que l'oeuvre de Jodorowsky présente un langage nouveau pour un monde nouveau et que, sous son allure de baroquisme échevelé et délirant, elle conserve une dimension métaphysique et vise le devenir.

57   Desjardins, Aline. **Aline Desjardins s'entretient avec François Truffaut.** Montréal, Leméac, 1973. 76p. (Collection Les Beaux-Arts)

Texte d'un entretien télévisé.

58   Bochner, Sally. **All About Us.** Montréal, Office national du film du Canada, 1981. 20p.

Hommage-portrait de l'activité de l'ONF durant 40 ans. Nombreuses illustrations.

59   Théberge, André. **Les allées de la terre;** un film d'André Théberge. Montréal, Office national du film du Canada, 1973. 30p.

Scénario de presse. Entretien avec le réalisateur et extraits du dialogue et du découpage.

60   Office national du film du Canada. **Allo ONF. Hello NFB. Hi! ONF NFB.** Montréal, 1969. 8p.

Bulletin F/69, publication interne de l'ONF. Informations diverses.

61   Léger, Raymond-Marie. **Allocution. Hommage à Paul Vézina — Québec, 11 novembre 1975.** Montréal, Office du film du Québec, 1975. 2p.

Présentation d'un pionnier de la cinématographie gouvernementale québécoise.

62   Léger, Raymond-Marie. **Allocution. Avant-première mondiale de "Franc Jeu".** Montréal, Office du film du Québec, 1975. 4p.

Présentation du film de Richard Lavoie.

63   Cloutier, François. **Allocution de Monsieur François Cloutier, Ministre des affaires culturelles lors du banquet d'ouverture du 2ième Congrès annuel de l'Association des producteurs du film du Québec, les 13-14 avril 1973, Hôtel Chanteclerc à Ste-Adèle (P.Q.).** Ste-Adèle, 1973. 12p.

64   Léger, Raymond-Marie. **Allocution de monsieur Gérard Frigon, Sous-ministre des Communications du Québec.** Montréal, 1976, 3p.

Texte prononcé à l'occasion du lancement du film L'AN JEUX de Roger Cardinal et de l'inauguration du Premier festival du film éducatif de Montréal au Cinéma Outremont.

8/super 8/16

André Laffrance

Cinematographic techniques
from equipment handling to
production and projection

HABITEX

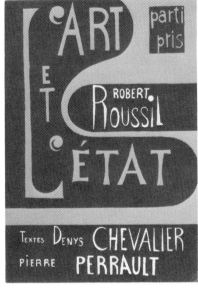

L'ART ET L'ÉTAT

parti pris

ROBERT ROUSSIL

Textes Denys CHEVALIER
Pierre PERRAULT

L'AMOUR HUMAIN

Une histoire de Roger Fournier

pour un film de Denis Héroux

Les Presses Libres

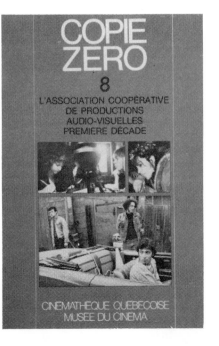

COPIE ZERO

8

L'ASSOCIATION COOPÉRATIVE
DE PRODUCTIONS
AUDIO-VISUELLES
PREMIÈRE DÉCADE

CINÉMATHÈQUE QUÉBÉCOISE
MUSÉE DU CINÉMA

65   Léger, Paul-Émile. **Allocution en la salle du Gésu, à la séance d'ouverture de la 34e Semaine sociale du Canada, le 26 septembre 1957.** Montréal, 1957. Pp. 2647-2663.

66   Léger, Raymond-Marie. **Allocution inaugurale au colloque Distribu-bec.** Montréal, Office du film du Québec, 1974. 6p. (Colloque Distribu-bec 21-24 mai 1974)

      Allocution du directeur de l'OFQ.

67   Léger, Paul-Émile. **Allocution prononcée par Son Éminence le Cardinal Paul-Émile Léger à l'occasion d'une journée d'étude sur le cinéma, destinée aux religieuses.** S.l., 1958. 10p.

      P.É. Léger développe trois points sur le cinéma: Un champ immense d'investigation, un problème d'éducation et un retranchement de responsabilités sérieuses.

68   **Almanach des vedettes: le monde du spectacle.** Montréal, Bert-Hold inc., Section des publications Éclair, 1978. Annuel.
      Fait suite à **Encyclopédie artistique le monde du spectacle.**

      Contient quelques biographies sommaires de vedettes du cinéma canadien et étrangers.

69   Beaulieu, Janick. **Alphaville: le phénomène Jean-Luc Godard.** Limbour, Qué., Éditions Janickyvonocinéma, 1968. 66p.

      Collage d'opinions, de citations, de critiques sur Godard. Etude de différents aspects du film. Un texte désordonné pour faire "à la Godard". Demande au lecteur un travail de mise en ordre.

R   Amateur Movie Making (Cameras and Accessories) **voir** Le cinéma d'amateur (appareils et accessoires).

70   Québec (Province) Lois, statuts, etc. **Amendement à la loi des licences de Québec, concernant les exhibitions de vues animées.** Québec, 1913, 3p.

71   Cinépix. **L'amour humain: dialogue.** Montréal, 1970? 83p.

      Transcription du dialogue du film de Denis Héroux.

72   Fournier, Roger. **L'amour humain**; une histoire de Roger Fournier pour un film de Denis Héroux. Montréal, Presses Libres, 1970. 140p.

      Ouvrage illustré de nombreuses photos du film.

72a   **Analyse d'item et calculs**; construction de l'instrument de mesure. Montréal, Office national du film du Canada, 1974. 54p.

      Comprend plusieurs tableaux produits par informatique. Principales têtes de chapitre: comparaison d'instruments, corrélation de Pearson, création de l'instrument final, analyse factorielle. Annexe V à "Mesurer les changements d'attitude, premières tentatives". Porte sur LE BONHOMME.

73   Midson, Tony. **Analyse de l'accueil et de l'emploi de l'audio-visuel chez les enseignants du Canada.** Montréal, Office national du film du Canada, 1975. 30p. (Série Programme d'aide à l'éducation #6).

      Description de la situation: utilisation, demandes, matières au programme, durée préférée, etc. Plusieurs tableaux.

74   Véronneau, Denise. **Analyse de l'effet d'un document cinématographique sur l'attitude de citoyens québécois concernant le rôle et le statut de la femme au Québec.** Montréal, Université de Montréal, 1976. 177p.

      Thèse de Ph.D. Recherche qui a pour but d'analyser l'effet que peut produire le film LES FILLES DU ROY d'Anne Claire Poirier sur l'attitude de citoyens québécois comme moyen d'en arriver à définir l'identité réelle du rôle et du statut de la femme au Québec. Pour vérifier ses dix hypothèses (touchant aux variations dans les définitions et les attitudes), l'auteur élabore un questionnaire particulier et une échelle d'attitude de type Likert qu'elle administre avant et après le visionnement du film, ou avant le film et après la discussion. Elle en conclut que si le film n'atteint pas tous les objectifs qu'il s'était fixé, il conscientise néanmoins l'auditoire. Mais, si l'on dit ce document conçu pour les femmes, c'est toutefois sur les hommes seulement que son influence se fait sentir de façon significative. Sa recherche lui fait ressortir certaines stratégies de réalisation et d'utilisation du document cinématographique, notamment sur la nécessité de subordonner le style au contenu pour en assurer une meilleure compréhension et assimilation. Finalement l'auteur plaide pour une meilleure collaboration entre psychologue, sociologue, pédagogue et réalisateur pour la fabrication de documents efficaces d'apprentissage dont les buts et objectifs présideront et orienteront leur conception même.

75   Hébert, Louis. **Analyse des opérations de distribution effectuées dans la Beauce.** Montréal, Office national du film du Canada, 1974. 35p.

      Sur la distribution de DANS NOS FORÊTS de Maurice Bulbulian, et la liaison de Société nouvelle au milieu forestier et agricole dans le cadre de son programme d'animation.

76 Blouin, Raymond. **Analyse des opérations de distribution effectuées dans la région du Bas-Saint-Laurent.** Montréal, Office national du film du Canada, 1974. 129p.

Sur la distribution-animation par l'équipe de Société nouvelle du film CHEZ NOUS, C'EST CHEZ NOUS de Marcel Carrière et du vidéogramme LES TRAVAILLANTS. Description de l'opération, participation à l'Opération-Dignité II et réactions du public.

77 Lavigne, Jean-Claude. **Analyse des réponses aux questionnaires parus dans les journaux lors de la télédiffusion des films de En tant que femmes.** Montréal, Office national du film du Canada, 1974. 258p.

Produit pour Société nouvelle. Après avoir analysé la nature et la validité de l'instrument de mesure, le texte évalue l'impact des films suivants: LES FILLES DU ROY d'Anne Claire Poirier, J'ME MARIE, J'ME MARIE PAS de Mireille Dansereau, SOURIS, TU M'INQUIÈTES d'Aimée Danis et À QUI APPARTIENT CE GAGE de Marthe Blackburn, Susan Gibbard, Jeanne Morazain, Francine Saia et Clorinda Warny.

78 Trudel, Suzanne Bérubé. **Analyse sémiotique d'un genre cinématographique: Un pays sans bon sens de Pierre Perrault.** Montréal, Université de Montréal, 1979. 141p.

Thèse de M. Sc. (communication). L'auteur part de la prémisse qu'il faut lire les discours pour en extraire le sens et regarder l'image en dessous de l'image. Cela l'amène d'abord à définir le cinéma direct (rôle du cinéaste, montage, rôle des destinataires-spectateurs). Puis elle applique la sémiotique de Barthes au film. Elle s'attarde particulièrement aux différents personnages pour découvrir où ils se situent inconsciemment à travers cette identification sociale dans leur notion d'appartenance. Finalement son analyse porte sur le rapport film/réalité, réalité mise en place par le cinéaste et lue par le spectateur. Conséquemment elle surnomme le direct, le cinéma vécu.

79 Centre catholique national du cinéma, de la radio et de la télévision. **Analyses filmographiques.** Montréal, 1960. 24p.
— **Liste annexe d'analyses filmographiques.** Montréal, 1960. 2p.

Liste indiquant les longs métrages pour lesquels existent des analyses filmographiques françaises, anglaises ou canadiennes.

R Analysis of Audio-Visual Acceptance and Usage by Canadian Teachers **voir** Analyse de l'accueil et de l'emploi de l'audio-visuel chez les enseignants du Canada.

80 Taylor, Elizabeth. **An Analysis of the Challenge for Change Newsletter "ACCESS".** Montréal, Office national du film du Canada, 1974. 14, 24p.

Publiée par le Service des besoins et réactions du public, cette brochure analyse le contenu et la clientèle de la revue ACCESS. De nombreux graphiques viennent étayer la description.

81 Gaudreault, André et al. **Analytic Filmography 1900-1906/Filmographie analytique 1900-1906.** Québec, Université Laval, 1981. 248p.

Premier tome d'une recherche visant à décrire tous les films 1900-06 existant encore dans le monde. Celui-ci est consacré à 124 films britanniques. On donne sur chacun de nombreuses indications: résumé, équipe de réalisation, données techniques, genre, etc.

82 Mongeon, Madeleine. **L'angoisse provoquée chez des enfants par différents contenus cinématographiques: étude préliminaire.** Montréal, Université de Montréal, 1970. 89p.

Thèse de maîtrise en psychologie. L'auteur se situe à mi-chemin entre ceux qui utilisent le film comme moyen d'études et ceux qui se penchent sur les effets du cinéma. Elle tente d'abord de définir ce qu'est l'angoisse, puis analyse les façons de la mesurer. Son dernier chapitre rapporte les recherches effectuées à l'aide du film comme source d'angoisse et s'attarde sur les effets du film sur les enfants. Cette étude préliminaire se voulait le premier jalon d'une recherche de doctorat plus personnelle qui ne s'est jamais concrétisée.

83 Taylor, Anne. **Animating Children.** A Look at Super-8 Animation Film-Making by Children. Montréal, National Film Board of Canada, 1975. 24p.

Description d'une expérience et d'ateliers qui eurent lieu à la grandeur du Canada.

84 **L'Animation à l'O.N.F.**, Montréal, *Séquences*, 1978. 199p.

Numéro spécial de la revue Séquences. On y retrouve des entretiens avec dix cinéastes d'animation.

85 Cinémathèque québécoise. **Annuaire courts métrages Québec 1979.** Montréal, 1981. 186p. (Copie Zéro no 9)

Annuaire des courts métrages québécois suivi de quelques index.

14

86 **Annuaire des distributeurs de films.** 197-? Montréal, Laboratoires de films Québec.

R Annuaire du cinéma canadien de l'Institut canadien du film **voir** The Canadian Film Institute Yearbook of Canadian Cinema.

87 **Annuaire général de l'industrie et de la profession cinématographiques au Québec.** Montréal, s.d. 43p.

Annuaire datant de 1975.

88 Léger, Raymond-Marie. **Annuaire général et situation de l'industrie et de la profession cinématographiques au Québec.** Montréal, 1974. 61p.

Après une longue partie "bottin", le tiers du document reprend plusieurs informations et statistiques sur l'exploitation et l'industrie du cinéma.

89 Cinémathèque québécoise. **Annuaire longs métrages Québec.** Montréal, 1978- (Copie Zéro nos 4, 7, 10)

Annuaire de longs métrages de l'année suivi de quelques index.

90 Ciné-archives. **Anthologie du dessin animé.** Présenté par Ciné-archives; en collaboration avec la Cinémathèque canadienne. Québec, Université Laval, 1971. 14p.

Notes sur différents personnages de l'animation américaine rédigées principalement par Jean-Pierre Berthomé.

91 Lanctôt, Suzanne. **Appareils audio-visuels: terminologie.** Montréal, Service général des moyens d'enseignement, 1977. 58p.

Un chapitre est consacré au cinéma.

92 Taylor, Anne. **Appendix for the Report Animating Children.** Montréal, National Film Board of Canada, 1975. 46p.

Comprend trois annexes: 1- Bibliographie et filmographie touchant à la réalisation super-8 par des enfants; 2- Suites à l'expérience ontarienne; 3- Notes sur les personnes contactées. Voir également le N° 83.

93 Association professionnelle des cinéastes. **Application Scheme for Bill C-204.** Montréal, 1967. 14p.

Mémoire mettant l'accent sur l'économie tout en demandant que le cinéma soit aussi une entreprise culturelle.

94 Pelletier, Gérard. **L'après-guerre ouvrier.** Montréal, 1958?. 1v. (paginations diverses)

Scénario de ce que deviendra LES 90 JOURS de Louis Portugais.

95 Brousseau, Pierre. **Après-ski.** Montréal, s.n., 1970. 200p.

Scénario du film de Roger Cardinal.

96 Martin, André. **Arbre généalogique de l'origine et l'âge d'or du dessin animé américain de 1906 à 1941; pourquoi cet arbre? Family Tree of the Origin and Golden Age of the American Cartoon Film 1906-1941; Why this Family Tree?** Montréal, Cinémathèque canadienne, 1967. 24p.

Un poster portant le titre L'âge d'or du cinéma d'animation américaine, 1900-1943, (arbre généalogique), par André Martin accompagne la brochure. Celle-ci explique pourquoi cette affiche et en fournit l'index.

97 Niagara Films. **L'arbre;** projet de film sur l'Université de Montréal, présenté par Niagara Films, Inc. en collaboration avec Jacques Marcerou. Montréal, 1961. 25p.

98 Pelletier, Antoine. **Les archives de l'Office du film du Québec.** Montréal, Direction générale du cinéma et de l'audiovisuel. Service de la distribution, 1976. 147p.

Catalogue de films anciens du Service de ciné-photographie et de l'OFQ. Ébauche du travail plus complet CATALOGUE DES FILMS D'ARCHIVES.

99 Québec (Province) Service d'aménagement rural et du développement agricole. **ARDA.** Québec, 1968? 1v. (paginations diverses)

Rapport sur l'ARDA et la mission confiée à l'ONF. Celui-ci demanda à ses cinéastes dont le réalisateur Raymond Garceau et le producteur Fernand Dansereau de produire une série sur l'ARDA (Aménagement rural et développement agricole). Le rapport étudie les différentes hypothèses cinématographiques concernant le projet. En annexe, on retrouve les résumés des principaux rapports de recherches recueillis au cours de l'enquête.

100 Burwash, Gordon. **Are People Sheep?;** A Half Hour Television Show to Be Produced by the National Film Board For Distribution Across Canada Over CBC'S Television Network. Montréal, 1955. 24p.

Scénario d'un épisode de la série PERSPECTIVE. Traduit en français par Sommes-nous tous des moutons.

101 Ste-Marie, Gilles. **L'argent mène aussi le cinéma.** Montréal, Société Radio-Canada, 1954. 8p.

Conférence de la série Radio-Collège. Le film est une marchandise, le cinéma, une industrie.

102 Lanctôt, Micheline. **Armand Dorion homme à tout faire.** Montréal, Beauchemin, 1980. 173p. (Collection Les mots justes)

Un ouvrage écrit en relation avec le film L'HOMME À TOUT FAIRE.

103 Cholakian, Vartkes. **Les Arméniens.** Montréal, s.n., 197-?. 51p.

Scénario.

104 **Les Arrivants:** habitants d'un nouveau monde. Pat Timothy Findley et autres; traduction, Yvan Steenhout; photographie, Norm Chamberlain et autres. Montréal, Editions de l'Homme, 1979. 227p.

D'après la série cinématographique Les Arrivants. Traduction de The Newcomers. Scénarios littéraires des sept épisodes de la série filmée pour bien marquer la contribution des immigrants à la société canadienne de 1740 à 1952, avec un prologue consacré aux peuples autochtones. En appendice, on retrouve les génériques des films.

105 Perrault, Pierre, Roussil, Robert et Chevalier, Denys. **L'art et l'état.** Montréal, Editions Parti-Pris, 1974. 103p.

Trois essais d'artistes sur la corrélation art-état. Le plus important est celui de P. Perrault qui s'attarde à l'ONF, à la censure, à la démocratie, à la légitimité et à la vérité. Un texte essentiel pour comprendre le cinéaste et sa problématique.

106 Patry, Yvan et Daudelin, Robert. **Arthur Lamothe.** Montréal, Conseil québécois pour la diffusion du cinéma. 1971, 42p. (Cinéastes du Québec, 6)

Présentation de l'oeuvre et du cinéaste, choix de critiques, entretien avec Lamothe, documents divers sur LE MÉPRIS N'AURA QU'UN TEMPS et filmographie.

107 **Les artisans du cinéma. Montréal,** Séquences, no 100 (avril 1980) 171p.

A l'occasion de son 25e anniversaire, la revue laisse la parole à quatorze artisans du cinéma québécois, du réalisateur à la maquilleuse. Des témoignages intéressants pour connaître les nombreux métiers qu'on y retrouve.

108 Collège d'enseignement général et professionnel Montmorency. **Arts de la communication: programme.** Présenté par Yvon Dupras et autres. Laval, 1972. 78p.

Description du programme "Arts de la communication" et des 5 options qu'on y offre.

109 Collège d'enseignement général et professionnel Montmorency. **Arts de la communication: programme.** Présenté par Yvon Dupras et autres. 2e version. Laval, 1972. 108p.

Description du programme "Arts de la communication" et synopsis des cours offerts dans les 5 options de base et dans le tronc central.

110 Collège d'enseignement général et professionnel Montmorency. **Arts de la communication; rapport synthèse.** Laval, 1973. 38p.

111 Reid, Gilbert et Turner, John. **Aspetti Del Cinema Canadese.** Roma, 1978. 73p. (Quaderni di documentazione della Cineteca Nazionale, 6)

Présentation générale du cinéma canadien et notes sur les courts et longs métrages avec extraits de critiques.

R Assemblée générale annuelle **voir** Réunion générale annuelle.

112 Cinémathèque québécoise. **L'association coopérative de productions audiovisuelles première décade.** Montréal, 1981. 46p. (Copie Zéro no 8)

Numéro sous la direction de Pierre Jutras et Pierre Véronneau. Historique de l'ACPAV, table-ronde avec certains membres, témoignages, films produits, extraits de critiques.

113 Pelletier, Alex. **Astataïon ou Le festin des morts.** Montréal, Office national du film du Canada, 1964. 118p.

Scénario corrigé du film de Fernand Dansereau.

114 Hoedeman, Co. **Atelier d'animation: compte rendu. Animation Workshop: Report.** Ottawa, Asifa Canada, 1976. 4, 4, 1p.

Compte-rendu d'un atelier réunissant étudiants et animateurs pour discuter de leurs films et des différentes techniques.

115 Centre catholique national du cinéma, de la radio et de la télévision. **Atelier d'étude pour animateurs de ciné-clubs post-scolaires** (9 février au 13 avril 1959); rapports et documents distribués aux participants. Montréal, 1959. Feuilles mobiles.

116 Office national du film du Canada. **Atlantic Region: 16mm Films.** Région de l'Atlantique: films 16mm. Montréal, 1979. 24p.

Catalogue décrivant les films dont le contenu porte sur la région de l'Atlantique.

117 Frenette, Émilien. **Attitude des catholiques en face des techniques de diffusion.** Montréal, Centre catholique national du cinéma, de la radio et de la télévision, 1958. 31p.

Conférence de l'évêque de St-Jérôme, président de la Commission épiscopale d'Éducation, Presse, Radio, Cinéma. Il commente l'encyclique Miranda prorsus.

118 Charles-Eugène, soeur, S.S.C.M. **Attitude des étudiantes externes du cours primaire supérieur de la cité de Québec en face d'une activité extra-scolaire: le cinéma.** Québec, Université Laval, 1951. 82p.

Baccalauréat en pédagogie. Intéressée par l'éducation, l'auteur veut connaître l'attitude des étudiantes face au cinéma et le profit qu'elles en retirent. Elle mène donc une enquête auprès de 250 élèves qui ont déjà réfléchi au fait cinéma car il est inscrit au programme de l'Action catholique. L'auteur constate une instabilité, une indécision et un manque d'esprit critique des élèves face au cinéma, note que celles-ci n'envisagent le cinéma que comme divertissement et non comme art et moyen de culture, et suggère donc d'initier au cinéma par les ciné-clubs pour que celui-ci devienne un instrument efficace de formation intellectuelle et morale.

119 Office national du film du Canada. **Au bout de mon âge.** Montréal, 1975. 76p.

Transcription des dialogues du film de Georges Dufaux.

120 Laliberté, roger. **Au bout.** S.l., 1971. 81p.

Transcription des dialogues du film en ordre séquentiel.

121 Fajardo, Jorge. **Au travail.** Montréal, Office national du film du Canada, 1974. 35p.

Scénario d'un épisode de IL N'Y A PAS D'OUBLI.

122 Fotinas, Constantin. **Audiovidéographie, une discipline nouvelle;** hypothèse de travail. Montréal, Université de Montréal, 1973. 100p.

L'audiovidéographie s'applique à tous les procédés d'enregistrement simultané du son et de l'image, donc au cinéma et à la télévision. L'auteur se demande d'abord si elle existe et, répondant affirmativement, l'aborde comme champ et matière d'études et d'enseignement. Un bon exemple de la réflexion poursuivie au Centre audio-visuel de l'Université animé par Jean Cloutier.

123 Dubois, Florian et al. **L'audiovidéothèque,** 2e éd. rev. et augm. La Pocatière, Société du Stage en bibliothéconomie, 1972. 95p. (Guides du personnel, 5)

Manuel-guide sur tous les aspects d'une audiovidéothèque: acquisition, classification, prêt, etc.

124 Commission des écoles catholiques de Montréal. Bureau des media d'enseignement. **Audio-visual Catalogue 1976-77.** Montréal, 1976. 108p.

Documents distribués par la Commission.

125 Association des responsables de l'enseignement audio-visuel du Québec. **L'audio-visuel à l'école.** 3e éd. Montréal, 197-?. 78p.

126 Parisse, Jean-Pierre. **L'audio-visuel à l'Expo 67.** Montréal, Expo 67, 1967. 39p.

Description, pavillon par pavillon, de toutes les manifestations audiovisuelles de l'Expo.

127 Hamel, Richard. **L'audio-visuel comme sujet d'analyse: bibliographie sommaire.** Montréal, Office national du film du Canada, 1975. 20p.

Publiée par le Service des besoins et réactions du public, cette brochure couvre neuf rubriques: audiovisuel au service de l'éducation, évaluation des documents audiovisuels, études des réactions d'auditoire, etc. Cette bibliographie est essentiellement américaine.

128 L'Âge et la vie. **L'automne 1976: rapport d'activité.** Outremont, 1976. 2v.

Rapport sur la Semaine "L'âge et la vie" consacrée au troisième âge. On y trouvait un festival du film où furent présentés des films de Guy L. Coté et Georges Dufaux. Le dossier reprend les articles de presse publiés à cette occasion.

129 Borde, Raymond, Chacon, Juan et Revueltas, Rosaura. **Autour du film Le Sel de la terre.** Montréal, Cinémathèque québécoise, 1979. 20p. (Les Dossiers de la Cinémathèque, 6)

Réimpression d'un texte de R. Borde paru dans Les temps modernes en 1955 et traduction de deux textes publiés dans The California Quarterly en 1953, portant sur le film SALT OF THE EARTH de H.J. Biberman.

130 Cailhier, Diane et Chartrand, Alain. **L'autre bord du fleuve.** Montréal, s.n., 1973. 157p.

Première version du scénario de LA PIASTRE.

131 Robert, Doris. **Aux membres du comité de révision de la loi sur le cinéma, mémoire de l'industrie du cinéma.** Montréal, Les industries théâtrales unies du Québec, 1961. 2p.

Tout le mémoire tourne autour de la question de la censure et du visa.

132 Lajeunesse, Jean. **L'avenir de l'industrie cinématographique canadienne.** Montréal, Ecole des hautes études commerciales, 1948, 40p.

Mémoire basé sur des rencontres avec Paul L'Anglais, Edgar Tessier de Renaissance, François Bertrand de l'ONF et R. Depocas du York. On y étudie les problèmes d'organisation, de production et de distribution. L'auteur se déclare en faveur de la qualité intrinsèque de nos films, facteur d'attraction sur le public. Il fait allusion à l'intervention gouvernementale souhaitable à l'égard des USA.

133 Coté, Guy L. **L'avenir de notre cinéma.** Montréal, Association professionnelle des cinéastes, 1964. 8p.

Allocution du président de l'APC au Club St-Laurent Kiwanis. Considérations générales sur le cinéma et propositions pour que le cinéma vive au Québec.

134 Marsolais, Gilles. **L'aventure du cinéma direct;** histoire, esthétique, méthodes, tendances, textes, chronologie, dictionnaire biographique et filmographique, biographie, index. Paris, Seghers, 1974. 495p. (Cinéma club)

Important ouvrage sur l'histoire, l'esthétique, les méthodes et les tendances du cinéma direct. On y trouve aussi des textes sur le sujet, un dictionnaire biographique et thématique, un dictionnaire filmographique et une bibliographie analytique. L'auteur montre bien la part importante du Québec dans le cinéma direct.

135 Godbout, Jacques. **Les aventures étranges de l'agent IXE-13, l'as des espions canadiens.** Montréal, Office national du film du Canada, 1970. 113p.

Scénario du film IXE-13.

B

136 Associated Screen Studios. **Back Again! And Better Than Ever.** Montréal, 1954. 8p.

Brochure publicitaire sur la nouvelle série de Canadian Cameo.

137 Office national du film du Canada. **Backbround Papers Relating to a Proposed General Discussion of the Purposes of the Board and of Some Aspects of its Production, Distribution and Program Activities.** Montréal, 1964. 1v. (paginations diverses)

Comprend plusieurs documents sur les objectifs de l'ONF, la production, la distribution, la télévision ainsi que quelques mémoires et des extraits des discours prononcés à l'occasion du 25e anniversaire de l'ONF. Au total, 38 pages. Certains de ces documents sont traduits en français sous le titre "Documents d'étude et de référence en vue d'une discussion générale des objectifs de l'Office et de certains aspects de ses programmes de production et de distribution".

138 Québec (Province) Ministère de l'agriculture. **Banque de travail et syndicats de machinerie, ou l'entraide concertée.** Québec, 1978. 1 v.

Brochure d'information au film LE GROUPE DE FERMIERS DE SAINT-BONIFACE de Michel Audy.

139 Forcier, André et Marcotte, Jacques. **Bar Salon.** Montréal, Association coopérative de productions audio-visuelles, 1972. 91p.

Scénario.

140 Latour, Pierre. **Bar salon;** dossier établi par Pierre Latour sur un film d'André Forcier. Montréal, Éditions le Cinématographe et VLB éditeurs, 1978. 120p. (Le Cinématographe, 6)

Informations sur le film, découpage après montage, choix de textes, bibliographie.

141   Martin, André. **Barré l'introuvable.** Rétrospective et publication réalisées sous la direction de Louise Beaudet. **In Search of Raoul Barré.** Montréal, Cinémathèque québécoise, 1976. 16p.

Brochure préparée à l'occasion du Festival international du cinéma d'animation Ottawa '76. Elle fait découvrir le peintre, illustrateur, pionnier de la bande dessinée québécoise et co-fondateur ddu dessin animé américain, Raoul Barré (1874-1932).

142   Blanchard, André. **Beat.** Rouyn, 1975. 30p.

Scénario.

143   Ste-Marie, Gilles. **Le beau temps du mime.** Montréal, Société Radio-Canada, 1954. 7p.

Conférence dans la série Radio-Collège. Sur la liaison de l'image à la parole.

144   Beaugrand, Claude et Chabot, Jean. **Le beau voyage.** Montréal, s.n., 1972?. 120p.

Scénario non-tourné.

145   Dubé, Marcel. **Les beaux dimanches;** document complémentaire et essentiel à la compréhension du scénario. Montréal, Les productions Mutuelles, 1973. 37p.

146   Dubé, Marcel, Martin, Richard et Pontaut, Alain. **Les beaux dimanches.** Montréal, Les productions Mutuelles, 1973?. 394p.

Scénario.

147   Dubé, Marcel, Martin, Richard et Hellman, Richard. **Les beaux dimanches.** Montréal, Société nouvelle de cinématographie, 1974. 89p.

Scénario du film.

148   Dubé, Marcel, Martin, Richard et Pontaut, Alain. **Les beaux dimanches.** Montréal, Mojack Film, 1974. 278p.

Découpage du film.

149   Martin, Richard. **Les beaux dimanches de Marcel Dubé;** un film de Richard Martin; produit par Michel Costom. Montréal, Société nouvelle de cinématographie, 1974. 97p.

Transcription des dialogues du film.

150   Benoît, Denyse et Vanherweghem, Robert. **La belle apparence.** Montréal, s.n., 1977. 184p.

Scénario.

151   Bastien, Jean-Pierre. **Bernard Gosselin: rétrospective.** Montréal, Cinémathèque québécoise, 1977. 23p.

Brochure préparée à l'occasion d'une rétrospective. Présentation du cinéaste, témoignage de Pierre Perrault, entretien et filmographie.

152   National Film Board of Canada. **Beyond the Image: A Guide to Films about Women and Change.** Montréal, 1981. 51p.

Catalogue regroupant des films distribués par l'ONF ou des maisons privées et abordant différents aspects de la question féminine. Les films sont répertoriés par thème.

153   **Bibliocom: bibliographie internationale de la documentation en langue française** réalisée sous la direction de Jean de Bonville. Montréal, Institut international de la communication; Québec, Éditeur officiel du Québec, 1976- Annuel.

Bibliographie d'articles et de monographies sur la communication. On y retrouve des données sur le cinéma. Deux volumes parus. Cette bibliographie est aussi informatisée et accessible auprès d'Informatech.

154   Caron, Rosaire et Nadeau, Johan. **Bibliographie de la documentation portant sur le cinéma et relative au Québec, 1970-1977.** Montréal, Université de Montréal, École de bibliothéconomie, 1978. 75p.

Comprend autant les ouvrages que les articles de journaux et de revue publiés entre 1970 et 1977. Ceux-ci sont regroupés par thème. Il n'y a pas d'autres index. En annexe on trouve un Bottin Cinéma Québec et diverses listes de revues de cinéma.

155   Coté, Guy L. **Bibliographie sommaire sur le cinéma et la jeunesse.** Montréal, s.d. 4p.

156   Centre catholique national du cinéma, de la radio et de la télévision. **Bibliographie sur la famille et les techniques de diffusion.** Montréal, 1960. 10p.

157   Office catholique national des techniques de diffusion. **Bibliographie sur le cinéma.** Montréal, 1962. 31p.
    — **Addenda à la bibliographie sur le cinéma.** Montréal, 1964. 12p.

*Les livres sont regroupés sous les chapitres suivants: enseignement de l'église,
histoire, langage-technique-esthétique, artisans, sociologie-psychologie-
économique, méthodes de travail en groupe. On indique les volumes qui ne con-
viennent qu'aux lecteurs formés.*

158   Roy, Jean-Luc. **Bibliographie sur le cinéma;** essai de bibliographie des publica-
      tions canadiennes-françaises sur le cinéma de 1940 à 1960. Québec, Université
      Laval, 1963. 121p.

      *L'auteur divise sa bibliographie en douze sujets, chacun étant subdivisé en ma-
      nuscrits, brochures, livres et articles de revues. Il inclut aussi un index des titres,
      des auteurs et des sujets. 552 entrées.*

159   **Bibliographie sur le cinéma canadien-français.** S.l., s.n., 1969. 9p.

      *Bibliographie de publications parues en 1966-68. Compte surtout des articles de
      revues. Cité par Peter Southam in Bibliographie des bibliographies sur l'écono-
      mie, la société et la culture du Québec, Université Laval.*

160   Renaud, Madeleine Fournier. **Bibliographie sur le cinéma québécois, 1919-1978.**
      Montréal, Université de Montréal, École de bibliothéconomie, 1978. 111p.

      *Première ébauche du présent ouvrage. Bibliographie regroupée par thèmes, avec
      index.*

161   Webb, Barbara. **Bibliography of Books and Periodicals Pertaining to Audience
      Research and General Communications.** Montréal, Office national du film du
      Canada, 1974. 29p.

      *Publiée par le Service des besoins et réactions du public, bibliographie d'ouvra-
      ges regroupés sous sept chapitres.*

R   Big World, Small Format **voir** "Petits formats deviennent grands".

162   **Bilan des activités de la Cinémathèque de la D.G.C.A.** 1977/1978-Montréal.
      Annuel.

      *Prêt, acquisitions, manifestations de la Cinémathèque de la DGCA et activités du
      Centre de documentation cinématographique.*

163   Marcotte, Jean-Roch. **Bilan prospectif, Centre vidéo Société nouvelle/CC.** Mon-
      tréal, Office national du film du Canada, 1975. 39p.

      Textes sur les différents projets vidéos du programme Société Nouvelle.

164   Conseil québécois pour la diffusion du cinéma. **Bilan synthèse des ateliers du 6
      décembre 1975.** Montréal, 1975. 10p.

      *Les cinq ateliers portaient sur les divers aspects économiques et sur la diffusion
      du cinéma québécois. On y fit aussi la critique et l'autocritique du Conseil.*

165   Capistran, Michel. **Bingo;** un film de Jean-Claude Lord. Montréal, L'Aurore, 1974.
      230p. (Collection Les Grandes Vues, 2)

      Transcription littéraire du film, réactions à sa sortie et entretien avec J.C. Lord.

166   Office national du film du Canada. **Biographie des réalisateurs de l'ONF.** Ottawa,
      1965. 1v. (paginations diverses)

167   Bouchard, Michel. **Blanc Noël.** Montréal, s.n., 1972. 104p.

      Scénario de NOËL ET JULIETTE.

168   Chabrol Claude. **Blood Relatives.** Montréal, Cinévidéo, 1977. 154p.

      Scénario.

169   Bouchard, Michel. **Blue Eldorado.** Montréal, s.n., 197-. 23p.

      Synopsis d'un film non-tourné.

170   **Le bonhomme. Rapport d'évaluation.** Montréal, Office national du film du Canada,
      1973. Paginations diverses.

      *Rapport qui comprend quatre études présentées par le coordinateur de la distri-
      bution J.P. Olivier Fougères.*
      *— Jocelyne Archambault. Synthèse du rapport d'évaluation sur la distribution du
      film Le bonhomme de Pierre Maheu. 17p.*
      *— Madelaine Savoie. Rapport d'évaluation sur la distribution du film Le bon-
      homme. 64p.*
      — Gilles Péloquin. Lancement à Montréal. 7p.
      — Danielle Péloquin. Compte-rendu des réponses aux questionnaires. 7p.
      Ce rapport existe aussi en anglais.

171   Héroux, Denis, Woods, Clement et Von Radvanyi, Jeza. **Born for Hell.** Montréal,
      Cinévidéo, Les productions Mutuelles, 1975. 145p.

      Scénario.

172   Association professionnelle des cinéastes. **Bottin de l'Association professionnelle des cinéastes, 1963-1964**. Montréal, 1963. 33p.

Comprend la liste des membres avec leurs principaux films et les règlements de l'Association.

173   Perspective-jeunesse. Cinéma-amateur. **Bottin des cinéastes amateurs, région de St-Jean**. Saint-Jean, 1975. 100p.

Notes sur tous les films super-8 et 16mm tournés dans la région de St-Jean, au sud de Montréal, et adresses des cinéastes.

174   Syndicat national du cinéma. **Bottin des membres**. Montréal. Annuel.

Liste des membres du SNC selon leurs fonctions et tarifs minimum qu'ils demandent.

175   Québec (Province) Ministère des affaires culturelles. **Bottin des salles de spectacles du Québec** (cinémas, centres d'art, centres culturels et sportifs). Québec, 1967.

176   **Bottin professionnel du cinéma. 1972**. Préparé par Denise Lafleur et Lise Walser. Montréal, Conseil québécois pour la diffusion du cinéma, 1972. 348p.

177   Parry, Michel. **Br-r-r-r-!**. Montréal, Cinévidéo, 1976. 90p.

Scénario de THE UNCANNY de Denis Héroux.

178   Léger, Raymond-Marie. **Bref et vague précis sur la situation du cinéma en Chine populaire (1905-1976)**. Montréal, 1976. 7p.

Quelques indications sur le cinéma chinois diffusées à l'occasion du passage d'une délégation cinématographique chinoise au Québec.

R   Brief Notes on Government Financial Assistance to Film Production in Various European Countries **voir** Notes sur l'aide financière gouvernementale à la production cinématographique dans quelques pays d'Europe.

179   McPherson, Hugo. **Brief of the National Film Board to the Parliamentary Committee on Broadcasting, Films and Assistance to the Arts**. Montréal, Office national du film du Canada, 1968. 13p.

Positions de l'ONF sur la télévision éducative (ETV). La version française fait 20 pages.

180   Canadian Society of Cinematographers. (Montréal Chapter) **A Brief on Certain Problems Vital to the Interests of the Canadian Film Industry**. Montréal, 1969. 22p.

Présidé par Roger Racine, ce "chapitre" plaide pour l'établissement d'une industrie cinématographique nationale et explique le fonctionnement de son association.

R   A Brief Presented by Le Syndicat général du cinéma et de la télévision — ONF to the Canadian Radio-Television Commission **voir** Mémoire présenté par le SGCT-ONF au CRTC.

181   Syndicat général du cinéma et de la télévision (ONF). **A Brief Presented by le Syndicat général du cinéma et de la télévision (National Film Board Section) to the Standing Committee on Broadcasting**. Montréal, 1970. 32p.

Considérations générales sur les différentes activités de l'ONF, particulièrement sur son lien avec la télévision et sur le projet de mettre sur pied un Audio-Visual Canada Index.

182   **Brief Presented to Members of the NFB by the Film-makers of English Production**. Montréal, 1973. 57p.

Version longue d'un mémoire sur la situation et les problèmes de l'ONF qui sera fusionné avec celui de la section française sous le titre "Mémoire des cinéastes de la production française et de la production anglaise...".

R   Brief Submitted to the Secretary of State of Canada by Association professionnelle des cinéastes **voir** Mesures que l'Association professionnelle des cinéastes recommande au gouvernement du Canada...

183   McLaren, Norman. **A Brief Summary of the Early History of Animated Sound on Film (From Available Information)**. Ottawa, National Film Board of Canada, 1952. 4p.

Notes sur l'histoire du son dessiné directement sur la pellicule.

184   Office national du film du Canada. **Brief to the Royal Commission on Natior.al Development in the Arts, Letters & Sciences**. Ottawa, 1949. 74p.

Mémoire de l'ONF à la commission Massey. Il retrace les activités de production et de diffusion de l'ONF et se prononce pour un renforcement de l'Office.

185 Directors Guild of Canada. **A Brief Urging the Development and Encouragement of a Feature Film Industry in Canada with Emphasis on the Need for Governmental Assistance in Financing and National Distribution Including a Specific Proposal for the Establishment of "The National Film Distribution and Financing Scheme" and a Recommandation for Improved Participation by the Canada Council.** Toronto, 1964. 31p

Concerne indirectement le Québec. Mémoire soumis au Comité interministériel étudiant la possibilité de créer une industrie du long métrage au Canada. Il en existe un résumé français. On y propose la création d'un organisme financier relevant de l'État, d'un régime national de distribution et une certaine forme de contingentement canadien.

186 Harel, Pierre. **Bulldozer.** Montréal, s.n., 1969. 6p.

Synopsis.

R Bulletin on Technical Developments **voir** Bulletin sur les progrès techniques.

187 **Bulletin sur les progrès techniques.** Montréal, Office national du film du Canada, 1959 (1958/1959) — Irrégulier.

Bulletin publié par les Services techniques de l'ONF où sont recensées toutes les découvertes et les mises au point qu'on y effectue.

188 Courtois, Bernard A. **Bureau de surveillance du cinéma.** Montréal, O'Brien, Hall, Saunders, 1975. 30p.

Opinions sur le statut du BSCQ et modifications proposées pour améliorer le cadre juridique et de fonctionnement de l'organisme.

189 Doria, Luciano. **Burton-Taylor: les magnifiques;** avec la collab. de Jacques Harvey. Montréal, La Presse, 1973. 212p.

Récit "potinographique" sur la vie de R. Burton et E. Taylor par celui qui était la doublure de l'acteur depuis 1962.

190 Saint-Pierre, Léopold. **Buster Keaton and Things: an Analysis of Keaton as a Uniquely Twentieth-Century Artist.** Montréal, McGill University, 1976. 102p.

Thèse de M.A. (English). L'auteur analyse 19 courts métrages et 10 longs métrages réalisés entre 1920 et 1929 sous le contrôle exclusif de Keaton. Il étudie les gags de Keaton, particulièrement ceux touchant au monde matériel. En montrant comment Keaton se mesure et combat ce monde par l'absurde et le surréalisme, l'auteur affirme que c'est ainsi que Keaton devient un véritable artiste du XXe siècle.

C

190a Office national du film du Canada. **Ça prend du vouloir**; un film sur trois expériences récentes de projets de qualité de la vie au travail. Montréal, 1981. 7p.

Document d'accompagnement de film de Guy-Jude Côté réalisé pour Travail Canada.

191 Lafond, Jean-Daniel. **Ça tourne au Québec.** Montréal, s.n., 1980. 32p.

Produite à l'occasion du Festival de La Rochelle, cette brochure reprend des textes de Serge Dussault (Les vertus de la crise), Francine Laurendeau (A voir et à écouter), Jean-Daniel Lafond (L'autre vague enfin) et Patrick Straram (Blues clair, généralités génériques), ainsi que des fiches sur les six longs métrages présentés.

192 Lavoie, Richard. **La cabane.** Tewkesbury, Qué., R. Lavoie Inc., 1973. 13p.

Scénario de presse, texte sur LA CABANE film éducatif, et dessins d'enfants. Publié en français et en anglais.

193 Bourgeois, Jean Claude et Dupré, Maurice. **Cahier de notes des films du Chem Study.** Ste-Thérèse-ouest, 1972. 2v.

Notes sur l'utilisation de films pédagogiques.

195 Festival international du film de Montréal. **Cahier de presse. Press Book.** Montréal, 1966- Annuel.

Voir: Dossier de presse.

196 Cinémathèque canadienne. **Cahier de presse, 1964-1965.** Montréal, 1965. 25p.

Articles consacrés à l'activité de la cinémathèque.

197 Cinémathèque canadienne. **Cahier de presse, 1965-66.** Montréal, 1966. 56p.

198 Québec (Province) Bureau de surveillance du cinéma. **Cahier des films visés par catégories de spectateurs. Catalogue of Films Approved by Spectator Category.** 1er janv. 1965/12 août 1967-. Montréal. Annuel.

Comprend des informations générales sur le BSCQ (loi, fonctionnement, etc.), un index des longs métrages et un index par catégories d'âge.

199 Congrès du cinéma québécois, 1er, Montréal, 1968. **Cahier des résolutions.** Montréal, 1968. 1v. (paginations diverses)

200 Québec (Province) Bureau de censure du cinéma. **Cahier spécial sur la censure.** Montréal, 1965. 1v. (paginations diverses)

Étude exhaustive de tous les aspects touchant à la question de la censure dans le but d'accélérer le processus d'adoption d'une nouvelle loi. Le rapport comprend un premier volet de 213 pages sur l'historique du Bureau, l'examen des films et de la publicité, l'inspection et l'information, auquel s'ajoute une revue de presse. Le deuxième volet reprend divers documents officiels, rapports et mémoires sur la question. La cheville ouvrière de ce cahier est André Guérin.

201 Rencontres internationales pour un nouveau cinéma, Montréal, 1974. **Cahiers des rencontres internationales pour un nouveau cinéma.** Montréal, Comité d'action cinématographique, 1975. 4v.

Ces rencontres se sont tenues du 2 au 8 juin 1974. Les 4 cahiers couvrent les sujets suivants:
1- Résolutions adoptées lors de l'assemblée plénière.
2- Répertoire des groupes, associations, fédérations et collectifs de cinéma progressiste.
3- Textes et conférences.
4- Dossier de presse.

202 Patry, Pierre. **Caïn.** Montréal, 1965. 1v. (non paginé)

Textes inédits de Gilles Carle, critique cinéaste, Jacques Godbout, cinéaste romancier, Claude Jasmin, critique romancier, sur le long métrage canadien CAIN à l'occasion de sa première mondiale à Montréal, le vendredi 2 avril 1965. Comprend aussi le générique du film et des photos.

203 Office national du film du Canada. **Calcul de la valeur affective de 92 énoncés sur une échelle de neuf degrés;** construction de l'instrument de mesure. Montréal. 1974. 112p.

Tableaux produits à l'aide d'un ordinateur. Annexe III à "Mesurer les changements d'attitude, premières tentatives". Porte sur LE BONHOMME.

R Cameraless Animation **voir** Cinéma d'animation sans caméra.

204 Office national du film du Canada. **Canada and the World at War: 16mm Films.** Ottawa, 1945. 54p.

Catalogue des films faits ou distribués par l'ONF sur la guerre.

205 Rakstis, Ted J. **Canada's Fabulous Film Makers.** Montréal, National Film Board of Canada, 1974? 5p.

Tiré-à-part du Kiwanis Magazine, December 1973/January 1974, vol. 59, no 1.

206 Karniol, Robert. **Canadian Cinema: an Introduction.** Montréal, McGill University, 1973. 124p. (Série A Modular Introduction to Film # 3).

L'ouvrage comprend trois chapitres: le cinéma canadien jusqu'à la création de l'ONF, le cinéma québécois, la situation du cinéma au Canada anglais. Pour ce qui est du cinéma québécois, rien de très original et beaucoup d'extraits de critiques. Se veut un guide introductif. Série sous la direction de Donald F. Theall et Morrie Ruvinsky.

207 **Canadian Cinema at the Cannes Festival. Le cinéma canadien au festival de Cannes.** Ottawa, Bureau des festivals, Secrétariat d'État, 197-?-, Annuel.

Revue des articles publiés ici et à l'étranger sur le cinéma canadien à l'occasion de Cannes. Malheureusement les films ne sont pas regroupés par titre et aucun index n'accompagne l'ouvrage.

208 Pendakur, Manjunath. **Canadian Feature Film Industry: Monopoly and Competition.** Burnaby, Simon Fraser University, 1979. 277p.

Thèse de PhD (communication). L'auteur étudie l'historique des processus économiques et politiques qui ont amené le Canada à dépendre de l'industrie cinématographique américaine. Il développe deux hypothèses: 1- que la structure oligopolistique de l'industrie au Canada et le marché monopolistique Canada/USA a empêché l'établissement d'un cinéma canadien; 2- que le gouvernement du Canada, tout en reconnaissant la nécessité d'un cinéma canadien, n'a adopté aucune politique apte à briser l'emprise des monopoles américains. Pour démontrer ses hy-

pothèses, l'auteur étudie les structures et les politiques des cinémas américains et britanniques de 1906 à 1978, puis les mêmes éléments au Canada (1906-40, 1941-78), et finalement les politiques gouvernementales de 1920 à 1978. L'auteur termine par des propositions qui favoriseraient la consolidation du cinéma canadien. Il parle parfois du Québec, mais décrit surtout une situation qui se retrouve au Québec.

209   Spencer, Michael. **Canadian Feature Film Production in the English Language**; A Report for the Interdepartmental Committee on the Possible Development of Feature Film Production in Canada. S.l., 1965. 35, 34p.

Les principaux chapitres: les producteurs, les ressources techniques, la définition d'un film canadien, le financement, etc. Après s'être entretenu avec plusieurs maisons de production, l'auteur recommande que l'organisme de prêt puisse couvrir 75% du coût d'un film à petit budget (200,000$) et que des primes soient payées aux producteurs canadiens dont les films sont distribués par des maisons canadiennes. En annexe, des données sur les maisons de production rencontrées et sur leurs suggestions. La contrepartie française de ce rapport a été préparée par Fernand Cadieux. Il est intéressant de comparer les deux textes.

210   Morris, Peter. **Canadian Feature Films: 1913-1969, Part I: 1913-1940**. Ottawa, Canadian Film Institute, 1970. 19p.

Répertoire des longs métrages canadiens.

211   Morris, Peter. **Canadian Feature Films: 1913-1969, Part 2: 1941-1963**. Ottawa, Canadian Film Institute, 1974. 44p.

212   Handling, Piers. **Canadian Feature Films: 1913-1969, Part 3: 1964-1969**. Ottawa, Canadian Film Institute, 1976. 64p.

R   The Canadian Film Cooperative Association Catalogue no 1 **voir** Catalogue de l'Association du film canadien, no 1.

R   Canadian Film Development Corporation. Co-Production Study **voir** Rapport sur les coproductions canadiennes (1963-1979)

213   **The Canadian Film Institute Yearbook of Canadian Cinema. L'Annuaire du cinéma canadien de l'Institut canadien du film.** v.1- ; 1972/1973- Ottawa, Institut canadien du film.

R   Canadian Film, Past and Present **voir** Rétrospective du cinéma canadien.

214   Feldman, Seth and Nelson, Joyce. **Canadian Film Reader**. Toronto, Peter Martin Associates Limited, 1977. 405p.

Réimpression de divers textes parus à gauche et à droite. Certains portent sur le cinéma québécois: ST-JÉRÔME de Fernand Dansereau, Pierre Perrault, À TOUT PRENDRE et MON ONCLE ANTOINE, Gilles Carle, Denys Arcand, Mireille Dansereau et Michel Brault.

215   **Canadian Film: The Industry Moves Up and Out**. Toronto, New Leaf Publications, 1980. 60p.

Supplément publicitaire à SATURDAY NIGHT. Articles sur différentes facettes de l'industrie cinématographique canadienne. Nombreuses illustrations et publicité. Touche, pour ce qui est du Québec, aux films anglophones qui s'y tournent.

R   Canadian Forest Industries Films **voir** Films des industries forestières canadiennes.

R   Canadian Image Number 2 **voir** Images du Canada numéro 2.

216   Reid Alison. **Canadian Women Film Makers**; An Interim Filmography. Ottawa, Canadian Film Institute, 1972. 14p.

Travail élémentaire où se retrouvent quelques réalisatrices québécoises.

217   Buttrum, Keith. **Carry On Canadian Film**. Montréal, McGill University, 1974. 55p.

218   Office national du film du Canada. **Catalogo de peliculas**. Montréal, 1968. 61p.

Catalogue des versions espagnoles de l'ONF.

219   Coopérative des cinéastes indépendants. **Catalogue**. Montréal, 1976. 6p.

Touche principalement au cinéma expérimental.

220   Coopérative des cinéastes indépendants. **Catalogue**. Nouv. éd. Montréal, 1977. 60p.

221   Les Films du crépuscule. **Catalogue**. Montréal, 1978. 28p.

Regroupe plusieurs jeunes cinéastes indépendants québécois.

222   MacDonald College. Provincial Film Library. Adult Education Service. **Catalogue**. Ste-Anne-de-Bellevue, 1955?. 79p.

223   Collège d'enseignement général et professionnel de Trois-Rivières. Cinémathèque. **Catalogue 1973**. Trois-Rivières, 1974. 131p.
—Deuxième édition, 1977, 191p.

Comprend description des films et table des sujets.

224 Institut québécois du cinéma. **Catalogue 1980**. Montréal, 1980. 1v.

Ciné-fiches sur les films dans lesquels l'IQC est impliqué.

225 Hôpital Ste-Justine. Audiovidéothèque/C.I.S.E. **Catalogue 1981**. Montréal, 1981. 144p.

Publié par le Centre d'information sur la santé de l'enfant sous la responsabilité de Ginette Charest et Gaétan Perron, ce catalogue comprend non seulement des films mais aussi des documents audiovisuels de tout genre. Un index des sujets facilite la recherche de l'utilisateur.

226 Institut québécois du cinéma. **Catalogue de ciné-fiches des plus récents films de long métrage**. Montréal, 1980. 1v (non paginé)

227 Coopérative des cinéastes indépendants. **Catalogue de distribution de films no 5 (1979-80) & guide des publications cinématographiques. Film Distribution Catalogue no. 5 (1979-80) & Guide to Film Publications**. Montréal, 1979. 151p.

Catalogue de films qui sont surtout de tendances expérimentale, anciens ou récents, canadiens ou étrangers. La bibliographie fait 18 pages.

228 Parlimage. **Catalogue de films**. Montréal, 1981. 7p.

Distributeur spécialisé en communication et en animation par le film, Parlimage distribue essentiellement des films québécois. À déplorer qu'on ait omis d'indiquer l'année de production des films.

229 Rex Film. **Catalogue de films 16mm**. Québec, 196-?. 48p.

"Centrale catholique du cinéma",Rex Film fut le bras "distribution cinématographique" du diocèse de Québec.

230 Québec (Province) Office provincial de publicité. Service de ciné-photographie. **Catalogue de films 16mm distribués par le Service de ciné-photographie et l'Office de publicité de la Province de Québec**. Québec, 1942-.

Il existe plusieurs éditions de ce catalogue, parues irrégulièrement depuis 1942. Leur maître d'oeuvre fut Alphonse Proulx qui se fit aider par la suite par Thérèse Le Vallée et Thérèse Lavoie.

231 Association coopérative du film canadien. **Catalogue de l'Association du film canadien, no 1. The Canadian Film Cooperative Association Catalogue no 1**. Montréal, 1970. 112p.

Catalogue conjoint de 3 coopératives de distribution au Canada: Toronto, Vancouver et Montréal (Coopérative des cinéastes indépendants). On y retrouve esentiellement des films expérimentaux.

232 Université Laval, Québec. Audio-vidéothèque. **Catalogue de l'audio-vidéothèque, 1973**. Québec, 1972. 1v. (paginations diverses)

233 Université Laval, Québec. Audio-viothèque. **Catalogue de l'audiovidéothèque, 1975**. Québec, 1974. 1v. (paginations diverses)

234 Ciné-club Garnier. **Catalogue de la bibliothèque**. Québec, Collège des Jésuites, 1960. 20p.

Documents cinématographiques de la bibliothèque du père J.P. Dallaire.

235 Université Laval, Québec. Cinémathèque. **Catalogue de la cinémathèque**. Nouv. éd. Québec, 1971. 1v. (paginations diverses)

236 Collège d'enseignement général et professionnel de Trois-Rivières. Cinémathèque. **Catalogue de la cinémathèque du Cegep de Trois-Rivières, Service de prêt communautaire**. 2e éd. Trois-Rivières, 1977. 191p.

237 Université Laval, Québec. Cinémathèque. **Catalogue de la cinémathèque universitaire Laval**. Nouv. éd. Québec, 1971. 1v. (paginations diverses)

238 Office national du film du Canada. **Catalogue de média 1972-1973**. Montréal, 1972. 59p.

Une nouvelle édition de ce catalogue fut publiée en 1974 (54p.). Il en existe aussi une édition en langue anglaise (Media Catalogue). Dans ce catalogue, on retrouve la liste des films fixes, des cassettes 8mm, des diapositives, des cellulos pour rétroprojecteur et des "kit" multi-média.

239 Québec (Province) Direction générale du cinéma et de l'audiovisuel. **Catalogue des documents audiovisuels**. Nouv. éd. Montréal, 1978. 188p.

Comprend tous les documents audiovisuels faits par le gouvernement du Québec.

240 Québec (Province) Direction générale du cinéma et de l'audiovisuel. **Catalogue des documents audiovisuels**. Nouv. éd. Québec, Éditeur officiel du Québec, 1978. 380p.

Comprend tous les documents audiovisuels faits ou distribués par le gouvernement du Québec.

241 Hydro-Québec. **Catalogue des documents audiovisuels de l'Hydro-Québec. 1976-77**. Montréal, 1976. 24p.

l'aventure
du cinéma
direct

gilles marsolais

*préface de
enrico fulchignoni*

CINEMACLUB   SEGHERS

LES DOSSIERS DE
LA CINÉMATHÈQUE

8

Louise Beaudet   Raymond Borde

CHARLES R. BOWERS
ou
le mariage du slapstick et de l'animation

CHARLEY
BOWERS
in
"HOP
OFF"

LA CINÉMATHÈQUE DE TOULOUSE
LA CINÉMATHÈQUE QUÉBÉCOISE MUSÉE DU CINÉMA

GILLES MARSOLAIS

LE CINÉMA
CANADIEN

GILLES GROULX CLAUDE JUTRA ARTHUR LAM
OTHE JEAN-PIERRE LEFEBVRE GILLES CARLE
GUY-L COTE RAYMOND GARCEAU PIERRE PE
RRAULT CLAUDE JUTRA GILLES GROULX PIER
RE PATRY ONF MICHEL BRAULT MARCEL CAR
RIERE NORMAN McLAREN DON OWEN CLEM
ENT PERRON COLIN LOW AL SENS JEAN-PIER
RE MASSE PIERRE HEBERT WERNER NOLD
ARRY KENT KROITOR & KOENIG CLAUDE FOU
RNIER GEORGES DUFAUX ALAIN D'HOSTIE JEA
N-CLAUDE LABRECQUE ALLAN KING GILLES G
ROULX CLAUDE JUTRA ARTHUR LAMOTHE JE
AN-PIERRE LEFEBVRE GILLES CARLE GUY-L
COTE RAYMOND GARCEAU PIERRE PERRAUL
T CLAUDE JUTRA GILLES GROULX PA
TRY ONF MICHEL BRAULT MARC RIER
E NORMAN McLAren DON OWEN T P
SSE PIERRE HEBERT WERNER NOL RK
ENT KROITOR & KOENIG CLAUDE R G
ORGES DUFAUX ALAIN D'HOSTIE JEAN-CLAU
DE LABRECQUE ALLAN KING GILLES GROULX
CLAUDE JUTRA ARTHUR LAMOTHE JEAN-PIE

$2.50

LES CINEMAS
CANADIENS

Collection Cinéma Permanent
LHERMINIER

EN COÉDITION AVEC
LA CINÉMATHÈQUE QUÉBÉCOISE

242 Québec (Province) Service général des moyens d'enseignement. **Catalogue des documents audiovisuels du Service général des moyens d'enseignement.** Montréal, 1973. 99p.

Comprend la liste, regroupée par thème, des films, diapositives, audiovisions et disques recommandés par le SGME.

243 Québec (Province) Ministère des communications. Service de diffusion des documents audiovisuels. **Catalogue des documents audiovisuels gouvernementaux.** Québec, 1981. 71p.

244 Office de radio-télédiffusion du Québec. **Catalogue des documents audiovisuels produits par Radio-Québec.** Montréal 1976. 42p.

245 Cinéma libre. **Catalogue des films.** Montréal, 1978. 20p.

Regroupe les productions de plusieurs cinéastes indépendants québécois.

246 Hydro-Québec. **Catalogue des films.** Montréal, 197-?. 76p.

247 Office national du film du Canada. **Catalogue des films.** 1940- Montréal. Annuel.

Publié annuellement, ce catalogue inclut les films distribués en français par l'ONF. Les films retirés de la distribution le sont du catalogue. A partir de 1971, on retrouve un index des réalisateurs et des producteurs. Il existe une version canadienne et une version internationale de ce catalogue.

248 Montréal. Cinémathèque. **Catalogue des films. Film Catalogue.** Montréal, Bibliothèque de la Ville de Montréal, 1970. 231p.

Nouvelle édition en 1976.

249 Cotnoir, Marcel. **Catalogue des films 16mm.** Sherbrooke, Université de Sherbrooke, Cinémathèque, 1978. 258p.

Catalogue des films disponibles à la Cinémathèque universitaire.

250 Proulx, Alphonse. **Catalogue des films 16mm. Suppl. 1963.** Québec, Office du film de la province de Québec, 1963. 40p.

251 Québec (Province) Direction générale du cinéma et de l'audiovisuel. **Catalogue des films d'archives.** Montréal, 1978. 184p.

252 Québec (Province) Direction générale du cinéma et de l'audiovisuel. **Catalogue des films d'archives.** 2e éd. rev. et augm. d'un index. Montréal, 1980. 3v.
Première éd: vol. 1, sous le titre **Les archives de l'Office du film du Québec** en 1976;
vol. 2, sous le titre **Catalogue des films d'archives** en 1978.
vol. 3, sous le titre **Catalogue des films d'archives** en 1979.

Important travail réalisé par Antoine Pelletier sur tous les films conservés (et souvent produits) par le gouvernement du Québec. On y retrouve les index suivants: Matières, Titres, Noms, qui renvoient à une première sortie en ordre numérique.

253 Informatech France-Québec. **Catalogue des films de formation.** Montréal, 1979?. 1v. (paginations diverses)

254 Université Laval, Québec. Cinémathèque. **Catalogue des films de la cinémathèque.** Québec, 1979. 1v. (paginations diverses)
— Suppl. 1980. Québec, 1980. 1v (paginations diverses)

255 Université du Québec à Rimouski. Cinémathèque. **Catalogue des films de la Cinémathèque de l'Université du Québec à Rimouski.** Rimouski, 1973? 97, 15p.

256 Université Laval, Québec. Cinémathèque. **Catalogue des films de la Cinémathèque universitaire Laval.** Québec, 1966. 373p.

257 Office national du film du Canada. **Catalogue des films de la série Coup d'oeil.** Montréal, 1955. 8p.

*Publié aussi en anglais sous le titre: **Catalogue of Eye Witness Films.***

258 Office national du film du Canada. **Catalogue des films de Radio-Canada distribués par l'ONF, 1976.** Montréal, 1976. 20p.

259 Office du film du Québec. **Catalogue des films et des documents audiovisuels distribués par l'OFQ.** 1964- Montréal.

Chaque année, l'OFQ publie un ou plusieurs catalogues ou listes de ses productions et des films 16mm et 35mm qu'il distribue. Nous avons choisi de ne mentionner qu'un seul de ces catalogues.

260 Office national du film du Canada. **Catalogue des films fixes.** Nouv. éd. Montréal, 1965. 20p.

Ce catalogue est publié depuis 1953.

261 Informatech France Québec. **Catalogue des films scientifiques et médicaux.** Montréal, 1978? 40p.

262 Collège d'enseignement général et professionnel Montmorency. **Catalogue des productions audio-visuelles des CEGEP de la province de Québec.** Laval, 1973. 1v. (paginations diverses)

Comprend les catalogues des Cegep de Jonquière, Matane, Montmorency, Rivière-du-Loup, Shawinigan et Victoriaville.

263 Office national du film du Canada. **Catalogue des versions étrangères. Foreign Versions Catalogue.** Montréal, 1969. 1 vol.

264 Collège d'enseignement général et professionnel de Thetford Mines. Centre des media. **Catalogue: documentation audiovisuelle.** Thetford Mines. 1974. 164p.

265 Coopérative des cinéastes indépendants. **Catalogue & Guide.** Nouv. éd. Montréal, 1979. 151p.

266 Québec (Province) Service des moyens techniques d'enseignement. **Catalogue-inventaire des documents audio-visuels. 1968-1971.** Montréal, 1971. 68p.

Reprend essentiellement des documents produits par le Gouvernement du Québec et qui peuvent servir à l'enseignement.

267 Associated Screen News Limited, Montréal, Benograph. **Catalogue of 16mm Sound Programmes.** Montréal, 195-? 126p.

Films américains distribués par Benograph, une filiale d'ASN.

R Catalogue of Films Approved by Spectator Category **voir** Cahier des films visés par catégories de spectateurs.

268 Québec (Province) Département de l'Instruction publique. **Catalogue of Sound Films... 16mm, Silent Films... 16mm and Filmstrip... 35mm.** Québec, 1941. 52p. — Réédition en 1945, supplément 1948.

Premier catalogue publié par le ministère.

269 Québec (Province) Département de l'Instruction publique. **Catalogue of Sound Films... 16mm, Silent Films... 16mm and Filmstrips... 35mm.** Québec, 1951.

Supplément en 1952 et 1954.

270 Québec (Province) Département de l'instruction publique. **Catalogue of the Film Library.** Québec, 1941. 52p.

Catalogue des films muets et sonores distribués par le secteur protestant du ministère.

271 Québec (Province) Département de l'instruction publique. **Catalogue of the Film Library.** Québec, 1951. 165p.

Catalogue des films distribués par le secteur protestant du ministère de l'éducation et regroupés par sujets.

272 Radio-Cinéma. **Catalogue sur notre filmathèque 16mm sonore.** Verdun, 1946. 160p.

La publicité de Radio-Cinéma affirmait que c'était une entreprise canadienne-française offrant à sa nombreuse clientèle du clergé une sélection des meilleures productions américaines d'une moralité impeccable. Au programme de ce catalogue abondamment illustré, on ne retrouve que des films de série C ou Z et des serials.

273 Vachet, Aloysius. **Catholicisme et cinéma.** Montréal, Editions de Renaissance Films Distribution, 1947. 24p.

Venu au Canada à la demande de Renaissance pour être leur conseiller technique et spirituel, l'abbé Vachet plaide ici pour un cinéma d'action catholique dans l'esprit de Vigilanti cura.

274 Frenette, Emilien. **Les catholiques en face des techniques de diffusion.** Montréal, Imprimerie du Messager, 1958. 31p.

L'auteur parle des techniques modernes de diffusion et de la pensée catholique. Il s'appuie surtout sur l'enseignement papal et parle du rôle de chaque chrétien convaincu.

275 Gay, Paul. **Les catholiques et le cinéma.** Ottawa, Centre catholique, Université d'Ottawa, 1955. 16p.

Texte écrit par un oblat enseignant à l'Université.

276 Guérin, André. **Causerie de André Guérin, président du Bureau de surveillance du cinéma au déjeuner annuel de l'Association des propriétaires de cinéma du Québec.** Montréal, 1971. 10p.

Propos sur l'érotisme, la "sexploitation" et la censure.

277 Godbout, Jacques et Languirand, Jacques. **Ce n'est certainement pas son vrai nom;** scénario. Montréal, Office national du film, 1965. 110p.

Scénario et découpage de YUL 871. Ce scénario portait auparavant le titre de LE REGARD; on y trouve une présentation par Godbout et une description des personnages.

278 Proulx, Alphonse. **Ce que l'on pense de l'Office du film de la Province de Québec et de ses films.** Québec, Office du film de la Province de Québec, 1961, 16p.

Témoignages provenant de lettres ou d'articles sur l'activité cinématographique du gouvernement de 1943 à 1961. Compilation effectuée par le chef de la distribution.

279 **La censure à l'Office national du film du Canada.** S.l., s.n., 1973? 18p.

Titre fictif pour un dossier sur la censure. Témoignages de Paul Larose, Denys Arcand et Gilles Groulx. Extraits de presse sur CAP D'ESPOIR, ON EST AU COTON, 24 HEURES OU PLUS, trois films censurés.

280 Cinémathèque canadienne. Musée du cinéma. **Cent films essentiels du cinéma canadien. One Hundred Essential Films of Canadian Cinema.** Montréal, 1966. 26p.

Document à l'usage des experts-conseils consultés en marge de la rétrospective du cinéma canadien qui eut lieu en 1967. On y retrouve des filmographies de réalisateurs, des listes de films et la liste des films qui ont mérité des prix dans des compétitions antérieures (dont les Canadian Film Awards).

281 Québec (Province) Conseil des directeurs de communications. **Centre des services en communications, production audiovisuelle.** Montréal, 1980. 15p.
— Titre de la couv.: **Gestion des communications; guide pratique.**

Guide pour familiariser les gestionnaires gouvernementaux aux principales étapes de la production d'un document audiovisuel.

282 Legault, André. **Le Centre Maria Goretti présente La fille des marais.** Montréal, 1951. 39p.

Brochure consacrée au film CIELO SULLA PALUDE d'Augusto Genina sur Maria Goretti, modèle de moralité exaltante et de pureté offert à la jeunesse d'un monde désabusé. Nombreuses illustrations.

283 Lefebvre, Jean Pierre. **La chambre blanche, ou, Parfois quand je vis;** scénario. S.l., 1969? 33p.

Première version du scénario où sont précisées les intentions de l'auteur et le sens du film et relevées les 36 séquences qui le composeront.

284 Leduc, Jacques. **Chantal: en vrac.** Montréal, Office national du film du Canada, 1967. 11p.

Transcription des dialogues.

285 McLaren, Norman. **Chants populaires.** Réalisé par Norman McLaren, Jim MacKay, Laurence Hyde, George Dunning, Jean P. Ladouceur, Maurice Montgrain. Montréal, Office national du film du Canada, 194?. 27p.

Notes historiques et explicatives sur chacune des chansons de la série CHANTS POPULAIRES qui vit le jour durant la guerre, ainsi que quelques considérations sur le folklore.

286 Borde, Raymond et Beaudet, Louise. **Charles R. Bowers ou le mariage du slapstick et de l'animation.** Montréal. Cinémathèque québécoise, Musée du cinéma, 1980. 48p. (Les Dossiers de la Cinémathèque, 8)

Biographie d'un cinéaste méconnu qui marie burlesque, fantastique et animation de manière insolite. Étude de quelques-uns de ses films. Une découverte.

287 Fournier, Claude. **Les chats bottés.** Montréal, s.n., 1971?. 157p.

Transcription des dialogues du film.

R Cheminement critique pour une politique du cinéma **voir** Mémoire sur les éléments d'une politique du cinéma pour le Québec.

288 Roberge, Gaston. **Chitra Bani: a Book on Film Appreciation.** Calcutta, Chitra Bani, 1974. 274p.

Le titre signifie, en bengali, image et son. L'ouvrage se veut une introduction à l'étude du cinéma dans ses aspects sociaux, artistiques, techniques, stylistiques, historiques et critiques. On y retrouve, disséminées çà et là, plusieurs aperçus sur le cinéma indien. Le cinéma québécois est aussi présent.

289 **Choix: documentation audiovisuelle.** Montréal, Centrale des bibliothèques, 1978- Annuel.

Répertoire de fiches où se retrouvent toutes sortes de documents audiovisuels. On mentionne surtout les films de l'ONF. Non-exhaustif.

290 **Choix jeunesse: documentation audiovisuelle.** Montréal, Centrale des bibliothèques, 1978- Annuel.

291 Beauclair, René. **La chronique de cinéma dans Le Monde diplomatique.** Montréal, Ministère des affaires culturelles, Centre de documentation cinématographique, 1981. 195p.

Reprise des articles de la chronique "Cinéma politique" parue de 1974 à 1979. Ils sont regroupés par thème: cinémas nationaux, films, personnalités, organismes, festivals, sujets. À la fin on trouve un index.

292 Arcand, Denys. **Cinak présente La maudite galette;** un film de Denys Arcand. Montréal, Cinak, 1972. 17p.

Brochure publicitaire sur LA MAUDITE GALETTE. Notes sur le réalisateur et quelques collaborateurs. Revue de presse.

293 Fra-Cinéo. **Ciné ABC.** Montréal, Éditions du Ciné-Viator, 1955? 40p.

Écrit par un frère qui est probablement Léo Bonneville, cet ouvrage explique de façon simple et humoristique les principales notions du langage cinématographique. À l'usage des ciné-clubs.

294 Séminaire de Sherbrooke. Bibliothèque. **Cinéastes québécois I.** Sherbrooke, 1981. 114p.

Dossier de presse sur Denys Arcand et Mark Blandford. Les articles sont classés par ordre de parution.

295 Séminaire de Sherbrooke. Bibliothèque. **Cinéastes québécois II.** Sherbrooke, 1981. 112p.

Dossier de presse sur Jean Beaudin, Michel Brault, Jean Chabot et Fernand Dansereau.

296 Séminaire de Sherbrooke. Bibliothèque. **Cinéastes québécois III.** Sherbrooke, 1981. 104p.

Dossier de presse sur Claude Fournier, Gilles Groulx, Pierre Harel et Denis Héroux.

297 Séminaire de Sherbrooke. Bibliothèque. **Cinéastes québécois IV.** Sherbrooke, 1981. 148p.

Dossier de presse sur Claude Jutra et Jean-Claude Labrecque.

298 Séminaire de Sherbrooke. Bibliothèque. **Cinéastes québécois V.** Sherbrooke, 1981. 106p.

Dossier de presse sur Jean Pierre Lefebvre et Jean-Claude Lord.

299 Séminaire de Sherbrooke. Bibliothèque. **Cinéastes québécois VI.** Sherbrooke, 1981. 108p.

Dossier de presse sur Francis Mankiewicz, André Melançon, Michel Moreau, Pierre Patry et Clément Perron.

300 Boissonnault, Robert. **Les cinéastes québécois: un aperçu.** Montréal, Université de Montréal, 1971. 345, 30p.

Thèse de maîtrise (sociologie) sur les cinéastes québécois, leurs projets et les conditions qui entourent la pratique de leur métier. Le point de départ: une situation de crise, celle de 1964-6, où plusieurs cinéastes quittent l'ONF. Cette situation sert à faire des liens avec l'ONF, le secteur privé, le long métrage, les associations professionnelles, etc. Selon l'auteur, les cinéastes vont de plus en plus s'identifiant à un groupe professionnel et national qui aura des revendications gestionnaires et idéologiques précises et qui s'opposera à l'ONF et à l'État fédéral, tout en jouant le jeu pour continuer à produire. Une thèse fort intéressante et toujours pertinente pour nous éclairer sur l'action des cinéastes.

301 Séminaire de Sherbrooke. Bibliothèque. **Cinéastes québécoises.** Sherbrooke, 1981. 108p.

Dossier de presse sur Paule Baillargeon, Mireille Dansereau, Micheline Lanctôt, Diane Létourneau, Anne Claire Poirier.

302 **Ciné-campus — Ciné-club des étudiants de Trois-Rivières.** Trois-Rivières, Ciné-Club des étudiants de Trois-Rivières puis Ciné-Campus, 1968 (1968/1969)- Annuel.

303 Filmoteca Nacional de Espana. **Cine canadiense.** Madrid, 1974. 48p.

Brochure publiée à l'occasion d'une rétrospective de cinéma canadien en Espagne.

304 Bonneville, Léo. **Le ciné-club; méthodologie et portée sociale.** Montréal, Fides, 1968. 215p.

Synthèse de l'expérience des ciné-clubs catholiques par celui qui fut l'une des chevilles ouvrières du mouvement. Le frère Bonneville y expose les exigences et les difficultés de la programmation, les soucis de la présentation, les aléas de la discussion et devise sur la portée sociale du ciné-club.

305 Commission des écoles catholiques de Montréal. Bureau des techniques audio-visuelles. **Les ciné-clubs: organisation et règlements.** Montréal, 196-? 9p.

306 Brault, Eustache (comp.) **Ciné-guide perpétuel.** Montréal, Fides, 1942-1949. 2v.

D'abord publié en 1942, ce catalogue comprend 2 parties: une partie anglaise où se retrouvent tous les films censurés aux USA par la Legion of Decency de 1934 à 42 et une partie française avec les longs métrages censurés par la Centrale catholique du film de Paris de 1936 à 1940. Un ouvrage pour connaître les cotes morales attribuées par les catholiques. 2e édition en 1949.

307 Lafrance, André. **Ciné guide super 8.** Montréal, Éditions de l'Homme, 1974. 55p.

Guide technique pour cinéaste amateur qui touche à toutes les étapes de la réalisation et de la projection d'un film super-8.

308 Semaine du cinéma québécois, 8e, Montréal, 1980. **Ciné-horaire.** Montréal, Semaine du cinéma québécois, 1980. 26p.

Notes sur chacun des films québécois, anglais, belges, français et néerlandais présentés lors de cette 8e Semaine baptisée "Vues d'ici et d'ailleurs".

309 **Ciné-Laurentien.** s.l., 1951. 16p.

Brochure d'un ciné-club auquel collabora, entre autres, Pierre Moretti.

310 "**Cinéma**". France-Québec, no 27 (printemps 1978) 15p.

Bulletin de l'Association France-Québec. On y retrouve des articles généraux sur le cinéma québécois ainsi qu'une liste des films québécois disponibles en France.

311 Cinéma. Montréal, Fides, *Mes fiches revue documentaire mensuelle,* 14e année, # 257, novembre 1950. 32p.

Résumé d'ouvrages ou de chapitres portant sur le cinéma et provenant de dix auteurs dont Lo Duca, Jean Benoit-Lévy. Au total, quatorze sujets sont traités.

312 Bonneville, Léo et Pelletier, Rosaire. **Cinéma.** Montréal, Centre de bibliographie de la Centrale des bibliothèques, 1974. 130p. (Cahiers de bibliographie: collèges; 4)

Bibliographie sélective d'ouvrages consacrés au cinéma et classés par thèmes généraux. En index, les auteurs et les titres cités.

313 Coderre, Gérard-Marie, évêque. **Le cinéma.** St-Jean-de-Québec, Évêché, 1954. *(Lettres circulaires,* vol. V, no 48, 5 juillet 1954)

Buts et règlements du Centre catholique du cinéma de St-Jean. Texte d'une allocution de Pie XII sur le cinéma. Lettre de Mgr Montini sur la classification morale des films.

314 Coderre, Gérard-Marie, évêque. **Le cinéma.** St-Jean-de-Québec, Évêché, 1955. *(Lettres pastorales,* vol. VI, no 12, 1 nov. 1955)

Lettre recommandant au clergé et aux fidèles de se conformer aux règlements du cinéma. En appendice, le règlement du cinéma pour les "institutions éducationnelles et les salles sous la juridiction de l'Église dans le diocèse de St-Jean".

315 Comité de la semaine du cinéma. **Cinéma.** Montréal, Collège Regina Assumpta 1961. 21p.

Notes à l'occasion d'une semaine de cinéma dont les thèmes sont: technique et divertissement, l'esthétique au cinéma, le cinéma et le sacré, le cinéma et l'homme. On y retrouve également des entrevues avec Guy L. Coté et Gilles Blain. Un bon exemple de l'activité d'un ciné-club de collège classique.

316 Tille, Vaclav. **Le cinéma.** Précédé d'un texte de présentation de Barthélémy Amengual. Montréal, Cinémathèque québécoise, Musée du cinéma, 1979. 16p. (Les Dossiers de la Cinémathèque, 4)

Incunable de la réflexion cinématographique paru en 1908 en Tchécoslovaquie, ce texte constitue l'ancêtre le plus ancien de la théorie cinématographique.

317 Ste-Marie, Gilles. **Le cinéma a-t-il quelque chose à dire?.** Montréal, Société Radio-Canada, 1953. 6p.

Conférence dans la série Radio-Collège.

318 Ste-Marie, Gilles. **Le cinéma à un carrefour permanent.** Montréal, Société Radio-Canada, 1954. 6p.

Conférence dans la série Radio-Collège. Rôle d'accrochage qui est dévolu aux titres.

R Cinema Act **voir** Loi sur le cinéma.

319 Centre catholique national du cinéma, de la radio et de la télévision. **Le cinéma américain d'après-guerre.** Montréal, 1959. 1 vol.

Rapport et plan du stage national sur le sujet.

320 Khayati, Khémais. **Cinéma arabe, cinéma dans le tiers monde, cinéma militant...;** Textes de Khémais Khayati, Fernando Solanas, Férid Boughedir. Montréal, Editions Dérives, 1976. 48p.

Numéro spécial de la revue Dérives (nos 3-4, janvier-avril 1976)

320a Lamonde, Yvan et Hébert, Pierre-François. **Le cinéma au Québec;** essai de statistique historique (1896 à nos jours). Québec, Institut québécois de recherche sur la culture, 1981. 478p.

Publication de leur recherche auparavant intitulée Statistique du cinéma au Québec.

321 Tadros, Jean-Pierre. **Le cinéma au Québec: bilan d'une industrie.** Conçu et réalisé par Jean-Pierre Tadros avec la collaboration de Marcia Couëlle et Connie Tadros. Montréal, Editions Cinéma/Québec, 1975.

Recueil de textes sur les principaux intervenants dans le cinéma au Québec, quelques mises en situation générales et informations sur l'industrie, voilà ce qui se trouve au menu de ce bilan. Un document riche en références.

322 Tadros, Jean-Pierre. **Le cinéma au Québec: répertoire 1979;** Jean-Pierre Tadros, Bernard Voyer, France Sauvageau. Montréal, Éditions Cinéma-Québec, 1979. 304p.

Bottin où se retrouvent les renseignements suivants: maisons de production et de distribution, laboratoires et services, salles et circuits, associations professionnelles, festivals, lois, organisations gouvernementales, conventions collectives et accords de coproduction.

323 Cinémathèque québécoise. **Cinéma-Canada.** Montréal, 1972. 64p.

Publication bilingue pour le Secrétariat d'État du Canada. fiches sur les longs métrages sortis au Canada en 1971 et notes générales sur la production.

324 Marsolais, Gilles. **Le cinéma canadien.** Montréal, Éditions du Jour, 1968. 160p. (Les Idées du Jour, D-40)

L'auteur nous expliquant qu'il bâtit dans le désert, cela explique les nombreuses erreurs qui sont le lot de ses passages historiques. L'aventure du direct et du long métrage retient particulièrement son attention. En conclusion l'auteur reprend certaines idées de Parti-Pris et plaide pour un cinéma authentiquement québécois. Un livre illustrant l'état balbutiant de l'histoire du cinéma au Québec en 1968.

R Le Cinéma canadien au festival de Cannes **voir** Canadian Cinema at the Cannes Festival.

325 Semaine du cinéma, 1966. **Le cinéma canadien existe-t-il?.** Hull, Collège de Hull, 1966. 21p.

Brochure publiée à l'occasion d'une semaine de cinéma. Comprend des entrevues avec Jean Pierre Lefebvre, Jean Dansereau, Jacques Godbout et Michel Brault. Le responsable de la Semaine était André Roy.

326 Filmuseum. Cinemateek 14. **Le cinéma canadien montre ses dents.** Amsterdam, 1972. 24p.

Brochure en néerlandais publiée à l'occasion d'une rétrospective à la Cinémathèque hollandaise. Texte de présentation: André Pâquet.

327 Hamel, Oscar. **Le cinéma: ce qu'il est dans notre province, l'influence qu'il exerce, les réformes urgentes qui s'imposent.** Montréal, École sociale populaire, 1928.

Écrit par le notaire Hamel, président de la Ligue du cinéma de Québec, ce pamphlet (no 170) prend ses distances face au rapport Boyer, dénonce le cinéma corrupteur, danger pour la morale publique, rappelle trois enquêtes passées (1916, 24, 27) et plaide pour une censure plus sévère. Il en existe une version longue sous le titre NOTRE CINÉMA.

328 Semaine du cinéma, Ciné-Laurentien, 1960. **Cinéma, connaissance du monde.** Montréal, 1960. 26p.

Programme d'une semaine de cinéma dans un ciné-club dirigé par le père Gilles Blain. Bon exemple de la démarche d'un ciné-club en 1960.

329 Lefebvre, Euclide. **Le cinéma corrupteur: remèdes nécessaires, leurs causes, ses ravages.** Montréal, L'Action paroissiale, 1921. 16p. (L'Oeuvre des tracts, no 13)

Exemple des attaques incessantes de l'église contre le cinéma, un vice en soi, qui tourne la religion en ridicule. Après avoir dénoncé plusieurs films, l'auteur propose des remèdes dont la censure, l'intervention de la Ligue des bonnes moeurs, etc.

330 Antenne 2. **Cinéma d'ailleurs. Cinéma québécois.** Paris, 1979. 80, 37p.

Transcription d'entretiens avec Arthur Lamothe, Carol Faucher, Michel Houle, Michel Bouchard, Roger Frappier, Jean-Guy Noël et Robert Daudelin pour un film coproduit par Antenne 2 et Télé-Métropole avec comme producteur Jean-Pierre Bastien.

331 Pollet, Ray Jules. **Le cinéma d'amateur (appareils et accessoires);** lexique des termes usuels (avec définitions et synonymes). **Amateur Movie Making (Cameras and Accessories);** a Lexicon of Basic Terms (With Definitions and Synonyms). Montréal, Leméac; Éditions Ici-Radio-Canada, 1971. 127p.

Lexique bilingue des nombreux termes techniques utilisés en cinéma.

332 McLaren, Norman. **Cinéma d'animation sans caméra;** technique mise au point par Norman McLaren à l'Office national du film. Montréal, Office national du film du Canada, 1959. 12p.

Tiré-à-part de "L'art de réaliser des films d'animation sans caméra" publié en 1949 dans le bulletin de l'Unesco. Éducation de base et éducation des adultes, complété de la description de l'instrument d'optique servant à l'animation à main levée.

333 Séguin, Gilles. **Le cinéma d'enseignement.** Montréal, Université de Montréal, 1965. 41p.

Rapport de recherche en pédagogie. L'auteur aborde son sujet en trois points: les techniques audiovisuelles et la place que le film y occupe. Les avantages et les inconvénients du film d'enseignement. Le film au service de la classe. Il recense particulièrement plusieurs points de vue américains sur ces sujets. Il conclut que cette méthode d'éducation active s'inscrit bien dans la foulée du rapport Parent.

334 Lafrance, André. **Cinéma d'ici.** Avec la collaboration de Gilles Marsolais. Montréal, Leméac; Éditions Ici Radio-Canada, 1973. 213p. (Collection les Beaux-arts)

Transcription des textes et interviews des 11 émissions de la série Cinéma d'ici réalisée par René Boissay. Trois périodes sont couvertes. Les origines et l'ONF jusqu'en 1950, le direct de 1957 à 1962 et le long métrage de 1962 à 1970. Ouvrage qui possède les défauts de l'histoire orale (où les faits ne sont pas vérifiés) mais aussi toutes les qualités des témoignages personnels de ceux qui ont vécu l'événement.

335 Université de Montréal. Service d'animation culturelle. **Cinéma de femmes: 16 films et 4 vidéos réalisés par des femmes.** Montréal, 1977. 16p.

336 Véronneau, Pierre. **Cinéma de Finlande.** Montréal, Cinémathèque québécoise, Musée du cinéma, 1975. 25p.

Mise en situation générale, notes sur différents organismes et cinéastes, points de vue de réalisateurs et notes sur les 12 séances présentées lors de la rétrospective du cinéma finlandais en janvier 1975.

337 Daudelin, Robert. **Cinéma de France, 1930-1939.** Montréal, Cinémathèque québécoise, 1976. 41p.

Notes sur 32 films du cinéma français des années 30.

338 Véronneau, Pierre. **Cinéma de l'époque duplessiste: histoire du cinéma au Québec 2.** Montréal, Cinémathèque québécoise, Musée du cinéma, 1979. 164p. (Les Dossiers de la Cinémathèque, 7)

Deuxième volet de l'étude du long métrage québécois après-guerre, cet ouvrage couvre toute l'activité de la Québec-Productions et des autres compagnies (hors Renaissance) qui tournèrent à cette époque. Pour chaque film, on a l'historique, le générique, le résumé tel que formulé à l'époque et l'accueil critique. L'activité de Paul l'Anglais est surtout mise en relief. En annexe on retrouve un historique du Canadian Cooperation Project et la réimpression d'un texte de Cité libre écrit par Pierre Juneau en 1951.

339 Lamoureux, Jean-Luc. **Le cinéma direct: cinéma subjectif ou objectif.** Montréal, Université de Montréal, 1978. 149p.

Thèse de M.A. En se servant de grilles linguistiques et sémiologiques, l'auteur essaie de comprendre la relation entre le monde extérieur et le cinéaste. Il illustre sa démarche par l'analyse du film L'ACADIE, L'ACADIE de Pierre Perrault et Michel Brault. Trois angles déterminent son approche: art et réalité, narration et description, connotation et dénotation. Pour lui, les premiers termes de chaque alternative ont prééminence sur les seconds et cela l'amène à critiquer sévèrement le direct qu'il qualifie de cinéma hybride, fruit d'une idéologie irréaliste et ambitieuse.

340 Brodeur, Ghyslaine. **Cinéma; document de travail à l'intention du personnel de la référence.** Montréal, Université de Montréal, Bibliothèque des sciences humaines et sociales, 1978. 15p.

341 Cercle de la culture arabe, Montréal. **Cinéma du Moyen-Orient et du Maghreb: dossier.** Montréal, 1979. 46p.

Réimpression de textes divers sur le polycentrisme géographique dans la critique de cinéma et sur les cinémas algérien, égyptien, palestinien et iranien, et d'entretiens avec Dariush Mehrjui, Ridha Behi, Naceur Ktari, Ali Akika, Anne-Marie Autissier et Refiq Sabbam. Générique et résumé des films présentés à la Cinémathèque.

342 Journées cinématographiques de Poitiers, XVIIe, 1979. **Cinéma du Québec.** Poitiers, 1979. 28p.

Programme d'une manifestation cinématographique originale dont le but est la connaissance d'un pays. Notes sur tous les films présentés et biofilmographie de leurs réalisateurs.

343 Pâquet, André. **Le cinéma en Belgique.** Montréal, Cinémathèque québécoise, 1972. 39p.

Historique et structures du cinéma belge, interview avec Paul Davay, biofilmographie et entretien avec les cinéastes André Delvaux, Jacques Boisgelot, Hugo Claus, Luc de Heusch, Lucien Deroisy, Roland Lethem, Robbe de Hert et Dirk Everaert de Fugitive Cinema.

344 Ciné-Canada Inc. **Le cinéma en forêt. Movies in the Bush Camps.** Montréal, 1957?. 27, 27p.

"Ciné-Canada est une organisation qui vise à améliorer le bien-être des employés forestiers en leur apportant des moyens de récréation". La brochure explique comment Jacques Flahaut a mis sur pied cette compagnie et comment celle-ci organise l'utilisation du cinéma en forêt.

R Cinéma en Tunisie **voir** Tunisie, cinéma récent.

346 Pie XI. **Le cinéma: encyclique "Vigilanti Cura" sur les spectacles cinématographiques.** 2e éd. Montréal, L'Action paroissiale, 1936. 16p. (L'Oeuvre des tracts, no 207)

Texte de l'encyclique qui guide l'attitude et l'action des catholiques face au cinéma.

347 Centre catholique national du cinéma. **Cinéma et art. Stage d'été 1958.** Montréal, 1958. 41p.

Programme du stage.

348 Conseil d'orientation économique du Québec. **Cinéma et culture.** Québec, 1963. 47p. (Le cinéma, document I)

Premier volume d'un mémoire sur la réalité du cinéma québécois qui constitue la plus importante étude réalisée à son époque et qui réclame une loi générale du cinéma et une restructuration des organismes cinématographiques. Ce volume comprend en gros deux parties: des considérations générales sur le cinéma et une analyse de la structure économique du cinéma au Canada et au Québec.

349 Girard, Jean-Guy. **Cinéma et éducation au Québec moderne.** Montréal, Université de Montréal, 1964. 48p.

Rapport de recherche, baccalauréat en pédagogie. L'auteur divise son travail en quatre parties. Il dévoile d'abord l'affluence et l'influence cinématographique au Québec, plus spécifiquement chez l'adolescent. Il s'arrête ensuite aux réactions des éducateurs. Il traite par après de la censure en impliquant diverses opinions québécoises à ce sujet. Finalement il se penche sur l'enseignement cinématographique au niveau secondaire.

350 Béliveau, Martin. **Cinéma et éducation populaire:** rapport. Montréal, Office national du film du Canada, Service de la production française, 1964. 23p.

Rapport-analyse des discussions qui se sont tenues à partir de la projection d'une série de films de l'ONF à des groupes de syndiqués CSN participant au Collège du travail. 10 films furent présentés et l'auteur rapporte en 2 pages la teneur des discussions pour chacun.

351 Commission des écoles catholiques de Montréal. Bureau des techniques audiovisuelles. **Cinéma et enseignement.** Montréal, 196-?. 9p.

Petit guide sur l'utilisation pédagogique du film qui met surtout en garde et postule le premier rôle du maître.

352 **Cinéma et évangile.** S.l., s.n., s.d. 12p.

Guide à une discussion sur le thème "Cinéma et évangile". Comprend aussi le texte du Décret sur les moyens de communication sociale.

353 Jacob, Evariste Charles. **Le cinéma et l'adolescent.** Montréal, Fides, 1964, c1962. 190p.

Texte d'une thèse de maîtrise ès arts retouché pour publication. L'auteur mène une enquête auprès des adolescents, étudie l'action pénétrante du cinéma et les attitudes à avoir envers lui du point de vue catholique, et finalement envisage l'éducation cinématographique sous l'angle moral.

354 Jacob, Jean-Noël. **Le cinéma et l'adolescent chrétien.** Ottawa, Université d'Ottawa, 1961. 219p.

Thèse de M.A. L'auteur parle d'abord de la puissance du cinéma et voit là un problème chrétien. Il s'intéresse ensuite à l'influence du cinéma sur les adolescents auprès de qui il oeuvre depuis 25 ans à titre de frère des Écoles chrétiennes. Pour apprécier cette influence, il recueille 2568 réponses dans différentes écoles secondaires. Il remarque l'intérêt des jeunes pour les vedettes et le fait qu'ils s'identifient aux héros; selon l'auteur, cela doit les aider à s'identifier au Christ. Il étudie ensuite l'attitude de l'église à l'égard du cinéma et conclut que le rôle de l'éducation est d'apprendre aux jeunes à choisir leurs films et que le ciné-club constitue un lieu avantageux pour répondre à cet objectif. A noter que les thèses de Jacob sont signées de son nom de frère: Evariste-Charles.

355   Centre diocésain du cinéma de Montréal. Commission des ciné-clubs. **Le cinéma et l'art: stage d'été '58.** Montréal, 1958. 1v. (paginations diverses)

Stages pour éducatrices et jeunes filles. Le programme comprend des visionnements, des discussions de films et des conférences plus générales: cinéma et roman, et peinture, et musique, etc.

356   Québec (Province) Direction générale du cinéma et de l'audiovisuel. **Le cinéma et l'audiovisuel**; politique de coopération culturelle internationale. Montréal, 1979. 5p.

Sur les relations culturelles avec l'étranger en matière de cinéma.

357   Office catholique national des techniques de diffusion. **Le cinéma et l'enfant;** sessions d'étude pour la formation des moniteurs. Montréal, 1962. 45p.

Destiné à aider le moniteur de Ciné-jeunes, cet ouvrage présente 3 sessions:
1- Le comportement de l'enfant en face du cinéma.
2- L'influence du cinéma sur l'enfant.
3- Le rôle du moniteur.
On trouve en annexe 3 exemples de présentation et d'analyse de films.
Enoncé du point de vue catholique sur l'action éducative par le cinéma et l'influence morale qu'il exerce par son action psychologique. Des textes inspirés autant par les écrits papaux qui ceux du père L. Lunders.

358   **Le cinéma et les adolescents.** Chicoutimi. *Témoignages,* vol. 11 # 9, novembre 1959. 40p.

Numéro spécial d'une revue consacré à l'influence du cinéma sur les adolescents saguenayens, à leurs réactions, au point de vue de l'Eglise, etc.

359   Office national du film du Canada. **Cinéma & littérature.** Montréal, 1981. 21p.

Catalogue des films produits dans le domaine des lettres. Comprend aussi certaines productions de Radio-Canada.

360   Collège d'enseignement général et professionnel Montmorency. **Cinéma et littérature: manuel-guide: cours 601-938.** Laval, 1974. 141p.

Manuel-guide du cours. En première partie, notes sur le récit, le langage, l'écriture littéraire et cinématographique. Pour chaque point on suggère des films, des textes, des plans de cours. En deuxième partie, anthologie de textes d'Arnheim, de Bonitzer, de Fieschi, de Genette, de Ricardon et de Vertov.

361   Harrouch, Victor Haim. **Cinéma et réalité de l'après-guerre: le film noir.** Montréal, McGill University, 1978. 109p.

Thèse de M.A. (communications). Le but de ce mémoire est de montrer comment le film noir américain de 1941 à 1949, genre réputé apolitique, a permis à plusieurs cinéastes de dénoncer la réalité inquiétante de ces années maccarthystes. L'auteur précise d'abord ce qu'est un genre puis, au niveau du film noir, analyse le rapport genre/réalité. GILDA de Charles Vidor lui sert d'exemple privilégié.

362   **Cinéma et récit.** Québec, *Etudes littéraires,* vol. 13 no. 1, avril 1980, Presses de l'Université Laval. 244p.

Comprend une série d'essais sur le langage du cinéma, la narrativité et la liaison littérature/cinéma. Numéro préparé sous la direction de François Baby et André Gaudreault. Porte spécifiquement sur le cinéma québécois le texte de Ginette Major, un résumé de sa thèse.

363   Léonard, Jean Marie. **Cinéma et roman**, Montréal, Université de Montréal, 1971. 171p.

Thèse (M.A.). L'auteur défend la thèse que l'adaptation n'est souhaitable que si elle est motivée par un but esthétique. Il prend comme exemple L'ASSOMMOIR de Zola pour analyser les problèmes que poseraient l'adaptation de ce roman. Il se place alors du point de vue du récit, de la structure romanesque et filmique et du langage et du style pour faire ressortir ce qui est l'adaptation et prend appui sur des solutions trouvées dans d'autres films.

364   Lever, Yves. **Cinéma et société québécoise.** Montréal, Editions du Jour, 1972. 201p.

Recueil de textes, écrits à l'occasion de recherches sociologiques ou pour la revue Relations, où l'auteur veut tenir compte davantage du socialement signifiant que de l'esthétiquement beau. Les principales études portent sur Pierre Perrault, sur la position officielle des catholiques dans l'appréciation morale des films et sur la façon de lire les annonces de film. Un ouvrage un peu décousu mais riche de réflexions pertinentes.

ANDRÉ LAFRANCE
avec la collaboration de
GILLES MARSOLAIS

CINÉMA
CINÉMA
CINÉMA
D'ICI

LE CINÉMA
QUÉBÉCOIS

Léo Bonneville

ÉDITIONS
PAULINES

etudes
litteraires

volume 13
n° 1
avril 1980

CINÉMA ET RÉCIT

TEXTES
FRANÇOIS BABY / ANDRÉ GARDIES /
ANDRÉ GAUDREAULT / GINETTE MAJOR /
ESTHER PELLETIER / MARIE-CLAIRE ROPARS-
WUILLEUMIER / PAUL WARREN

LES PRESSES DE L'UNIVERSITÉ LAVAL

CINÉMA
du
QUEBEC

22-26
FÉVRIER
1979

XVIIe Journées cinématographiques
de POITIERS

Ets BERCIER
LE GÉANT DE L'ÉLECTROMÉNAGER

TOUTES LES GRANDES MARQUES : 1000 M² D'EXPOSITION
Arthur-Martin - Aviatic - Bendix - Kaufknecht - Brandt - Gazéo
Devlile - De Dietrich - Kelvinet - Lobstein - Lincoln - Ladel - Miele
Rosières - Sauter - Scholtès - Supra - Thomson - Vedette
Vandouloupe

ouvert tous les dimanches après-midi

1. Rte de GENÇAY - POITIERS

365 Centre diocésain du cinéma de Montréal. Comité des stages de la région de Montréal. **Cinéma et société: stages de cinéma 1961.** Montréal, 1961.

Dossier préparé pour un stage de cinéma pour les jeunes gens. On y retrouve des fiches sur quelques films, des textes sur les thèmes de la guerre, la jeunesse, les valeurs spirituelles et les conflits sociaux et des textes de 4 conférences sur le sujet du stage données par Guy L. Coté, Guy Messier, Réal Michaud et Jacques Cousineau s.j.

366 Robert, Jean-Claude. **Cinéma et temporalité.** Montréal, Office des communications sociales, 1975. 107p. (Cahiers d'études et de recherches, no 18)

En première partie l'auteur fournit des éléments d'analyse du médium cinématographique (signes et temporalités, puis s'attarde particulièrement à la temporalité, génératrice de sens (simultanéités, successions, rythmes, découpes signifiantes, valences affectives et transmutations qualitatives). Ce travail très sérieux relève principalement de la sémiologie, mais d'une sémiologie colorée par la philosophie existentialiste. Un ouvrage à lire lorsqu'on s'intéresse à la théorie du cinéma.

367 **Le cinéma ethnographique.** Montréal, *Recherches amérindiennes au Québec,* v. 10 no 4 (1981)

Dossier sur le pour et le contre du cinéma ethnographique. Différents cinéastes, dont Asen Balikci, Arthur Lamothe et surtout Pierre Perrault commentent un texte polémique de Bernard-R. Emond qui leur répond.

368 Ste-Marie, Gilles. **Le cinéma exprime les cinq continents.** Montréal, Société Radio-Canada, 1954. 6p.

Conférence dans la série Radio-Collège. Diffusion du cinéma américain et production provenant des principaux centres de chaque continent.

369 Guérin, André. **Le cinéma face à la tourmente qui secoue la démocratie actuelle;** conférence. Montréal, Bureau de surveillance du cinéma, 1969. 29p.

Causerie où l'auteur, se plaçant dans une perspective de civilisation, défend la diffusion démocratique du cinéma animée d'une ouverture d'esprit et d'un souci de liberté. Ce sont ces principes qui ont guidé la transformation de la censure en surveillance du cinéma.

370 Saucier, Pierre. **Le cinéma français, facteur d'éducation et de culture populaire au Québec;** causerie. Montréal, 1967. 15p.

L'auteur montre comment le cinéma français n'a pas la place qu'il lui revient sur les écrans du Québec et surtout de Montréal, comment ceux-ci sont dominés par les intérêts anglophones et lance un vibrant appel pour que les films soient distribués principalement en français au Québec et que les films français y trouvent des rampes de lancement adéquates.

371 Véronneau, Pierre. **Le cinéma hongrois d'après 1968.** Montréal, Cinémathèque québécoise, 1976. 60p.

Préparée à l'occasion d'une rétrospective à la Cinémathèque, cette brochure présente la situation et les perspectives du cinéma hongrois, fait une large part au cinéma d'animation, publie des entretiens avec Andras Kovacs et Ferenc Kosa et fournit de longues notes critiques sur les films au programme.

372 Office national du film du Canada. **Le cinéma image par image à l'Office national du film-Canada.** Texte et mise en page: Guy L. Coté. Montréal, 1956. 27p. (revu et augmenté en 1958)

Situation de l'animation à l'ONF, long chapitre sur Mlaren et notules sur les autres animateurs.

373 Renaissance Films Distribution. **Le cinéma maître du monde vous appelle...** Montréal, 1946. 1v. (non paginé)

Brochure servant à expliquer les buts de Renaissance Films Distribution et Fiat Film en mettant l'accent sur le cinéma d'inspiration chrétienne. Cette brochure accompagnait une émission d'actions.

374 Cinémathèque canadienne. **Le cinéma norvégien, 1927-1958.** Avec la collaboration de Norsk Filminstitutt. Montréal, 1965. 14p.

Notes sur le cinéma norvégien et sur les 5 films présentés à la Cinémathèque.

375 Villeneuve, Rodrigue. **Le cinéma, périls-réaction;** conférence donnée à la radio le 27 septembre 1937. Québec, 1937. 28p. (L'Action catholique, tract no 13)

Brochure pour montrer comment le cinéma exerce une action négative sur le spectateur en le détournant des valeurs chrétiennes. Le cardinal-archevêque de Québec propose de transformer la Ligue du cinéma en un organisme de masse, de compléter les lois existantes pour qu'elles soient plus sévères et de rendre l'Action catholique plus agissante.

376 Boivin, Robert. **Le cinéma politique.** Montréal, 1978. 13p.

Travail de l'auteur pour un cours de cinéma. Il y prône le film militant qui s'inscrit dans la lutte des classes.

377 Québec (Province) Bureau de censure du cinéma. **Le cinéma pour enfants;** Information, liste des films visés. **Films for Children;** Information, List of Approved Films. 2e éd. Montréal, 1966. 24p.

Dossier pour informer les usagers du film pour enfants: notes sur la loi et liste des films visés.

378 Patry, Yvan. **Cinéma québécois 940: anthologie critique.** Montréal, Collège Montmorency, 197-?, 173p.

Documents pour l'étude historique du cinéma québécois à travers ce que plusieurs en ont écrit et dit. Ces extraits sont parfois commentés par l'auteur. La lecture de ce recueil est fort intéressante pour quiconque veut réfléchir sur le cinéma québécois. L'ouvrage se termine par des propositions d'analyse thématique du cinéma québécois.

379 Laverdière, Louis et Pelletier, Marthe. **Cinéma québécois à Paris;** rapport de stage Montréal, 1978. 1v. (paginations diverses)

Volumineux rapport (env. 200p.) sur la distribution du cinéma québécois en France. Il étudie comment et pourquoi l'industrie cinématographique québécoise devrait installer un bureau permanent à Paris. On rend compte aussi de diverses expériences de distribution en circuit commercial et non-commercial.

380 Association des réalisateurs de films du Québec. **Le cinéma québécois... avec notre gouvernement pour notre société.** Montréal, 1976. 27p.

Ecrit par l'exécutif de l'ARFQ 15 jours après l'élection du Parti québécois, ce document qui envisage le présent et l'avenir avec espoir fait d'abord l'historique des relations du milieu du cinéma avec le gouvernement du Québec et formule des propositions pour une politique globale de la cinématographie québécoise qui sortirait le Québec de l'emprise de l'impérialisme du cinéma étranger. Un document d'anthologie qui témoigne bien de l'effervescence optimiste des milieux culturels en novembre 76.

381 Brûlé, Michel. **Cinéma québécois et développement culturel.** Montréal, 197-? 19p.

Texte d'une communication où l'auteur s'essaie à une sociologie historique du cinéma québécois.

382 Bonneville, Léo. **Le cinéma québécois par ceux qui le font.** Montréal, Éditions Paulines, 1979. 738p. (Communication et mass media, 2)

Réimpression d'entretiens publiés dans Séquences et réalisés principalement par L. Bonneville. 30 cinéastes ont la parole. Chaque entretien est complété d'une bio-filmographie, d'un aperçu critique et d'une bibliographie. Excellent exemple du travail et de l'approche cinématographique de la revue catholique Séquences.

383 Hamelin, Lucien et Walser, Lise. **Cinéma québécois; petit guide.** Montréal, Conseil québécois pour la diffusion du cinéma, 1972- 1v.

Bio-filmographie des principaux cinéastes québécois, notes et références sur 15 longs métrages et 20 courts métrages. brochure qui se veut un outil de travail.

384 Rozon, Gilbert. **Cinéma québécois. Pour des illusions à notre dimension.** Montréal, s.n., 1979. 76, 3p.

Texte écrit en fonction de la consultation sur le livre bleu. Après avoir décrit la situation actuelle du cinéma québécois, l'auteur propose que l'Etat intervienne à long terme et avance des solutions qu'il dit réalistes.

R Cinéma québécois; situation d'ensemble **voir** Mémoire sur les éléments d'une politique du cinéma pour le Québec.

385 **Le Cinéma québécois: tendances et prolongements.** Montréal, Éditions Sainte-Marie, 1968. 167p. (Les Cahiers de Sainte-Marie, 12)

Ouvrage hétéroclite, ce livre dirigé par Renald Bérubé et Yvan Patry comprend 4 études (sur le long métrage, P. Perrault, J.P. Lefebvre et Don Owen), un répertoire-critique de 27 cinéastes québécois, une liste de long métrage et deux annexes sur l'éducation cinématographique et les mass media. Sans prétendre au bilan, cet ouvrage est plutôt une synthèse dynamique de la réflexion sur le cinéma québécois en 1968.

386 La Rochelle, Réal. **Le cinéma "récréatif" pour enfants et son intégration à la pédagogie de l'élémentaire.** Montréal, Université de Montréal, 1971. 217p.

Thèse de M.A. (pédagogie audiovisuelle). L'auteur fixe à son étude trois objectifs: 1- Evaluer analytiquement un choix de films parmi les plus percutants auprès des milieux pédagogiques. 2- Colliger et apprécier les critères généraux et particuliers qui ont présidé à cette production spécialisée de films "récréatifs" éducatifs pour enfants. 3- Concevoir et élaborer à partir de ces critères une méthodologie générale d'intégration de ces films à l'éducation des enfants. Dans sa première partie, l'auteur étudie des films de plusieurs pays, de la Bulgarie à la Tchécoslovaquie, de Disney à McLaren. Dans sa seconde, il se penche sur la façon d'intégrer le cinéma créateur à l'éducation des enfants. Il en conclut qu'en s'intégrant à la pédagogie

nouvelle, le cinéma s'articule en même temps aux mécanismes éducatifs et cultu-
rels d'un milieu psycho-social nouveau qui tend à réaliser la synthèse si recher-
chée de l'école et de la vie.

387   Ste-Marie, Gilles. **Le cinéma redécouvre l'homme**. Montréal, Société Radio-Canada, 1954. 6p.

Conférence dans la série Radio-Collège. Innovation de la technique, sujets nou-
veaux, vision renouvelée du monde.

388   Poliquin, Henri. **Le cinéma: rôle économique, rôle financier, rôle social**. Montréal, École des hautes études commerciales, 1933. 49p.

Mémoire. S'interrogeant sur le film, luxe ou nécessité, l'auteur nous fournit des
données générales sur la production, la distribution et l'exploitation. Partisan du
cinéma américain, il estime que, même si le cinéma a l'avantage d'avoir un public
qui paie comptant, c'est une industrie qui vit de nouveauté, donc d'aléatoire. Ac-
tuellement elle constitue un placement sûr. L'auteur fait référence et cite M. de
Roussy et M. Hurel de France-Film.

389   Bobet, Jacques. **Cinéma-Santé-Sport canadien**. Montréal, Office national du film du Canada, 1970, 1 vol.

Plan spécial de production et de diffusion de films sur le sport car l'ONF désire
participer à l'effort général de planification cinématographique d'ici 1976 et poser
sa candidature à la réalisation du film officiel des Olympiques. Après un texte de
dix pages, le gros du document est constitué de nombreux projets-types.

390   Parent, Jacques. **Le cinéma scientifique et sa distribution au Québec**. Montréal, Office du film du Québec, 1974. 30p. (Colloque Distribu-bec 21-24 mai 1974)

Allocution du directeur de la production sur quelques unes des grandes fonctions
d'une cinémathèque scientifique: sélection, acquisition, évaluation, distribution.

391   **Cinéma si**. Montréal, Liberté, v. 8 nos 2-3 (mars-juin 1966) 192p.

Un très important numéro de réflexion sur le cinéma canadien et surtout
québécois. Certains axes s'en dégagent: le rapport cinéma/culture, la critique de
l'ONF, la dynamique de l'APC. Un numéro animé principalement par Jacques
Bobet. Un numéro essentiel à l'étude du cinéma d'ici.

392   Cinémathèque canadienne. **Cinéma tchécoslovaque**. Montréal, 1965. 29p.

Notes de programme sur 3 soirées de cinéma tchécoslovaque présentées par le
Festival international du film de Montréal et sur le panorama du cinéma tchéco-
slovaque contemporain présenté par la Cinémathèque (24 films en tout). En avant-
propos, un texte de Claude Jutra.

393   Pie XII. **Cinéma, télévision**. Montréal, Institut social populaire, 1955. 32p. (Actes pontificaux, no 74)

Comprend 3 textes de Pie XII: L'art du cinéma, Le film idéal et Merveilles et res-
ponsabilités de la télévision.

394   Archambault, André. **Le cinéma, un langage**. Montréal, Université de Montréal, 1963. 83p.

Thèse de licence en philosophie. Thèse non-consultée parce qu'égarée.

395   Chapleau, Pierre R. **Le cinéma, un monde pour tous**. Saint-Eustache, Société d'édition et de presse Messier et Perron, 1980. 122p. (Collection Loisirs)

Livre d'initiation au cinéma (les angles, les plans, le montage, etc.) destiné à l'ama-
teur ou à l'artisan tournant en Super-8 ou en 16mm. L'auteur illustre son ouvrage
de photos de ses films.

396   Ste-Marie, Gilles. **Cinéma, vision du monde de demain**. Montréal, Société Radio-Canada, 1954. 6p.

Conférence dans la série Radio-Collège. Films d'anticipation et de terreur, thèmes
nouveaux.

397   Pageau, Pierre et Lever, Yves. **Cinémas canadien et québécois**; notes historiques. Montréal, Presses du Collège Ahuntsic, 1977?. 134p.

Chronologie du cinéma au Québec et au Canada conçue comme instrument de
travail pour le cours "cinéma québécois" du niveau collégial. Dans cette perspec-
tive, un soin particulier fut accordé à la bibliographie. Ouvrage utile pour s'orienter
rapidement à travers les dates et dont les informations contiennent très peu d'er-
reurs. Chaque période est flanquée d'un résumé qui sert de mise en situation sans
pour autant constituer une synthèse critique.

398   **Les Cinémas canadiens**; dossier établi sous la direction de Pierre Véronneau. Paris, Pierre Lherminier; Montréal, Cinémathèque québécoise, 1978. 223p. (Collection Cinéma permanent)

Dossier qui met en relief de nombreux aspects de l'histoire du cinéma au Québec
et au Canada: 1898-1960, Profil et perspectives; 1939-1959, l'Office national du
film; 1944-1953, Première vague du long métrage québécois; le cinéma de la Côte

ouest; le cinéma expérimental; l'animation; le direct; la rencontre direct-fiction; 1963-1977: aperçus du cinéma commercial; quelques aspects idéologiques et thématiques du cinéma québécois. En annexe on retrouve une chronologie du cinéma au Canada, 100 films, 50 cinéastes et des repères bibliographiques. Le livre a été traduit en anglais sous le titre de Self Portrait.

399   Gagnon, Jean-Pierre et Dubé, Danielle. **La cinémathèque. Activités '73**. Rimouski, Université du Québec à Rimouski, 1973. 89p.

Rédigé par du personnel de la Cinémathèque de l'Université, ce rapport-statistique se divise en deux parties: prêts de documents et demandes de réservation. On y trouve des tableaux par école, par titre de films et par régions du Bas Saint-Laurent/Côte-Nord.

400   Office national du film du Canada. **Cinémathèque automatique; rapport du task force No 2**. Montréal, 1970. 18p.

Préparé par le comité des politiques et planification sur lequel siègent notamment Robert Forget et Claude Jutra, ce document formule des recommandations pour l'utilisation du petit écran par l'ONF.

401   Cinémathèque canadienne. **La Cinémathèque canadienne à l'occasion d'un hommage aux compositeurs Eldon Rathburn et Maurice Blackburn présente musique et cinéma**. Documentation recueillie par Guy L. Coté. Montréal, 1965. 24p. (Document no 1)

Diverses notes sur la musique et le cinéma canadien et filmographie des compositeurs canadiens ayant signé les partitions musicales des films de l'ONF de 1940 à 1964.

402   Cinémathèque canadienne. **La Cinémathèque canadienne avec la collaboration de la Société Radio-Canada présente This Hour Has Seven Days;** un hommage aux producteurs et aux cinéastes de l'émission la plus passionnante de la télévision canadienne. Montréal, 1965. 23p.

Hommage à une équipe télé de Toronto dirigée par Patrick Watson et Douglas Leiterman qui réussit à renouveler les émissions d'actualité en intégrant documentaire et préoccupation sociale. L'ouvrage comprend des bio-filmographies des principaux cinéastes liés à l'émission ainsi qu'un plaidoyer d'André Martin en faveur d'une téléthèque.

403   Cinémathèque canadienne. **La Cinémathèque canadienne présente L'Écran démoniaque et une rétrospective du cinéma expressionniste allemand.** Montréal, 1966. 36p.

Notes de programme sur 12 films présentés à la Cinémathèque.

404   Cinémathèque canadienne. **La Cinémathèque canadienne with the Collaboration of the Canadian Broadcasting Corporation Presents an Allan King Retrospective at the Screening Theatre of the Quebec Board of Cinema Censors, Apr. 1966.** Montréal, 1966. 30p.

Notes sur le cinéaste et son oeuvre par Douglas Leiterman, Robert Russel, Guy L. Coté et Allan King. Filmographie.

405   Haché, Rolland. **La cinémathèque pédagogique: un service essentiel pour l'enseignement du cinéma.** Montréal, Collège Bois-de-Boulogne, Coordination provinciale de cinéma, 1977. 26p.

Propositions pour établir un ensemble de films essentiels à chacun des cours de cinéma au niveau collégial.

406   Cinémathèque québécoise. **La Cinémathèque québécoise/Musée du cinéma.** Montréal, 1975. 8p.

Brochure promotionnelle.

407   Cinémathèque québécoise. **La Cinémathèque québécoise/Musée du cinéma.** Montréal, 1981. 8p.

Brochure promotionnelle qui décrit les différents services de la Cinémathèque.

408   Cinépix. **Cinépix présente Gina:** le nouveau film de Denys Arcand. Montréal, Cinépix, 1975. 27p.

Cahier de presse où l'on retrouve des notes sur le réalisateur et les interprètes du film ainsi qu'un entretien avec Arcand.

409   Jutra, Claude. **Cinq filles;** scénario original de Claude Jutra. Paroles des chansons par Claude Jutra et Michel Chevrier, Première version. Montréal, 19-? 158p.

Scénario non-réalisé.

410   **Cinq milliards d'homme.** Réalisé par Nicole Duchêne et Claude Lortie. Québec, Les Films sur place, 1980. 16p.

Brochure publicitaire sur 13 films d'une demi-heure qui expliquent comment fonctionne le système économique dans lequel nous vivons et analyse certaines des composantes économiques, sociales et politiques de notre société.

411 Festival interrnational du film de Montréal, 5e, 1964. **Cinquième Festival interna-tional du film de Montréal du 7 au 13 août, Place des Arts. Fifth Montreal Interna-tional Film Festival, August 7 to 13, Place des Arts.** Montréal, 1964. 30p.

Programme du festival comprenant une section sur le Deuxième festival du cinéma canadien.

412 Melançon, André. **Circuit de diffusion de films québécois; région de Grenoble (novembre 1974);** bref rapport. Montréal, 1975. 5p.

Rapport d'une activité du CQDC.

413 Brault, Guy, O'Brien inc. **Circulaire d'information.** Montréal, 1979. 8p.

Circulaire émise pour vendre des unités de participation au film L'AFFAIRE COFFIN de J.C. Labrecque. Fournit plusieurs intformations sur le film dont le budget prévu.

R A Cité du Cinéma in Le Vieux-Port? The Pros and Cons Analysed by the Associa-tion/Le Vieux Port **voir** Une Cité du cinéma dans le Vieux-Port? Les pour et les contre analysés par l'Association/Le Vieux-Port.

414 Ouimet, J.-Alphonse. **La civilisation de l'image.** Montréal, Société Radio-Canada, 1963?. 18p.

Allocution du président de Radio-Canada au 16e congrès de l'Association ca-nadienne des éducateurs de langue française qui portait sur le thème des moyens audiovisuels dans l'enseignement. L'auteur parle particulièrement de l'image ciné-matographique et télévisée.

415 Office national du film du Canada. **Claude Gauvreau, poète.** Montréal, 1974?. 21p.

Témoignages et notes sur Gauvreau et son oeuvre publiés en marge du film de Jean-Claude Labrecque.

416 Chabot, Jean. **Claude Jutra.** Montréal, Conseil québécois pour la diffusion du cinéma, 1970. 26p. (Cinéastes du Québec, 4)

Présentation du cinéaste, citations, entretien, extraits des dialogues de WOW, fil-mographie et bibliographie.

417 Benoit, Jacques, Gagné, Jacques, Gélinas, Michelle, Labrecque, Jean-Claude, Ménard, Robert, Valcour, Pierre. **Coffin.** Montréal, Les productions Vidéofilms, 1979? 236p.

Scénario du film L'AFFAIRE COFFIN de J.C. Labrecque. Il en existe une version anglaise de 255p traduite par Hubert Fielden.

418 Véronneau, Pierre. **La collection d'appareils de la Cinémathèque québécoise/ Musée du cinéma.** Montréal. Cinémathèque québécoise, Musée du cinéma, 1975. 63p.

Après une introduction sur l'histoire technique du cinéma, description avec photo-graphie de tous les appareils de la Cinémathèque.

419 Parent, Jacques. **Collection de films scientifiques de l'Institut fur den Wissen-schaftlichen Film de Gottingen, RFA.** Montréal, Ministère des communications, 1980. ca 80p.

420 Parent, Jacques. **Collection de films scientifiques Encyclopaedia cinematogra-phica.** Montréal, Ministère des communications, 1980. 97p.

Catalogue des films de l'Encyclopédie cinématographique distribués par le gou-vernement du Québec.

421 Québec (Province) Direction générale du cinéma et de l'audiovisuel. **Collection Maurice Proulx;** catalogue réalisé par Antoine Pelletier. Québec, Éditeur Officiel du Québec, 1978. 58p.

Générique et résumé des films avec quelques citations du cinéaste ou de ses col-laborateurs. Un outil indispensable pour quiconque veut aborder Proulx.

R Collective Agreement Between Her Majesty in Right of Canada as Represented by the National Film Board and le Syndicat général du cinéma et de la télévision, NFB Section: Project **voir** Convention collective entre sa Majesté...

422 **Colloque Distribu-bec.** Montréal, Office du film du Québec, 1974. 14p.

Rapports des neuf ateliers.

422a La Fédération des femmes du Québec. **Colloque "Volonté politique et porno-graphie";** "c'est le temps d'agir au moins pour protéger les mineurs". Montréal, 1981. 1 v. (paginations diverses)

Ce document de travail comprend un texte de Nicole Trudeau-Bérard intitulé "Dis-positions concernant le cinéma" et un de Andrée Ruffo Mondor, "Paramètres légaux: exploitation sexuelle des mineurs", avec une large section concernant le cinéma. Ce document fut soumis à la Commission d'étude sur le cinéma et l'audio-visuel. On recommande que la pornographie soit rendue inaccessible aux mineurs et on s'élève contre le projet de création de salles "X".

423 Canada. Ministère du travail. **Combines Investigation Act. Investigation in an Alleged Combine in the Motion Picture Industry in Canada;** Report of Commissioner. Ottawa, F.A. Acland, Printer to the King, 1931. 234p.

Présidé par Peter White, cette célèbre commission enquêta sur la distribution et l'exploitation cinématographiques au Canada. Famous Players fut l'objet principal de son intérêt. On y décrit en détail tout ce qui se passe au Canada et donc au Québec dans les domaines pré-cités. Même s'il conclut qu'il n'y a pas monopole de la part de Famous, le rapport indique plusieurs pistes du contraire. Une excellente introduction à l'économie du cinéma au Canada à la frontière du muet et du parlant. Il existe à la Bibliothèque nationale du Canada une version française — unique — du rapport.

424 Pâquet, André. **Comment faire ou ne pas faire un film canadien.** Montréal, Cinémathèque canadienne, 1968, c1967. 23p.

Cet ouvrage existe aussi en version anglaise sous le titre How to Make Or Not To Make a Canadian Film. Publiée à l'occasion de la rétrospective du cinéma canadien présentée par la Cinémathèque en collaboration avec la Commission du Centenaire, cette brochure comprend une chronologie du cinéma canadien où se glissent quand même quelques erreurs, d'intéressants textes de 19 cinéastes et une liste des 100 films essentiels produits au Canada de 1926 à 1966.

425 Pelland, Léo. **Comment lutter contre le mauvais cinéma.** Montréal, L'Action paroissiale, 1926. 16p. (L'Oeuvre des tracts, no 84)

Tout en luttant contre l'immoralité du cinéma, ce texte attaque les judéo-américains responsables du mauvais cinéma, de la dénationalisation qu'il opère, souhaite la fermeture de nos frontières au cinéma américain et revendique une censure plus sévère. En annexe on retrouve quelques opinions de personnalités et des résolutions de sociétés catholiques.

426 Office national du film du Canada. **Comment prolonger la durée des films.** Ottawa, Imprimeur de la Reine, 1953. 18p.

Conseils au cinémathécaire pour l'entretien des films et des projecteurs.

427 **Commentaire du film Le bonhomme.** Construction d'un instrument de mesure. Montréal, Office national du film du Canada, 1972?. 39p.

Commentaire du film de Pierre Maheu. Annexe II au document "Mesurer les changements d'attitude, premières tentatives".

428 Guénette, Jean. **Comments on the Report on Reorganization.** Montréal, Office national du film du Canada, 1968. 10p.

Plaidoyer pour l'existence et le fonctionnement de la cinémathèque de "stock shots" par ses employés eux-mêmes.

429 Léger, Raymond-Marie. **Communication au congrès annuel de l'Association des propriétaires de cinémas du Québec.** Montréal, 1976. 5p.

Bilan de la présentation de courts métrages de l'OFQ en salles.

R Le commissaire du film à la cinématographie devant le Comité permanent de la radiodiffusion, des films et de l'assistance aux arts **voir** Statement of the Government Film Commissionner to the Parliamentary Committee on Broadcasting, Film and Assistance to the Arts.

430 Office national du film du Canada. **Communication de/Address by Roland Ladouceur, commissaire adjoint du gouvernement à la cinématographie, au Comité parlementaire de la radiodiffusion, des films et de l'assistance aux arts.** Montréal, 1966. 7p.

Ladouceur commente le problème de la distribution.

431 Ruszkowski, André. **Communications sociales et pensée chrétienne.** Montréal, Office des communications sociales, 1968. 52p.

Ce neuvième numéro de la série Cahiers d'études et de recherche est constitué de trois conférences prononcées dans le cadre d'une session de réflexion théologique et pastorale tenue à l'Université St-Paul à Ottawa. Leurs titres: 1- Les moyens de communication sociale dans notre société. 2- Les moyens de communication et la foi. 3- Apostolat et moyens de communication.

R Community Audience Feedback System **voir** Rétroinformation sur les auditoires communautaires.

432 France Film. **La compagnie France Film présente son catalogue répertoire des films sonores 16mm: saison 1953-1954.** Montréal, 1953. 392p.

Reproduction des affiches publicitaires et résumé du scénario de chaque film.

433 Cinévic. **Compilation détaillée des loyers de films payés aux distributeurs par le groupe Cinévic de 1976 à 1980 inclusivement.** Victoriaville, 1981. 152p.

Donne pour chaque distributeur les frais de location encourus par chacune des salles et chacun des ciné-parcs par le groupe Cinévic.

434 Jacob, Jean-Nooël. **Compréhension du langage cinématographique au point de vue spatial et temporel par les garçons de 11 ans et de 9 ans.** Ottawa, Université d'Ottawa, 1966. 158p.

Thèse de doctorat en sciences de l'éducation. Quel est l'âge auquel un enfant est capable de comprendre le langage cinématographique au point de vue spatial et temporel? Voilà la question à laquelle tente de répondre l'auteur. Son hypothèse: il n'y a pas de différence significative entre l'enfant de 9 ans et celui de 11 ans. Pour la prouver, il se sert du film LA NUIT EST MON ENNEMIE (Libel) d'Anthony Asquith et enquête auprès de 409 garçons et 96 adultes. Il en conclut qu'au point de vue spatial et temporel, il n'y a effectivement aucune différence entre les enfants de 11 ans et les adultes, mais qu'entre 9 et 11, la différence de compréhension existe. A la lumière de ces résultats, l'auteur croit que les éducateurs peuvent utiliser avec profit certains éléments audiovisuels pour leur enseignement et que, puisque le langage cinématographique est maîtrisé par les enfants de 11 ans, il y aurait lieu de reviser les normes d'admission ou la classification des films pour enfants.

435 Roy, Hortense et Lussier, Rachelle. **Compte-rendu des réactions au film "Le temps de l'avant".** Montréal, Office national du film du Canada, 1976. 58p.

Cette brochure ramène les réactions du public au film d'Anne Claire Poirier, produit à Société nouvelle dans la série En tant que femmes, en mesure l'impact et explique l'opération intensive de distribution communautaire.

R A Computerized Catalogue for Films Available in Canada **voir** Programmation sur ordinateur de la liste des films disponibles au Canada.

436 Centre diocésain du cinéma de Montréal. Commission des ciné-clubs. **La condition humaine vue à travers le cinéma;** stages d'été '57. Montréal, 1957. 31p.

Programme des stages d'été. On y retrouve des textes sur le thème du stage et des notes sur les films présentés.

437 Théroux, Gaston H. **Conférence de presse donnée par les Industries théâtrales unies du Québec inc le 22 février 1962 à l'hôtel Reine-Elizabeth de Montréal.** Montréal, Les industries théâtrales unies du Québec, 1962. 4p.

L'ITUQ est la traduction de Quebec Allied Theatrical Industries. Ce texte définit l'association et prend position sur la refonte de la loi des vues animées, la censure et la taxe sur les amusements.

438 Festival des films du monde. **Conférence internationale de l'industrie cinématographique et télévisuelle.** Montréal 24-27 août 1981. Montréal, 1981. 12p.

Programme de chaque atelier.

439 Burwash, Gordon. **Le conformisme;** un programme d'une demi-heure écrit pour la série de télévision Passe-Partout de l'Office national du film. Adaptation de Fernand Dansereau d'après un scénario original de Gordon Burwash. Montréal, 1955. 33p.

Scénario.

440 Congrès des ciné-clubs d'étudiants, Montréal, 1963. **Congrès des ciné-clubs d'étudiants.** Montréal, 1963, 24p.

Programme du congrès organisé par la revue Séquences et le Comité jeunesse et cinéma de l'Office catholique national des techniques de diffusion et notes sur les films présentés.

R Renaissance 67 **voir** Insight 67.

441 Lalonde, Michèle. **La conquête.** Montréal, 1971? 86p.

Première version du scénario du film de Jacques Gagné.

442 Lalonde, Michèle. **La conquête?.** Montréal, s.n., 1971. 152p.

Scénario du film de Jacques Gagné.

443 Office national du film du Canada. **Conservation Films.** Ottawa, Queen's Printer, 1954. 16p.

Catalogue de films reliés à la conservation de la nature.

444 Noël, Jean-Guy et Noël, Gilles. **Contrecoeur.** Montréal, s.n., 1977. 63p.

Première version du scénario.

445 Noël, Jean-Guy et Noël, Gilles. **Contrecoeur ou Empreintes d'une nuit.** Montréal, s.n., 1978. 108p.

Deuxième version du scénario de CONTRECOEUR.

446 Noël, Jean-Guy et Noël, Gilles. **Contrejour ou Empreintes d'une nuit.** Montréal, s.n., 1978. 216p.

Scénario du film CONTRECOEUR.

LA REVUE DU
CINEMA
image et son
n 336 - février 1979 - 10 F   Suisse 5,40 FS - Benelux 75 FB - Canada $1.95

Le mélodrame
Le cinéma québecois

cinquième
festival international du film
de montréal

du 7 au 13 août   Place des Arts
August 7 to 13

fifth
montreal
international
film
festival

Pauline Cadieux

Cordélia
ou
La lampe
dans
la fenêtre

Libre Expression

liberté

cinéma si.
néma cinéma si.

— A part ça, qu'est-ce que vous faites avec vos films canadiens ?

447 Association des producteurs de films du Québec. **Convention collective du cinéma et de l'enregistrement entre l'Association des producteurs de films du Québec, l'Office national du film du Canada et l'Union des artistes: projet.** Montréal, 1978. 36p.

"Etat des négociations au 6 juin 1978".

448 Office national du film du Canada. **Convention collective entre Sa Majesté du chef du Canada, représentée par l'Office national du Film... et le Syndicat général du cinéma et de la télévision, section O.N.F.: projet.** Montréal, 1968. 40p.

449 Jasmin, Claude et Patry, Pierre. **La corde au cou.** Montréal, Coopératio, 1964. 131p.

Scénario-découpage.

450 Beaudin, Jean et Sabourin, Marcel. **Cordélia.** Montréal, s.n., 1978. 172p.

Scénario.

451 Cadieux, Pauline. **Cordélia:** ou La lampe dans la fenêtre. Montréal, Libre expression, 1979. 231p.

Seconde édition du roman dont s'inspira Jean Beaudin, illustré de photos du film.

452 Office national du film du Canada. **Cornelius Krieghoff.** Montréal, 1957. 8p.

Brochure sur le film homonyme.

453 Carle, Gilles et Lamothe, Arthur. **Les corps célestes.** Montréal, s.n., 1972. 296p.

Découpage du film de Carle.

454 Société québécoise du cinéma. **Le coup de grâce.** Montréal, 1965. 15p.

Brochure distribuée lors de la première mondiale du film franco-canadien de Jean Cayrol et Claude Durand. On y trouve le résumé du film, le générique et un commentaire de François Mauriac.

455 Festival international du film de la critique québécoise, 1er, Montréal, 1977. **Coupures de presse: 1er festival international du film de la critique québécoise.** Montréal, s.n., 1977. 1 vol.

Recueil de tous les articles publiés à l'occasion du festival.

456 Des Roches, Pierre. **Le courrier du roy: 1er épisode: Versailles.** Montréal, s.n., 1960? (Manuscrit)

Découpage d'un épisode de la série télévisée.

457 Des Roches, Pierre. **Le courrier du roy: 2e épisode: Bateau.** Montréal, s.n., 1960. (Manuscrit)

458 Guillet, Michel. **Cours d'histoire du cinéma canadien.** Montréal, 1962-1963. 123p.

Notes pour la série de 20 cours organisés par Cinétude. Cet ouvrage constitue probablement la première histoire du cinéma au Canada faite de façon si exhaustive et égale sûrement quelques ouvrages qui lui sont presque contemporains. Un ouvrage sérieux qui possède les lacunes de l'état de la recherche historique à son époque et qui, dans son genre, ne sera dépassé que 15 ans plus tard. Mérite encore d'être consulté.

459 Syndicat général du cinéma et de la télévision. **Court métrage et cinéma d'animation.** Montréal, s.d. 2p.

460 Girault, Françoise et Lapierre, Ronald. **Création cinématographique;** manuel-guide. Cours 530-950. Laval, Cegep Montmorency, 1977. 97p.

Cahier portant sur les conditions pédagogiques de la production audiovisuelle. On s'attarde aux étapes suivantes: synopsis, enquête (le gros du cahier), la scénarisation. Démarche basée essentiellement sur le questionnement idéologique et politique.

461 Dandurand, Andrée. **La crise aux Etats-Unis et les travailleurs;** dossier d'appui du film ON THE LINE. Montréal, Carrefour international, 1980. 32p.

Notes sur la crise économique américaine et l'organisation des travailleurs pour y répliquer. Complète le film de Barbara Margolis.

462 Baillargeon, Paule. **La cuisine rouge.** Montréal, 1978. 107p.

Scénario.

463 Association des réalisateurs de film du Québec. **La culture et le cinéma au Québec.** Montréal, 1978. 57p.

Mémoire adressé à l'honorable René Lévesque, premier ministre du Québec. Le document comprend trois parties:
1- La culture: culture et écologie, la mécanisation de la culture et le marché universel, la culturre et les repères collectifs, les travailleurs culturels et l'Etat.
2- Le modèle américain: l'impérialisme, le cinéma des fantasmes.

3- *Le cinéma québécois: l'ONF, l'équipe française et le documentaire, le long métrage dramatique, le commerce, l'industrie, la culture et le cinéma populaire.*

En conclusion l'ARFQ recommande la création d'une commission permanente au développement culturel, des modifications à l'IQC et fournit un cahier de charges pour la future commission. Ce mémoire est un bon exemple de la réflexion menée par certains réalisateurs sur le cinéma comme entité culturelle nationale et constitue une analyse utile de la situation du cinéma au Québec. En février 78, les auteurs vivent encore l'euphorie qui suivit l'élection du PQ.

464 **Le Curé de village.** Montréal, France-Film, 1949. 9p.

Scénario publicitaire du film de Paul Gury produit par Québec-Productions.

465 Brûlé, Michel. **La D.G.C.A., d'où elle vient et où elle va.** Montréal, Direction générale du cinéma et de l'audiovisuel, 1979. 9p.

Texte présenté à l'assemblée des cadres et adjoints aux cadres du Ministère des communications, le 31 mai 1979. Explication des mutations vécues de l'OFQ à la DGCA aux plans de la production, des politiques et des mises en valeur.

466 Ouimet, Danielle. **Danielle, ça va marcher!** Propos recueillis par Claude Jasmin. Montréal, Alain Stanké, 1975. 175p.

Biographie romancée.

467 D'Aspres, Yves. **Danielle Ouimet... ou, Comment on devient une star.** Montréal, Éditions du Rond-Point, 1970. 104p.

Monographie-reportage sur la vedette.

468 Musée du Québec. **Dans le cadre des sept jours du cinéma à Québec, le Musée du Québec présente une exposition d'affiches de cinéma sous les auspices de la Cinémathèque canadienne.** Montréal, 1965. 7p.

469 Ste-Marie, Gilles. **De Bambi au Voleur de bicyclette.** Montréal, Société Radio-Canada, 1954. 6p.

Conférence dans la série Radio-Collège. Classification des films produits depuis dix ans.

470 Ste-Marie, Gilles. **De la caverne à la salle de cinéma.** Montréal, Société Radio-Canada, 1953. 6p.

Conférence dans la série Radio-Collège. Sur les spectateurs de cinéma..

471 Guérin, André. **De la nécessité d'un cinéma québécois.** Montréal, Bureau de surveillance du cinéma, 1969. 18p.

Conférence prononcée par le président du Bureau et directeur de l'OFQ devant le Club Richelieu-Maisonneuve le 9 décembre 1969. Après avoir retracé à grands traits la genèse du cinéma québécois, l'auteur tente d'expliquer le démarrage auquel on assiste en 1969 et plaide pour un cinéma national, multiple et varié, outil par excellence de développement et d'affirmation originale de notre société.

472 Bélanger, Fernand. **De la tourbe.** Montréal, s.n., 1977. 30p.

Synopsis de DE LA TOURBE ET DU RESTANT.

473 Ebacher, Roger. **De la tribu électronifiée à l'homme participant.** Montréal, Office des communications sociales, 1972. 59p.

Quatorzième numéro de la série Cahiers d'études et de recherches. On y développe le postulat que "la communication est au coeur de toute recherche par l'homme de sa propre humanité".

474 Canada. Secrétariat d'État. Bureau d'émission des visas de films. **Déduction pour amortissement de 100% des films et bandes magnétoscopiques canadiens;** étude du programme d'émission des visas. Ottawa, 1980. 101p.

La déduction pour amortissement de 100% existe depuis 1974. Six ans plus tard, la gestion du programme devient de plus en plus complexe vu le coût des films et l'industrie exerce des pressions pour mieux adapter ce programme au contexte précis du cinéma au Canada. Ce document étudie les définitions de "production canadienne de long métrage portant visa" et de "production canadienne de court métrage portant visa". Puis il analyse le programme d'attribution des visas et discute des questions soulevées par l'industrie. En annexe, divers documents sur le sujet.

475 Centre d'études, de gestion, d'informatique et de recherches (CEGIR). **Délais de distribution des films américains en version française.** Montréal, 1981. 14p.

Extrait d'une recherche effectuée par le CEGIR dans le domaine de la radiodiffusion. L'enquête a porté sur 52 longs métrages des années 1979-80.

476 Lord, Jean-Claude. **Délivrez-nous du mal.** Montréal, Coopératio, 1964. 74p.

Scénario.

477 Guérin, André et Léger, Raymond-Marie. **"Demain, il sera trop tard..." ou De l'urgence qu'il y a, pour le Québec, à adopter une loi-cadre du cinéma.** Montréal, Office du film du Québec, 1966. 101p.

Cri d'alarme énonçant les arguments les plus percutants en faveur d'une loi-cadre. Le premier chapitre dégage les points de vue politique et constitutionnel. Le second analyse en le critiquant le projet de loi fédérale d'aide au cinéma (ce chapitre intègre un texte de Guérin qui le précède de deux semaines: LE QUÉBEC ET LE PROJET DE LOI FÉDÉRALE D'AIDE AU CINÉMA). On termine en plaidant en faveur d'une politique gouvernementale organique du cinéma. Un texte essentiel pour quiconque veut comprendre l'histoire et la problématique du cinéma au Québec.

478 Association des propriétaires de cinémas du Québec. **Demande de modification à la Loi du cinéma présentée à l'Honorable Claire Kirkland-Casgrain, Ministre des affaires culturelles, par les propriétaires de cinéparcs de la province de Québec.** Québec, 1972. 1v. (paginations diverses)

Demande pour que les cinéparcs du Québec ne soient plus obligés de présenter que des films classés "pour tous".

479 Association canadienne des distributeurs indépendants de films d'expression française. **Demande de revision des frais de surveillance.** Montréal, 1970. 6p.

Rappel historique des positions de l'ACDIF et revendications immédiates.

R Les dents de la mer **voir** Jaws.

480 La Rochelle, Réal et al. **Denys Arcand.** Montréal, Conseil québécois pour la diffusion du cinéma, 1971. 51p. (Cinéastes du Québec, 8)

Analyse du travail d'Arcand, entretien avec le cinéaste, entretiens avec des artisans de ON EST AU COTON, extraits des dialogues de ce film, bibliographie, filmographie.

481 Bibliothèque nationale du Québec. **Département de documentation cinématographique.** Montréal, 1974. 10p.

482 Association des producteurs de films du Québec. **Déposition de l'Association des producteurs de films du Québec devant le Comité consultatif auprès du Bureau des gouverneurs de la radiodiffusion présenté le 29 avril 1969.** Montréal, 1969. 14p.

Présidée par Jean Dansereau, cette association étudie les relations ONF/SDICC/Radio-Canada et questionne leurs rôles respectifs. Ce mémoire comprend trois volets: 1- Reprise de la déposition de 1967 devant le même Comité; 2- Échanges de lettres avec l'ONF; 3- Position quant à la SDICC et à M. Spencer. Se retrouve dans le fascicule 32 des Procès-verbaux et témoignages du Comité permanent de la radiodiffusion, des films et de l'assistance aux arts.

482a **Depuis que le monde est monde.** Montréal, Naissance-Renaissance, 1981. 41p.

Brochure d'accompagnement du film de Sylvie van Brabant, Serge Giguère et Louise Dugal. On y aborde plusieurs questions qui ont trait à l'accouchement à l'hôpital et à la maison.

483 Lefebvre, Jean Pierre. **Les dernières fiançailles.** S.l., 1972. 68p.

Projet de scénario écrit en 1971 et janvier 1972, avec présentation du film.

484 Marsolais, Gilles. **Les dernières fiançailles;** dossier établi par Gilles Marsolais sur un film de Jean-Pierre Lefebvre. Montréal, Le Cinématographe; VLB éditeurs, 1977. 103p. (Le Cinématographe, 4)

Présentation du film et propos du cinéaste. Découpage après montage, choix de critiques.

485 Office national du film du Canada. **Derrière l'image.** Montréal, 1978. 90p.

Transcription des dialogues du film de Jacques Godbout sur l'information à la télévision.

486 Cinémathèque québécoise. **Des cinéastes québécoises.** Montréal, 1980. 71p. (Copie Zéro no 6)

Présentation (Pierre Véronneau), table-ronde avec plusieurs femmes cinéastes, nombreux témoignages, bio-filmographies de 48 réalisatrices et intégrale des longs métrages.

487 Office du film du Québec. **Des écrivains québécois. Des films 16mm couleur.** Montréal, 1974. 8p.

Notes sur 7 films consacrés aux écrivains Jacques Ferron, Alain Grandbois, Yves Thériault, Gaston Miron, Marie-Claire Blais, Marcel Dubé et Félix-Antoine Savard.

R Des films 16mm couleur **voir** Des écrivains québécois.

488 Office du film du Québec. **Des Iles-de-la-Madeleine;** une production de l'Office du film du Québec pour le Ministère de l'éducation. Montréal, 1971. 26p.

Commentaires scientifiques de Oswald C. Farquhar pour le film d'André Corriveau. L'accent est mis sur la géologie exceptionnelle du lieu.

489 Office du film du Québec. **Description d'emploi des métiers de cinéma, O.N.F., O.F.Q.** Montréal, 1976?. 1v. (non paginé)

Description de tâche, fonctions, connaissances requises pour plus d'une centaine de métiers.

R Les dessins de Norman McLaren **voir** The Drawings of Norman McLaren.

490 Forest, Léonard. **Destination Grand-Pré.** Montréal, Office national du film du Canada, 1974. 107p.

Scénario d'un film non-tourné qui raconte un incident militaire célèbre en Acadie et qui se passa en 1746-47.

491 Office national du film du Canada. **Détail des propositions sur le bilinguisme contenues dans le plan quinquennal de l'Office national du film du Canada/Detailed Projection of the Section on Biculturalism and Bilingualism Contained in the Draft Paper Submitted to the Board of Governors, National Film Board of Canada.** Montréal, 1969. 9p. Annexe: Justification technique et idéologique des projets proposés dans ce rapport. 5p.

Le texte étudie différentes avenues pour répondre au programme de bilinguisme et de biculturalisme du gouvernement qui exige un effort pédagogique particulier car il doit surmonter plusieurs obstacles. Texte écrit moitié en français, moitié en anglais.

492 Fournier, Claude. **Deux femmes en or.** Montréal, s.n., 1969. 216p.

Scénario, découpage.

493 Fournier, Claude et Raymond, Marie-José. **Deux femmes en or.** Montréal, s.n., 1970. 181p.

Transcription des dialogues.

494 Dupras, André. **Deux ou trois choses que je pense du cinéma québécois.-** Montréal, *Le Journal du personnel de la BCN,* v. 10 no 4 (printemps 1973) 7p.

495 Chabot, Roger et Lina, Jacques. **Deux québécois à Hollywood.** Montréal, Pub. Éclair, 1972. 98p. (Mini-poche Éclair)

Entrevues réalisées avec des comédiens du cinéma et de la télévision pour le compte de TV-Hebdo.

496 Bédard, Roger. **Deux stimulus visuels et l'acquisition immédiate du concept intuitif de symétrie orthogonale.** Québec, Université Laval, 1971. 77p.

Thèse de maîtrise en éducation. Après avoir signalé certaines carences de la recherche en pédagogie audiovisuelle et le problème de l'élaboration d'une théorie du cinéma d'enseignement, l'auteur se donne comme objectif de comparer l'effet de visionnement d'un film animé à celui du visionnement d'un film fixe comparable durant l'apprentissage d'un concept dont la compréhension ne fait apparemment pas appel au mouvement reproduit par le document animé. Il établit d'abord les fondements théoriques de sa problématique puis décrit son expérience auprès de groupes spécifiques à l'aide de documents préparés par lui-même. Il estime toutefois que les résultats auxquels il aboutit ne sont pas tout à fait concluants bien que le film fixe, dans son cas précis, soit plus efficace.

497 Spottiswoode, Raymond. **Developments at the National Film Board of Canada, 1939-44.** *Journal of the Society of Motion Picture Engineers,* v. 44 no. 5 (May 1945) 10p.

Tiré-à-part retraçant l'activité de l'ONF durant la guerre.

498 Paquin, Jean, **Le développement de la critique culturelle marxiste au Québec de 1968 à 1978.** Montréal, Université de Montréal, 1980. 94p.

Thèse de M.A. (histoire de l'art). L'auteur analyse l'approche politique de plusieurs revues culturelles parmi lesquelles on en retrouve qui parlent du cinéma, Champ libre notamment.

499 Office national du film du Canada. **Devis de film; manuel de procédés, 1er avril 1969.** Ottawa, 1969. 30p.

Manuel décrivant en détail comment préparer un budget de production à l'ONF.

500 Paquet, Jean. **La dialectique au cinéma.** Montréal, Université de Montréal, 1970. 113p.

Thèse de maîtrise en philosophie. En approchant philosophiquement le cinéma, l'auteur aborde les éléments dialectiques du cinéma (objet-sujet, auteur-film-spectateurs). Il s'intéresse ensuite aux lieux dialectiques au cinéma: constitution d'un "monde" et instauration d'une communication. Finalement il plaide en faveur d'une philosophie du cinéma et en faveur du cinéma comme ouverture sur une anthropologie.

501 Pasternak, Guitta Pessis. **Dictionnaire de l'audio-visuel;** français-anglais et anglais-français: cinéma, photographie, presse, radio, télévision, télédistribution, vidéo. Saint-Laurent, Flammarion, 1976. 372p.

Ouvrage français publié au Québec dont l'intention est de faciliter le bon usage des termes cinématographiques français.

502 **Dictionnaire de vos vedettes de tv, radio, théâtre, cabaret, music-hall et cinéma.** Montréal, Janin Productions, 1958. 135p.

Couvre la télé, la radio, le cabaret, le music-hall et le cinéma. Pour chaque vedette, une biographie et un aperçu de carrière.

503 Houle, Michel et Julien, Alain. **Dictionnaire du cinéma québécois.** Montréal, Fides, 1978. 363p.

Dictionnaire de cinéastes, de comédiens, de films importants et d'organismes majeurs. A chaque nom, une biographie, une filmographie et un aperçu critique de l'oeuvre. En annexe, une chronologie des longs métrages, une filmographie et une bibliographie commentée. Un ouvrage exceptionnel, fruit d'une recherche et d'une démarche originales.

504 Québec (Province) Conseil des directeurs de communications. **Diffusion des documents audiovisuels.** Document de travail. S.l., 1980.

Document produit le 23 avril sur tous les aspects concernant l'acquisition et la diffusion de documents audiovisuels par le gouvernement. Suite au démantèlement de la DGCA, cette activité incombe au Service de diffusion des documents audiovisuels.

505 Conseil québécois pour la diffusion du cinéma. **Diffusion Québec 1974-75.** Montréal, 1975, 16p.

Notes sur la diffusion du cinéma au Québec à partir de l'expérience du CQDC.

506 Harbour, Adélard. **Dimanche vs cinéma.** Montréal, L'Action paroissiale, 1927. 16p. (L'Oeuvre des tracts, no 97)

Publiée suite à l'incendie du Laurier Palace, cette brochure peaufine les arguments catholiques pour la fermeture des cinémas le dimanche et réclame des actes.

507 Clarizio, Nicolas. **La Direction générale du cinéma et de l'audiovisuel.** Québec, Ministère des communications, 1975. 25p.

Plan d'organisation soumis par M. Nicolas Clarizio, conseiller spécial du sous-ministre, sur la mise en place de la D.G.C.A. Document qui reflète les politiques que le gouvernement entend voir appliquer dans le domaine du cinéma et qui propose les structures adéquates. Ce document, qui illustre bien l'esprit de planification bureaucratique et autoritaire qui animait le gouvernement libéral pour la loi sur le cinéma, n'a jamais connu une mise en application complète.

508 Perrault, Pierre. **Discours sur la condition sauvage et québécoise.** Montréal, Lidec, 1977. 108p.

Livre publié à l'occasion de la manifestation "Le Québec sans bon sens vu par Pierre Perrault". On y retrouve plusieurs photos prises par les cinéastes qui ont travaillé avec Perrault sur ses nombreux films et que l'auteur entoure de paroles dites par les personnages de ses films. Un bon ouvrage pour aborder l'univers de Perrault, celui de la poésie parole retrouvée.

R The Distant War. A Matter of Attitudes **voir** La guerre lointaine. Une question d'attitude.

509 **La Distribution des films touristiques: rapport annuel. Travel Film Distribution: Annual Report.** Montréal, Office national du film du Canada, 196-?.

510 Brisebois, Claude, Racine, Pierre. **La distribution et l'exploitation de salles au Québec.** Montréal, Université de Montréal, 1978. 27p.

Travail mentionné dans l'ouvrage de G. Rozon CINÉMA QUÉBÉCOIS.

511 Office national du film du Canada. **Distribution ONF;** les dix prochaines années / **NFB Distribution;** The next decade. Montréal, 1973. 48p.

Document de travail à l'intention du comité consultatif du film. On propose de mettre au service de l'industrie le vaste réseau de distribution non-commerciale de l'ONF, ce qui impliquerait des changements majeurs. Brochure bilingue.

512 Québec (Province) Direction générale du cinéma et de l'audiovisuel. **Document de travail pour un centre québécois de l'audiovisuel.** Montréal, 1979. 26p.

Document qui identifie les principaux intervenants dans le champ du film fonctionnel, établit une problématique, fait état de principes directeurs qui pourront guider un éventuel Centre québécois de l'audiovisuel qui regrouperait certains services de la DGCA: animation, distribution, recherche, documentation. Un exemple de la période "document de travail/restructuration" qui marqua l'activité de la DGCA à la fin des années 70.

513 Québec (Province) Direction générale du cinéma et de l'audiovisuel. **Document de travail sur le projet de refonte de la loi sur le cinéma.** Montréal, 1977. 23p.

Notes sur le cinéma au Québec et les lois qui s'y appliquent écrites en vue de la préparation du livre bleu.

514 Office du film du Québec. **Document de travail sur une politique du cinéma.** Montréal, s.n, 1971. 8p.

L'auteur étudie deux hypothèses: créer un Centre du cinéma à partir de l'OFQ ou de créer une Direction générale du cinéma. Il donne ensuite un exemple d'utilisation possible d'un fonds de développement.

515 Houle, Michel. **Document sur le classement thématique des longs métrages québécois.** Montréal, 1975. 14p.

Liste de films (1968-75) regroupés selon certains grands courants: cinéma commercial, comédie, documentaire, contre-culture, socio méthode fiction, etc.

516 Roy, Hortense et Lussier, Rachelle. **Document synthèse de la série "En tant que femmes".** Mars 1971 à novembre 1976. Montréal, Office national du film du Canada, 1976. 35p.

Document qui retrace l'origine et le développement de la série produite à Société nouvelle et qui se penche sur sa distribution et son impact.

517 Québec (Province) Bureau de surveillance du cinéma. **Documentation.** Montréal, 1981. Irrégulier.

Fait suite à Revue de presse. Comprend des articles de provenance diverses, québécoise et étrangère, regroupés sous quatre rubriques: société, cinéma et audiovisuel, censure, suggestions de lecture. Met l'accent sur des phénomènes de longue portée en choisissant des textes étoffés.

518 Collège d'enseignement général et professionnel de Trois-Rivières. Audio-vidéothèque. **Documentation audio-visuelle.** Trois-Rivières, 1973. 20p.

519 Hydro-Québec. **Les documents audiovisuels d'Hydro-Québec.** Nouv. éd. Montréal, 1979. 23p.

Catalogue descriptif des films distribués par Hydro-Québec.

520 Office national du film du Canada.**Documents d'étude et de référence en vue d'une discussion générale des objectifs de l'Office et de certains aspects de ses programmes de production et de distribution.** Montréal, 1964. 19p.

Recueil de textes officiels ou d'appoint.
Voir aussi Background papers relating to a proposed general discussion of the purposes of the Board and of some aspects of its production, distribution and program activities.

521 Commission d'étude sur le cinéma et l'audiovisuel. **Documents synthèses concernant les rapports des associations professionnelles.** Québec, 1981. (paginations diverses)

Ces documents retracent l'historique et l'intervention des associations suivantes: Association québécoise des industries techniques du cinéma et de la télévision; Société des auteurs, recherchistes, documentalistes et compositeurs; Syndicat national du cinéma; Syndicat général du cinéma et de la télévision; Association des professionnels du cinéma; Association professionnelle des cinéastes; Association des réalisateurs de films du Québec; Association professionnelle des cinéastes du Québec; Union des artistes; Association des producteurs de films du Québec. Les secteurs de la télévision, de l'exploitation et de la distribution sont regroupés séparément. Au total tous ces documents font 224 pages. Une mine d'information brute.

522 Noël, Jean-Guy. **Le doigt dans l'oeil.** Ottawa, Les films du Haricot, 1981. 113p.

Scénario. Reprise et refonte de FLEUR DE MAI.

523 Comité des oeuvres catholiques de Montréal. **Doit-on laisser les enfants entrer au cinéma?.** Montréal, L'Action paroissiale, 1939. 16p. (L'Oeuvre des tracts, no 236)

Brochure écrite pour réagir aux actions des propriétaires de salles qui obtiennent de plus en plus d'exceptions à la loi du 16 ans. On y met notamment l'accent sur le fait que ceux-ci soient des étrangers. On y donne la Belgique en exemple et on y rapporte plusieurs témoignages de personnalités religieuses et éducatrices. Le mot d'ordre final: pas d'enfants dans les cinémas publics.

524 Favreau, Robert et Lalonde, Robert. **Donnez-nous la paix!!!.** Montréal, 1974. 170p.

Scénario non-tourné.

525 Semaine du cinéma québécois. **Dossier.** Montréal, 1979, 8p.

Historique de la Semaine, buts poursuivis, originalité.

526 Festival international du film de Montréal. **Dossier de presse. Press Book.** Montréal, 1960.

Publication annuelle. A partir de 1966 s'appelle Cahier de presse.

527 Cinémathèque nationale du Québec. Bibliothèque. **Dossier de presse du Festival international du film de la critique québécoise.** Montréal, 1978. 130p.

Recueil des articles publiés à l'occasion de la manifestation.

528 Collège d'enseignement général et professionnel Montmorency. **Dossier "Occupation B.S.C.Q.".** Montréal, 1974. 32p.

Recueil des articles publiés à l'occasion de l'occupation du Bureau de surveillance du cinéma.

529 **Dossier sur l'utilisation du film.** Préparé par un groupe d'organismes intéressés à l'éducation par le film sous les auspices de la Société canadienne d'enseignement postscolaire avec la collaboration du Conseil français du film d'Ottawa et du Ciné-Centre de l'Université d'Ottawa. Ottawa, Centre catholique d'Ottawa, 1952. 1v. (paginations diverses)

Dossier préparé à l'occasion de journées d'études faisant suite à de semblables tenues à Montréal et Québec. Il comprend principalement une bibliographie d'ouvrages sur le cinéma.

530 Fédération des conseils du film du Québec. **Dossier sur l'utilisation du film préparé à l'intention du séminar sur l'utilisation du film organisé par le Conseil français du film de Montréal sous les auspices de la Société canadienne d'enseignement post-scolaire.** Montréal, s.n., 1952. Paginations variables.

Le séminaire eut lieu à l'Université de Montréal les 25 et 26 janvier. 1952.

531 Maggi, Gilbert. **Dossier sur le film Red Badge of Courage (La charge victorieuse) de John Huston.** Montréal, s.n., 197-? 24p.

Préparé pour un cours de cinéma de niveau collégial, ce dossier reprend essentiellement des extraits du livre de Lilian Ross, PICTURE, (qui relate les péripéties qui ont accompagné la réalisation du film) que l'auteur situe et relie entre eux.

532 **Dossiers de cinéma.** Publiés sous la direction de Léo Bonneville. Montréal, Fides, 1968-1v.

Série de 15 fiches consacrées à des courts métrages de l'ONF. Conçues comme outils de travail pour étudiants, ces fiches présentent le réalisateur et fournissent quatre pistes d'analyse: dramatique, cinégraphique, psychologique, idéologique. A la fin après la bibliographie, on trouve une liste de travaux et de recherches possibles.

533 Séminaire de Sherbrooke. Bibliothèque du collégial. **Dossiers de presse sur les cinéastes québécois jusqu'à décembre 1977.** Sherbrooke, 1978. 1v. (paginations diverses)

534 Rencontres internationales pour un nouveau cinéma, Montréal, 1974. **Dossiers nationaux. National Dossiers.** Montréal, Comité d'action cinématographique, 1975. 1v. (paginations diverses)

Dossiers préparés par différents organismes et personnes participant aux Rencontres, et destinés à mieux faire comprendre la conjoncture des pays représentés. On y retrouve l'Afrique francophone et arabophone, la Belgique, le Canada, la Colombie, les États-Unis, la Finlande, la France, la Hollande, le Mexique, le Portugal, le Québec (texte de Fernand Dansereau), la Suède et la Suisse.

R A Draft Statement of Policy for the National Film Board as a Cultural Agency and a Five-Year Plan of Implementation **voir** Politique culturelle et plan quinquennal de l'Office national du film.

535 Tessier, Benoit. **Le drame d'Aurore.** Montréal, Diffusion du livre, 1952. 168p.

Roman publié à l'époque de la sortie du film LA PETITE AURORE, L'ENFANT MARTYRE.

536   McLaren, Norman. **The Drawings of Norman McLaren**; Text by Norman McLaren edited from taped interviews by Michael White. **Les dessins de Norman McLaren;** Texte de Norman McLaren rédigé par Michael White d'après des interviews enregistrés. Montréal, Tundra Books, 1975. 192p.

537   Brûlé, Michel. **La drogue et le cinéma canadien.** Montréal, 1971. 54p.

Recherche faite pour la Commission d'enquête sur l'usage des drogues à des fins non médicales. L'auteur répertorie toutes les scènes de drogue dans le cinéma canadien et les analyse. Puis il formule des conclusions générales sur la contextualisation de la drogue dans les films, sa relation avec les activités sexuelles, sa référence à la jeunesse. Selon l'auteur, les courts métrages sont plus intéressants du point de vue de la drogue.

538   Beaudin, Jean. **Les drogues.** Montréal, s.n., 1972.

Scénario de LES INDROGABLES.

539   Office national du film du Canada. **Droit de regard sur Coup d'oeil.** Montréal, 1972. 28p.

Historique d'une série prévue pour diffusion à Radio-Canada sous le titre Droit de regard. Les problèmes qu'elle a rencontré. L'avenir qu'on lui réserve. Mémoire écrit par les artisans de la série.

540   Chartrand, Alain. **Les douces.** Montréal, s.n., 1978. 29p.

Synopsis d'un film non-réalisé sur les énergies douces.

541   Service d'éducation cinématographique de Montréal. **Du cinéma... au ciné-club;** stage de cinéma 1963. Montréal, 1963.

Ce stage comprend 3 volets: études sur des aspects culturels du cinéma, fiches sur les films au programme et initiation au langage cinématographique.

542   Bélanger, Fernand, Angrignon, Yves et Dugal, Louise. **Du sol, de la tourbe et du restant.** Montréal, s.n., 1977. 14p.

Synopsis du film DE LA TOURBE ET DU RESTANT de Bélanger.

543   Arcand, Denys. **Duplessis.** Montréal, VLB éditeur, 1978. 489p.

Edité par Pierre Latour, cet ouvrage abondamment illustré reprend le texte intégral de la série télévisée DUPLESSIS. En annexe on retrouve une bibliographie sur la série et un index biographique des principaux personnages cités.

544   Cinémathèque québécoise. **Dziga Vertov (1895-1954).** Montréal, 1972. 16p.

Notes de programme sur les films présentés à la Cinémathèque.

545   Associated Screen News Limited, Montreal. Benograph. **The Earth and Its Peoples: 16mm Short Subjects Special Supplement.** Montréal, 1952?. 10p.

546   Office national du film du Canada. **L'école des autres.** Montréal, 1968. 134p.

Transcription des dialogues du film de Michel Régnier.

547   Vallet, Antoine. **L'école et le monde des images.** Chicoutimi, Office diocésain des techniques de diffusion, 1962. 16p.

Brochure pour expliquer aux jeunes comment "s'y prendre pour demeurer libre devant les techniques de communication sociale et conserver sa route sans s'affoler devant les vagues contraires qui surgissent et s'évanouissent comme les vents".

548   Karniol, Robert. **Editing: An Evolution.** Montréal, McGill University, 1973. 130p. (Série A Modular Introduction to Film)

Ouvrage qui reprend l'évolution du montage à l'époque du muet: Porter, Griffith, les Allemands, les Soviétiques. Notes sur certains films marquant de ces cinéastes. Nombreuses illustrations.

L'ENFANT DEVANT LE FILM

JEAN NOËL JACOB, t.c

DIDIER

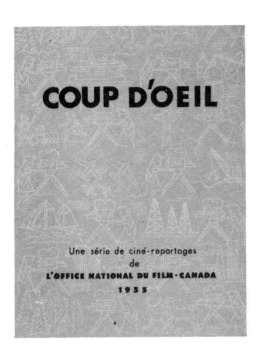

COUP D'OEIL

Une série de ciné-reportages
de
L'OFFICE NATIONAL DU FILM - CANADA
1955

dominique noguez

essais sur le
CINÉMA
QUÉBECOIS

éditions du jour

documentaire politique

Rétrospective
H & S

Cinémathèque québécoise/ du 6 au 15 décembre 1979
Bibliothèque nationale / 1700 rue St-Denis

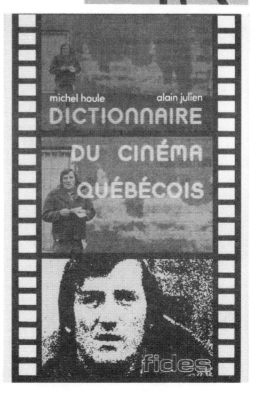

michel houle   alain julien
DICTIONNAIRE
DU CINÉMA
QUÉBÉCOIS

fides

549 Deschamps, Philippe. **Les éducateurs et le film récréatif.** Montréal, Centre de psychologie et de pédagogie, 1949. 16p. (Les conférences pédagogiques)

Brochure sur l'utilisation des films écrite par un clerc de St-Viateur.

550 Bonneville, Léo. **L'éducation cinématographique.** Montréal, Office des communications sociales, 1966. 10p.

Réflexions sur l'éducation cinématographique vue du point de vue catholique.

551 Cayouette, Ghyslaine. **L'éducation cinématographique.** Montréal, Université de Montréal, 1963. 55p.

Rapport de recherche, baccalauréat en pédagogie. Ce mémoire consiste en un rapport de différentes opinions sur l'éducation cinématographique. Tout d'abord l'auteur étudie l'influence du cinéma sur l'adolescent. Elle le considère ensuite comme un art faisant partie de la culture humaniste. Finalement elle aborde l'éducation cinématographique qui permet de concilier l'influence néfaste du cinéma et sa valeur artistique et qui est la solution au problème du cinéma et de la jeunesse.

552 Institut d'éducation cinématographique. **L'éducation cinématographique;** extrait du rapport Parent, Tome 11, chapitre XVI. S.I., s.d. 7p.

553 Kidd, James Robbins et Storr, Carter B. **L'éducation populaire par le film.** Montréal, Société canadienne d'éducation des adultes, 1951. 42p.

Une brochure pour les responsables des différents groupes et mouvements qui utilisent le film. On y donne autant de conseils techniques que pédagogiques.

554 Associated Screen News Limited, Montreal. Benograph. **Educational and Entertainment Films: 16mm. Short Subjects.** Montréal, 1953. 81p.

R Educational Television **voir** Télévision éducative.

555 Forcier, André et Marcotte, Jacques. **L'eau chaude, l'eau frette.** Montréal, Les films de la gare, 1975. 143p.

Scénario.

556 Forcier, Marc-André. **L'eau chaude, l'eau frette.** Montréal, s.n., 1975. 141p.

Scénario.

557 Momtahan, Hamid Reza. **The Effectiveness of Cut-out Versus Puppet Animation in Teaching Botany.** Montréal, Concordia University, 1977. 71p.

Thèse de M.A. (educational technology). S'appliquant indifféremment à la télévision et au cinéma, la démarche de l'auteur vise à mesurer l'efficacité respective de l'animation en deux dimensions (papier découpé) et en trois dimensions (marionnettes) auprès d'étudiants de 4e et de 6e année. Il en conclut que pour fournir de l'information, le papier découpé est préférable, alors que pour développer ou renforcer une motivation ou une attitude, l'autre est meilleure.

558 Rich, Tom. **The Effects of Clustering on Recall of Television Commercials.** Montréal, Concordia University, 1976. 139p.

Thèse de M.A. (educational technology). Bien que cette thèse porte principalement sur la télévision, elle touche indirectement au cinéma en ce qu'elle parle de la publicité, une des vaches à lait de l'industrie cinématographique, et qu'elle se sert du film THE RAILRODDER de Gerald Potterton avec Buster Keaton comme véhicule des messages publicitaires. Le but de l'auteur est de voir si, pour le public, il y a une différence quand on lui présente, sur trente minutes, quatre pauses commerciales de une minute ou une pause de quatre minutes; et comme il y en a une, l'auteur l'analyse.

559 Evans, Nathaniel Christopher. **Effects of Stimuli Presented by Selected Chemical Education Material Study (CHEM Study) Films on Intellectual Ability of CHEM Study Students.** Montréal, Concordia University, 1976, 54p.

Thèse de M.A. Étude d'une célèbre série américaine sur l'enseignement de la chimie. L'auteur analyse l'effet de certaines de ses présentations sur la compréhension des étudiants.

560 Labelle, Lucien. **L'Église censure-t-elle le cinéma?.** Montréal, s.n., 1961. 11p.

Pour l'auteur, l'Église n'est ni puritaine, ni rétrograde; conséquemment elle admet l'art cinématographique.

561 Cousineau, Jacques. **L'Église et l'éducation cinématographique.** Montréal, *Collège et Famille,* v. XIV, no 3 (juin 1957). 8p.

Tiré-à-part. L'auteur se propose de décrire les efforts et l'évolution de l'Église dans son attitude envers le cinéma. Il explique et défend son attitude et demande que le travail d'éducation porte sur des chefs-d'oeuvre et que le cinéma soit un moyen de libération spirituelle.

562 Lever, Yves. **L'Église et le cinéma au Québec.** Montréal, Université de Montréal, Faculté de théologie, 1977. 275p.

Thèse de maîtrise. L'auteur divise son travail en 2 parties: 1- Le refus du cinéma corrupteur des origines à 1940. 2- La conversion au cinéma pour la conversion par le cinéma de 1940 à aujourd'hui. Pour chaque partie l'auteur situe sa problématique au plan mondial. Ensuite, dans la première, il parle de la fermeture des salles le dimanche et de l'appel à une censure plus sévère contre le cinéma corrupteur. Dans la seconde, il traite des nombreuses interventions de l'église (Rex-Film, Centre catholique national du cinéma, etc), des enjeux et résultats obtenus. Une excellente étude pour une histoire idéologique et sociologique du cinéma au Québec.

R   Eight Montréal International Film Festival Expo-Theatre August 4-18 1967 **voir** Huitième Festival international du film de Montréal, Expo-théâtre 1-18 août 1967.

563   **Eisenstein 1898-1946.** Montréal, Cinémathèque québécoise, 1973. 20p.

Brochure pour célébrer le 75e anniversaire de naissance du cinéaste. Comprend trois textes: EXPRIMER LA RÉVOLUTION par Rostislav Yourenev, UNE ESTHÉTIQUE MILITANTE par Barthelémy Amengual et EISENSTEIN ET L'ENSEIGNEMENT DU CINÉMA par Pierre Véronneau.

564   Office national du film du Canada. **Elément 3.** En collaboration avec l'Organisation des nations unies pour l'éducation, la science et la culture. Montréal, 1974. 10p.

Brochure accompagnant le film de Jacques Giraldeau.

565   Association pour le développement de l'audio-visuel et de la technologie en éducation. **Eléments de mémoire.** Montréal, 1979. 5, 5p.

Texte écrit dans le cadre des consultations sur le livre bleu. L'ADATE s'arrête principalement à la production pédagogique et à la création d'une audiovidéothèque nationale.

566   Leclerc, Jean. **Elisa n'a pas voulu mourir.** Montréal, s.n., 1971. 116p.

Comprend un avant-propos, un scénario illustré et le découpage d'une série qui devait comporter sept tableaux. Seuls les numéros 4 (ELISA 4 OU LES FEUX DE LA RAMPE, 1974) et 5 (ELISA 5 OU LES INQUIÉTUDES D'ÉLISA, 1972) ont été réalisés à l'ONF.

567   Sheppard, Gordon. **Eliza's Horoscope.** Montréal, O-Zali Films, 1975. 121p.

Scénario.

568   Lamartine, Thérèse. **ELLES, CINÉASTES... ad lib.** Montréal, Université de Montréal, 1981. 305p.

Thèse de M.A. (histoire de l'art). Constatant que les historiens dénombrent moins de femmes-cinéastes qu'il en existe en fait, l'auteur entreprend de briser cette conspiration du silence et de révéler la face cachée de l'histoire des femmes au cinéma. Son premier chapitre constitue un survol historique du cinéma réalisé par les femmes; elle divise leur oeuvre en trois périodes: 1895-1939, 1939-1968, 1968-1981. Dans son second chapitre elle s'interroge sur la différence entre cinéma féminin et cinéma féministe et regroupe les femmes-cinéastes sous trois catégories. Elle s'arrête ensuite à leur thématique et à leur esthétique, puis formule quelques réflexions sur des films qui l'ont marquée. Le quatrième chapitre parle de la difficulté du rapport de la femme à la création, en mettant l'accent sur les incidences économique du cinéma. En conclusion, l'auteur souhaite l'émergence d'une critique féministe, défend l'importance des femmes techniciennes et revendique une caméra à soi, un regard de femme sur le monde; de là elle définit ce que serait un cinéma féministe et libertaire. La thèse est complétée d'un volumineux lexique couvrant environ 800 cinéastes qui ont à leur actif au moins un long métrage ou plusieurs courts métrages.

569   Zmijewsky, Steven et Zmijewsky, Boris. **Elvis: Elvis Presley, films et carrière.** Montréal, Librairie Beauchemin, c1977?. 224p.

Comprend une biographie et des notes sur chacun de ses films. Abondamment illustré. Traduction de The films and Career of Elvis Presley.

570   Morris, Peter. **Embattled Shadows: A History of Canadian Cinema, 1895-1939.** McGill-Queen's University Press, 1978. 350p.

Une des premières histoires du cinéma au Canada avant 1939 par un des historiens les plus chevronnés au pays. L'ouvrage s'attache essentiellement à la production de films et couvre ce qui s'est fait au Québec durant la période.

571   Archambault, Jocelyne. **En tant que femmes; analyse de la mise en distribution.** Montréal, Office national du film du Canada, 1974? 282p.

Analyse de la télédiffusion et de la distribution communautaire des quatre premiers films de la série: J'ME MARIE, J'ME MARIE PAS, SOURIS, TU M'INQUIÈTES, À QUI APPARTIENT CE GAGE?, LES FILLES DU ROY. Pour chaque aspect de la distribution, on décrit l'opération et on analyse l'impact du film. Sont aussi abordées la distribution communautaire hors Québec et la participation aux activités spéciales.

572 Poirier, Anne Claire et Morazain, Jeanne. **En tant que femmes; rapport de recherches.** Montréal, Office national du film du Canada, 1971.

Rapport où les cinéastes définissent leurs objectifs et leurs orientations pour la série "En tant que femmes" à être réalisée à Société nouvelle.

573 Société nouvelle/Challenge for Change. **En tant que femmes; revue de presse.** Montréal, Office national du film du Canada, 1974. 108p.

Coupures sur le programme "En tant que femmes", sur les films J'ME MARIE, J'ME MARIE PAS de Mireille Dansereau, SOURIS TU M'INQUIÈTES d'Aimée Danis, LES FILLES DU ROY d'Anne Claire Poirier, À QUI APPARTIENT CE GAGE de Marthe Blackburn, Susan Gibbard, Jeanne Morazain, Francine Saia, Clorinda Warny, et sur la distribution de ces films.

574 Brault, Huguette. **En votre âme et conscience, que pensez-vous de l'amour tel que présenté dans les films.** Outremont, Institut de pédagogie familiale, 1959. 121p.

Mémoire. L'influence du film sur la conception de l'amour chez les adolescents.

575 Pie XI. **L'encyclique "Vigilanti cura" sur les spectacles cinématographiques.** 2e éd. Montréal, L'Oeuvre des tracts, 1936. 16p.

Encyclique qui marque la fin de la défiance catholique envers le cinéma et le début de son attitude propagandiste, utilitaire.

576 **Encyclopédie artistique le monde du spectacle.** Montréal, Publications Eclair. Annuel.

Touche indirectement au cinéma.

577 Jacob, Jean-Noël. **L'enfant devant le film.** Montréal, M. Didier, 1969. 110p.

Étude sur la compréhension du film par les jeunes. Mesure des réponses fournies à partir du test sur LA NUIT EST MON ENNEMIE de A. Asquith. L'auteur s'adonne aussi à des considérations générales sur la place de l'image dans la vie de l'enfant, le langage cinématographique et les incidences sociales, psychologiques et pédagogiques du cinéma.

578 Lord, Jean-Claude. **Les enfants de l'avenir.** Montréal, s.n., 1970. 175p.

Scénario du film LES COLOMBES.

579 Enfilm 79: tournée super 8; le Québec vu par les enfants. Collaboration Ministère du tourisme, de la chasse et de la pêche, Tourbec, Radio Québec. Montréal, Les rencontres internationales: "le film et l'enfant", Terre des Hommes, 1979. Feuilles volantes dans une pochette.

Enfilm 79 a pour objectif d'inciter les enfants à utiliser le Super-8 pour exprimer leur univers. Suite à un concours, 5 Québécois et 5 étrangers tourneront un reportage d'une heure. Comprend aussi des fiches sur du cinéma pour enfants présenté à Terre des Hommes.

580 Girault, Françoise. **L'enquête dans la production audiovisuelle.** Laval, Cegep Montmorency, 197-?. 23p.

Produite pour la Concentration cinéma du Département des communications, cette étude s'attarde au pourquoi et au comment de l'enquête qui doit précéder la production audiovisuelle; elle formule le tout dans une perspective marxiste.

581 Roy, Hortense. **Enquête sur l'utilisation du film en animation sociale.** Montréal, Office national du film du Canada, 1967.

582 Slatzer, Robert F. **Enquête sur une mort suspecte: Marilyn Monroe.** Montréal, Presses de la Cité, 1976. 409p.

Réimpression québécoise d'un ouvrage français (1974) traduit de l'américain.

583 Fotinas, Constantin. **Enseignement du cinéma à des futurs journalistes africains: commentaires sur une expérience de didactique active.** Montréal, Université de Montréal (Centre audio-visuel), 1972. 38p.

Contribution aux travaux de la "table ronde sur les problèmes des cinéastes en Afrique" au 4e Festival de Carthage, à partir d'une expérience montréalaise où les étudiants devaient produire des films dont l'auteur analyse les traits principaux pour en tirer des idées significatives.

584 Brault, Michel. **Entre la mer et l'eau douce.** Montréal, Coopératio, 1965. 54p.

Scénario.

585 LeBlanc, J.Émile. **Entre nous. Between Ourselves.** Actualités. Films en 16 mm. Distribution canadienne, 16 mm Canadian Distribution News. Montréal, Office national du film. 1964. 12, 12p...

Échos divers de la distribution des films de l'ONF au Canada.

586   Véronneau, Pierre. **Entretien avec Jack Darcus.** Montréal, Cinémathèque québécoise, 1974. 5p.

Entretien avec le réalisateur de Vancouver J. Darcus publié à l'occasion d'une rétrospective du cinéma de la Côte-Ouest.

587   Pâquet, André. **Entretien avec le cinéaste chilien Patricio Guzman, réalisateur de El Primer ano.** Montréal, Cinémathèque québécoise, 1974. 6p.

588   Lemoyne, Wilfrid. **Entretien avec quatre cinéastes québécois: J.P. Lefebvre, Gilles Carle, Claude Jutra et Claude Fournier.** Montréal, 1971. 14p.

589   Émond, Bernard-Richard. **Épistémologie des pratiques cinématographiques en anthropologie.** Montréal, Université de Montréal, 1977. 125p.

Thèse de M.Sc. (anthropologie). Dans ce mémoire, l'auteur s'interroge sur deux points principaux: l'absence relative des techniques cinématographiques dans les stratégies de recherche anthropologique et la nature idéologique des documentaires publics ethnographiques qui ne diffère guère de la production dominante en cinéma direct, en ce qu'ils ne font que re-présenter et occulter la réalité sociale. Il souligne enfin la nécessité d'une pratique matérialiste du cinéma liée avec une critique des phénomènes sociaux. Pour étoffer sa démarche, l'auteur étudie aussi bien Flaherty que Vertov, le cinéma direct que le film de recherches.

590   Lund, Doris. **Éric.** Montréal, Flammarion, 1976. 314p.

Réimpression québécoise d'une édition française traduite de l'américain. Ce roman fut adapté à l'écran par James Goldstone.

591   Guérin, André. **L'érotisme au cinéma;** causerie de André Guérin... au déjeûner annuel de l'Association des propriétaires de cinéma du Québec. Montréal, Bureau de surveillance du cinéma, 1971. 10p.

592   **L'esprit du mal.** Montréal, France-Film, 1954. 15p.

Scénario publicitaire du film de Jean-Yves Bigras.

593   Conseil d'orientation économique du Québec. **Esquisse d'un plan pour la création d'une industrie du cinéma, du long métrage au Québec.** Québec, 1963. 18p. (Le cinéma, document V)

A propos d'un éventuel Centre cinématographique du Québec: organigramme, calendrier de mise en place, financement.

594   Guérin, André. **Esquisse d'un plan quinquennal de développement remis au sous-ministre des affaires culturelles, Guy Frégault.** Montréal, 1970.

595   Noël, Jean-Guy. **Esquisse d'un scénario de long-métrage: Titre provisoire "Fleur de May".** Montréal, 197-?. 1v. (paginations diverses)

Avertissement de l'auteur suivi de 23 séquences.

596   Tousignant, Pierre. **Essai sur la présence cinématographique.** Montréal, Université de Montréal, 1966. 84p.

Thèse de licence en philosophie. L'auteur porte d'abord son attention sur la présence objective des choses comme élément constitutif essentiel du cinéma; il qualifie cette présence de réduite. Dans son deuxième chapitre, il essaie de montrer que cette présence réduite est quand même perçue comme totale par un système de compensation mis en place par le sujet. Finalement, il analyse la nouvelle vision des choses et du monde que permet le cinéma. Une thèse tributaire de l'approche phénoménologique.

597   Cuerrier, Jacques. **Essai sur les rapports entre la réalité et l'imaginaire au cinéma.** Montréal, Université de Montréal, 1974. 107p.

Thèse de M.A. (philosophie). L'auteur aborde le thème de sa thèse en se limitant à l'examen de l'image filmique d'abord définie comme donné spécifique du langage cinématographique et objet de narrativité. Ensuite il détermine les ressources que le cinéma offre à l'imaginaire. Enfin il tente de voir ce qu'il advient de l'imaginaire cinématographique lorsqu'il est vécu par le spectateur au travers l'identification et la participation. Il conclut de sa démarche que l'image filmique ne reproduit pas la réalité mais y puise les éléments qui deviennent matière première de fiction par l'élaboration du langage cinématographique.

598   Noguez, Dominique. **Essais sur le cinéma québécois.** Montréal, Éditions du Jour, 1971. 221p.

Réimpression d'une série de points de vue critiques sur des traits particuliers du cinéma québécois: 10 ans de cinéma, propositions pour l'enseignement, la jeunesse, du cinéma québécois considéré comme un des beaux-arts, cinéma québécois et politique. L'auteur se situe principalement sur le terrain idéologique et politique pour parler des films et des cinéastes et cela confère une originalité à ses propos. Le chapitre sur l'enseignement constitue une curiosité par ce qu'il révèle en creux sur l'enseignement ici.

599 Dumas, Pierre. **L'essor culturel du cinéma dans la province de Québec;** mémoire. Québec, 1962. 30p.

Mémoire qui cerne les problèmes majeurs de l'industrie cinématographique au Québec et qui réclame l'intervention de l'État pour renforcer l'entreprise privée, notamment par l'imposition de quotas.

600 Nadon, Claude. **Est-ce le grand départ pour le long métrage indépendant au Québec?** Montréal, Conseil québécois pour la diffusion du cinéma, 1969. 24, 9p. (Documents, 1)

Table ronde avec Gilles Carle, Arthur Lamothe, Raymond-Marie Léger, André Link et Claude Savard. Ce texte a d'abord paru dans Le Devoir les 19, 21, 22 et 23 juillet 1969.

601 Ste-Marie, Gilles. **Et pourtant il parle.** Montréal, Société Radio-Canada, 1954. 6p.

Conférence dans la série Radio-Collège. Historique du film parlant et ce qu'il apporta de nouveau.

602 Lafond, Jean-Daniel. **Et soudain nous vîmes grande brume....** Montréal, s.n., 1981. 18p.

Réactions de l'auteur au refus du projet MARIE D'ICI, LÀ-BAS par l'Institut québécois du cinéma et brève réflexion sur une politique de création cinématographique au Québec. Remise en cause du Comité d'évaluation interne de l'IQC et de son fonctionnement.

603 Guérin, Gérard et Leduc, Jacques. **L'état de passage.** Montréal, Office national du film du Canada, 1980. 99p.

Scénario d'un film arrêté en cours de tournage.

604 Guérin, André. **L'État démocratique face au cinéma et aux revues;** conférence. Montréal, 1969. 30p.

L'auteur rappelle la philosophie qui amena l'État à changer la censure en surveillance et réfléchit sur comment envisager la responsabilité des corps responsables de la protection publique en ce qui a trait au cinéma.

605 Poirier, André. **L'État et l'industrie du cinéma.** Montréal, École des hautes études commerciales, Université de Montréal, 1963. 147p.

Examen de l'industrie du cinéma en Angleterre, France et Italie pour voir quel fut le rôle de l'État dans l'évolution de leur industrie cinématographique respective. Dans un deuxième volet, l'auteur s'attarde à la tendance monopolistique aux USA. Enfin il aborde la situation canadienne; il va même jusqu'à lui appliquer une des structures étudiées à l'étranger et à en imaginer les résultats. La thèse de l'auteur est simple: face à la concurrence d'une industrie américaine monopolistique, la seule solution est d'opposer un monopole national basé sur l'intervention étatique: imposition de quotas à l'exploitation, création d'une corporation de distribution des films canadiens, pour la production, création d'un centre national de la cinématographie qui aiderait les producteurs regroupés entre eux.

606 Guérin, André. **L'État et la censure.** Montréal, Bureau de censure du cinéma, 1963. 5p.

Texte qui fait le point sur la question de la censure depuis 1961 et sur la réorganisation du Bureau depuis la venue de l'auteur à sa tête, et qui indique un peu le sens de la future loi sur le sujet. Ce texte sera repris le 25-1-64 dans la revue Maintenant.

R L'Etat québécois et le cinéma **voir** Mémoire sur les éléments d'une politique de cinéma pour le Québec.

607 Legault, Jean. **Être ou ne pas être, ou le cinéma canadien.** Montréal, École des hautes études commerciales, 1967. 120p.

Mémoire. Étude de l'intégration verticale au plan théorique et dans son application au Canada (les chaînes avec des statistiques). L'auteur opte pour une telle industrie cinématographique au pays. Il analyse le long métrage comme bien économique. Sa thèse: "seules la ou les solutions intégrées à la structure actuelle de l'industrie pourront permettre au cinéma canadien d'exister et de concurrencer les puissantes compagnies qui opèrent en terre canadienne". Actuellement le cinéma canadien est inadapté à ce problème. L'auteur donne la liste des longs métrages québécois et leur coût et termine par une section sur la nouvelle SDICC. Il reconnaît que son travail est inspiré du rapport du Conseil d'orientation économique.

608 Guérin. André. **Étude critique du projet de loi No 20 sur le cinéma et proposition d'une version largement amendée.** Montréal, Bureau de surveillance du cinéma du Québec, 1981. 268p.

Ce mémoire comprend trois chapitres: étude critique; propositions d'amendements; Conseil supérieur du cinéma et de l'audiovisuel.

609 Conseil d'orientation économique du Québec. **Étude critique et statistique du cinéma mondial.** Québec, 1963. 111p. (Le cinéma, document II)

L'ouvrage se divise en quatre parties:
1- Caractéristiques générales de l'industrie du cinéma: USA, Europe, télévision, le consommateur.
2- Mesures restrictives: contingentement, tarifs, taxe, restrictions sur les filiales américaines, attitude de la MPAA.
3- Les différents types de pays producteurs: USA, Canada, Asie, Japon-Inde, Europe, législation cinématographique dans certains moyens et petits pays, libre entreprise en ces pays, étatisation totale de l'industrie.
4- Conclusons générales sur l'exploitation et la production.

610 Archambault, Michel et Lacoste, Maurice. **Étude de l'industrie de la production indépendante audio-visuelle au Québec (1975-76).** Montréal, École des hautes études commerciales, 1977. 16p.

Étude financée par le ministère fédéral des communications. Elle veut faire l'inventaire et diagnostiquer les problèmes de l'industrie après avoir analysé le marché. Les auteurs enquêtent sur la nature, la langue, le contenu, le public, le financement et le marché premier des productions privées québécoises. Ils souhaitent que le gouvernement établisse des politiques pour améliorer l'investissement car seules les productions publicitaires se portent bien. Ils endossent en conclusion les déclarations de l'ARFQ émises en commission parlementaire sur le projet de loi numéro 1 sur la langue.

611 Dubreuil, Jean-Paul. **Étude de l'industrie du long métrage au Québec présentée à l'Institut québécois du cinéma.** Montréal, 1979?. 95p.

Texte qui regroupe l'ensemble des données statistiques disponibles sur l'offre et la demande de divertissement cinématographique ainsi qu'une analyse descriptive du secteur de l'exploitation. Un deuxième texte devait faire l'analyse des données et avancer des recommandations. Il n'a pas encore été rédigé.

612 Bordeleau, Louise Julien. **Étude de la compréhension d'un récit écrit ou filmique chez les enfants de classes régulières et de classes spéciales.** Montréal, Université de Montréal, 1978. 308p.

Thèse de Ph.D. (éducation). Après avoir défini le processus de compréhension en lecture, l'auteur note une similitude entre celle-ci et celle de la compréhension du récit audiovisuel. En deuxième partie, elle veut démontrer que le récit filmique ne se comprend pas plus aisément que le récit écrit. Pour ce faire, elle utilise un film et un récit intitulés L'OURS ET LA SOURIS (de F.W. et I. Remmler, ONF, 1968) dont elle analyse les structures narratives d'après le modèle de Michel Tardy. Puis elle en vérifie la compréhension auprès de quatre groupes des secteurs réguliers et en trouble d'apprentissage en leur demandant de raconter le récit. Ces récits spontanés sont ensuite dépouillés et analysés à trois niveaux, ce qui lui permet de démontrer que le film ne se comprend pas plus facilement que le texte et que les élèves réguliers comprennent plus facilement que ceux en troubles d'apprentissages.

613 École des hautes études commerciales. **Étude de la diffusion du cinéma au Québec en fonction d'une nouvelle politique de visa et d'aide incitative.** Montréal, 1978. 1v. (non paginé)

Rapport préliminaire partiel de l'étude de Maurice Lacoste (67p.)

614 Rouleau, X. **Étude de la distribution/exploitation et diffusion du cinéma au Québec.** Montréal, Université de Montréal, 1975. 68p.

Texte signalé dans l'ouvrage de G, Rozon CINÉMA QUÉBÉCOIS. Travail fait à la Faculté de droit.

615 Gazaille, Suzanne. **Étude de la loi-cadre et du document de travail du projet de refonte de la loi-cadre.** Montréal, Université de Montréal, 1978. 38p.

Texte signalé dans l'ouvrage de G. Rozon CINÉMA QUÉBÉCOIS. Travail fait à la Faculté de droit.

616 Litwack, Bill. **Étude des émissions à thème diffusées à des heures de grande écoute.** Montréal, Office national du film du Canada, 1974. 20p.

Publié par le Service des besoins et réactions du public, ce rapport porte sur des émissions de la CBC et des chaînes américaines.

617 Nelson, Rubin F.W. **Étude des rôles, structures et méthodes du comité et du personnel de la Société nouvelle/Challenge for Change.** S.I., s.n., 1973. 60p.

Étude écrite par un membre du Comité Santé nationale et bien-être social du Canada. Celui-ci appuie le projet qui aide, selon lui, les Canadiens à comprendre les changements dans la société. Il propose toutefois des améliorations au plan structurel.

618 Coté, Guy L. et Juneau, Pierre. **Étude en vue d'un projet de télévision éducative et communautaire pour le nord-est du Nouveau-Brunswick.** Montréal, Office national du film du Canada, 1966. 1v. (paginations diverses)

Titre anglais: Study Project for School and Community Television in North East New Brunswick. Étude préparée pour l'ARDA.

619 Harvey, Gaston. **Étude en vue de la création possible d'un conseil consultatif culturel du Québec: rapport préliminaire.** Québec, Ministère des affaires culturelles, 1975. 64p.

Traite indirectement et fort brièvement du cinéma.

620 Lavigne, Jean-Claude. **Étude expérimentale de trois types d'apprentissage du vocabulaire, à l'aide d'un film monoconceptuel tenant compte de la place du message verbal, par rapport au message visuel.** Montréal, L'auteur, 1969. 177p.

Étude dont le but est de connaître le meilleur mode d'apprentissage à appliquer en cas de didactique lexicale verbale. Dans une première partie l'auteur donne un bref aperçu de la psychologie de l'apprentissage de la langue et explique le principe de la didactique audiovisuelle. Il élabore ensuite un test, procède à l'expérimentation avec le film LA CUISINE (ONF) et analyse ses données. Une étude élaborée pour vérifier le contenu formateur et l'impact didactique du film monoconceptuel.

621 Sande, Janssen van der et Mordret, Jacques, **Etude sommaire sur les films spécialement réalisés pour les jeunes.** Québec, Rex-Film, 195?. 18p.

Les auteurs jugent de l'excellence des films d'après des normes psychologiques.

622 Société Radio-Canada. Service des recherches. **Étude sur l'accessibilité aux longs métrages à la tv; Eté 1962**; rapport préliminaire revisé. Montréal, 1964. 47p.

Rédigé par Yvan Corbeil à partir d'une enquête élaborée, ce rapport décortique en de nombreux textes et tableaux la télécinéphilie.

623 Lamb, Guay Inc. **Étude sur la connaissance et les stratégies de mise en valeur des produits audio-visuels gouvernementaux.** Montréal, Ministère des communications, 1979. 267p.
— **Annexes.** Montréal, 1979. 1v. (non paginé)
— **Deuxième rapport d'étape.** Montréal, 1979. 105, 16p.

Volumineuse étude commandée par la DGCA dans le but de faire une synthèse de la problématique de la distribution des produits audiovisuels gouvernementaux et de se doter d'un plan d'action. L'étude fournit des informations sur les produits appartenant à la DGCA, aux autres ministères et organismes gouvernementaux, sur les divers types de clientèles et sur les systèmes québécois de distribution. Les auteurs proposent la mise sur pied d'un système informatisé de gestion des produits audiovisuels. Ils ont aussi beaucoup recours à l'entrevue avant de formuler leurs conclusions; elles sont à lire dans leur alternative extrême: ou bien le statu quo du petit pain anarchique, ou bien une véritable stratégie de communications qui permet de proposer à la population une culture québécoise plutôt qu'américaine. Le volume des annexes, comme le rapport lui-même d'ailleurs, fourmille d'informations sur l'écoute de documents de Radio-Québec, sur l'utilisation du cinéma par les enseignants, etc.

624 Dumas, Charles. **Étude sur l'image.** Montréal, Office catholique national des techniques de diffusion, 1966. 37p. (Cahiers d'études et de recherches, no 6)

Notes sur une psychologie de l'image qui mettent l'accent sur certaines de ses possibilités expressives.

625 Centre catholique national du cinéma, de la radio et de la télévision. **Étude sur l'organnisation et l'orientation des centres diocésains.** Montréal, 1960. 4v.

626 Société de développement de l'industrie cinématographique canadienne. **Étude sur les coproductions canadiennes 1963-1979.** Montréal, 1980. 22p.

Résumé de l'activité dans ce secteur, pays avec lesquels le Canada a conclu un accord, films coproduits.

627 Beaugrand-Champagne, Raymond. **Étude sur "Les grandes religions"**; film produit par l'Office national du film. Montréal, Office national du film du Canada, 1962. 43p.

Texte rédigé en vue de donner certains renseignements sur les grandes religions abordées par le film: hindouisme, boudhisme, judaïsme, christianisme et islamisme.

628 Université de Montréal. Département d'histoire de l'art. **Études cinématographiques: mineur, majeur, M.A.** Montréal, 1980. 45p.

Description des cours offerts à l'Université de Montréal.

629 Université de Montréal. **Études cinématographiques: petit guide pratique.** Montréal, 1977. 20p.

630 Hogue, Gisèle. **Évaluation du rôle de la Bibliothèque de la Cinémathèque nationale du Québec: rapport**; présenté par Madame Gisèle Hogue,... à M. Michel Brûlé Montréal, Direction générale du cinéma et de l'audiovisuel, 1977. 52p.

Étude du fonctionnement et des besoins de la bibliothèque. L'auteur en recommande le maintien à la DGCA et exige qu'on lui fournisse les moyens de se développer.

R **An Evaluation of the Impact on the Canadian Feature Film Industry of the Increase to 100% of the Capital Cost Allowance voir** Incidence de la déduction pour amortissement de 100p. cent...

R Evaluation Report Le bonhomme **voir** Le bonhomme. Rapport d'évaluation.

631 Trudeau, Robert. **Évolution de l'industrie cinématographique à Montréal**. Montréal, Ecole des hautes études commerciales, 1945. 101p.

Composé pour beaucoup à partir d'entrevues avec de nombreux intervenants dans le monde du cinéma, ce mémoire aborde les questions suivantes: 1- Historique, 2- Formation et aperçu (avec recettes annuelles parfois) des chaînes. 3- Distributeurs, 4- Associated Screen News et le film publicitaire. 5- Statistiques du gouvernement fédéral. 6- Une phase nouvelle avec Renaissance-Films (alors que LE PÈRE CHOPIN n'est pas encore sorti), 7- L'avenir, la télévision, le relief.

632 Faucher, Carol. **Évolution et situation du cinéma au Québec**. Montréal, Conseil québécois pour la diffusion du cinéma, 1975. 6p.

Notes générales préparées dans le cadre d'une tournée en Europe.

633 Bobet, Jacques. **Examen des tendances du groupe français à l'ONF**. Montréal, Office national du film du Canada. 1968. 51p.

Préparé pour le comité de programmation, ce qui devait être au départ un plan quinquennal devient un simple exposé des tendances du groupe français. Après avoir réaffirmé que le cinéma est d'abord un outil culturel, et ensuite un médium d'information, l'auteur analyse les problèmes qui touchent à la production des longs métrages, aux courts métrages, à l'animation, aux projets spéciaux, au film éducatif, aux commandites et aux versions. À propos de ce dernier point, l'auteur cite de larges extraits d'un rapport de Jean Le Moyne, LA MÉDIATION DE L'ONF.

R Exonération totale des frais de censure pour les films québécois **voir** Mémoire sur les éléments d'une politique du cinéma pour le Québec.

634 Martin, Gordon. **Exploration du milieu scolaire par les cinéastes de l'ONF**. Montréal, Office national du film du Canada, 1975. 16p. (Série Programme d'aide à l'éducation # 3).

Sur les cinéastes qui se rendent dans les écoles rencontrer les étudiants.

R Exposé du commissaire du film au Comité d'enquête sur l'Office national du film **voir** Statement of the Film Commissionner to the Committee of the House of Commons on the National Film Board.

634a René, Pierre. **Exposé présenté aux audiences publiques tenues par la Commission d'étude sur le cinéma et l'audiovisuel le 2 décembre 1981**. Montréal, France-Film, 1981. 4p.

Le président de France-Film déplore le monopole que font subir Cinémas unis et Odéon aux autres distributeurs et exploitants et plaide pour le développement d'entreprises québécoises indépendantes. En annexe, trois volumineux documents: Model State Legislation Regulating Trade Practices (5p.), Compilation of Anti-Blind Bidding Bills USA (5p.) et The Postwar Performance of the Motion-Picture Industry (in The Antitrust Bulletin, 21p.)

635 Martin, André. **Exposition mondiale du cinéma d'animation; catalogue**. Montréal, Cinémathèque canadienne, Musée du cinéma, 1967. 51p.

Brochure accompagnant l'exposition organisée à l'occasion de l'Expo 67.

636 Service d'éducation cinématographique de Montréal. **L'expression de l'homme au cinéma; stage de cinéma 1964**. Montréal, 1964. (feuilles)

Programme d'un stage de cinéma de l'Office diocésain des techniques de diffusion, dirigé par Léo Bonneville et destiné d'abord aux éducateurs puis aux étudiants. Notes sur les thèmes abordés et les films visionnés.

637 Comeau, André. **Expressionnisme en peinture et au cinéma**. Montréal, Université de Montréal, 1974. 131p.

Thèse de M.A. (histoire de l'art). Étude qui tente de faire ressortir la relation étroite qui lie le cinéma expressionniste à la peinture allemande du XXe siècle, le tout placé dans son contexte historique, social et économique. Trois périodes sont observées de plus près: la "brücke" et le caligarisme, l'expressionnisme intellectuel, le réalisme. Pour l'auteur, ce qui fait l'unité de ces oeuvres, c'est la nécessité d'exprimer l'angoisse du plus profond de l'âme, de transmettre le dualisme de l'homme et de l'univers chaotique. Les deux arts arrivent au même résultat de dépression et d'inquiétude.

R   Extension de la procédure No 11 **voir** Mémoire sur les éléments d'une politique du cinéma pour le Québec.

R   Extract of an Act Respecting Exhibitions of Moving Pictures **voir** Extrait de la Loi des vues animées.

638   Tremblay, Michel. **Exultate.** Montréal, s.n., 1973?. 135p.

Scénario non-tourné.

F

639   Flamini, Roland. **Le fabuleux tournage d'Autant en emporte le vent.** Montréal, Intrinsèque, 1977. 188p.

Traduction d'un livre américain. Petite histoire mouvementée du célèbre film de Victor Fleming.

640   Houle, Denise. **La famille Trapp;** d'après le scénario du film Die Trapp familie. Adaptation de Denise Houle. Montréal, Fides, 1959. 52p.

Photos du film avec texte en résumant l'histoire.

641   Dansereau, Fernand. **Faut aller parmi l'monde pour le savoir;** dossier de presse et documentation relatif au film. Montréal, 1971. Feuilles.

641a   **Faut-il brûler le cinéma québécois?** Paris, *La revue du cinéma image et son,* no 336, février 1979. pp. 51-122.

Dossier préparé par Jean-Daniel Lafond où on retrouve notamment une table-ronde sur le direct et des textes de Carol Faucher, Arthur Lamothe, Michel Houle, Louis Dussault, Denyse Benoit, Luce Guilbeault, Rémi Savard, Yves Lacroix et Louise Beaudet.

642   Carle, Gilles. **Faut-il coucher avec Lili.** Montréal, s.n., 1964. 69p.

Scénario non-tourné.

643   Institut cinématographique du Canada. **Feature Film Financing Seminar;** Co-sponsored by the Motion Picture Institute of Canada and the Canadian Film Development Corporation. Toronto, M.P.I.C., 1979. 300p.

Compte-rendu des exposés et des discussions d'un séminaire sur le financement des films. Les ateliers portaient sur le financement intérimaire, les possibilités de l'industrie, la coproduction, les garanties de finition et le financement permanent. En annexe on trouve différentes informations sur l'Institut et l'industrie cinématographique. Plusieurs producteurs québécois participèrent à ce séminaire.

644   Jack, R. **The Feature Film industry in Canada.** London, University of Western Ontario, School of Business Administration, 1967. 90p.

Etude sur la possibilité de développer une industrie viable au Canada et sur les difficultés qu'on rencontre. L'auteur propose la création d'un capital de risque, de viser à la distribution mondiale par l'intermédiaire des Américains et de pénétrer la télévision. L'étude inclut le Québec dans sa problématique.

645   National Film Board of Canada. **Federal Film Policy;** Working Document for Consultation with the Federal Cultural Agencies. Montréal, 1970. 30p.

Commentaires de l'ONF aux propositions du gouvernement canadien.

646   Fédération des centres diocésains du cinéma. **Fédération des centres diocésains du cinéma, F.C.D.C.: buts, moyens, projets.** Montréal, 1955. 26p.

Exposé des buts, actions et structures de la FCDC.

647   Poirier, Anne Claire. **La femme, une réalité en devenir.** Montréal, Office national du film du Canada, 1973.

648   Hamelin, Lucien et Houle, Michel. **Fernand Dansereau.** Montréal, Conseil québécois pour la diffusion du cinéma, 1972. 80p. (Cinéastes du Québec 10).

L'essentiel du dossier est composé d'une entrevue avec Dansereau et témoigne du malaise du cinéaste par rapport aux auteurs. Il y a ensuite une longue analyse de la première partie de St-Jérôme. Enfin une bibliographie et une filmographie complète le dossier.

649   Séguin, Fernand. **Fernand Séguin rencontre Michel Simon.** Montréal, Editions de l'Homme; Editions Ici Radio-Canada, c1969. 92p. (Le sel de la semaine, 3)

Transcription d'une entrevue accordée à Radio-Canada par Michel Simon.

650 Laframboise, Philippe. **Fernandel l'immortel, 1903-1971.** Ville d'Anjou, Pub. Eclair, 1971. 98p. (Collection Mini-poche Eclair)

Nombreuses photos accompagnées de notices diverses, citations, etc.

651 Dansereau, Fernand et Pelletier, Alex. **Le festin des morts.** Montréal, 1964. 129p.

Scénario.

652 Pelletier, Alex. **Le festin des morts.** Montréal, Office national du film du Canada, 1964. 111p.

Deuxième version du scénario.

653 Festival canadien des films du monde, 1er, Montréal, 1977. **Festival canadien des films du monde, 19-28 août, 1977. The World Film Festival of Canada, August 19-28, 1977.** Montréal, 1977. 78p.

Programme du festival.

654 Association pour le développement de l'audiovisuel et de la technologie en éducation. **Le festival de l'audiovisuel québécois.** Montréal, 1981. 32p.

Programme-répertoire du deuxième congrès de l'ADATE dans le cadre duquel se tient un festival. Notes sur les documents présentés parmi lesquels figurent quelques films.

655 Festival des films du monde, 4e, Montréal, 1980. **Festival des films du monde, 22 août, 1er septembre 1980, Montréal.** Montréal, 1980. 133p.

Programme du festival.

656 Festival des films du monde, 5e, Montréal, 1981. **Festival des films du monde, Montréal 20-30 août 1981.** Montréal, 1981. 167p.

Programme du Festival. Les textes sont de Laurent Gagliardi.

657 Festival des films du monde, 2e, Montréal, 1978. **Festival des films du monde, Montréal 1978. Montréal 1978 World Film Festival.** Montréal, 1978. 93p.

Programme du festival. Le premier festival se nommait: Festival canadien des films du monde.

658 Festival des films du monde, 3e, Montréal, 1979. **Festival des films du monde: programme officiel.** Montréal, 1979. 112p.

Programme du festival.

659 Festival du cinéma canadien, Jonquière, 1967. **Festival du cinéma canadien.** Jonquière, 1967?, 44p.

Notes sur 5 longs métrages, sur le cinéma canadien et l'éducation cinématographique.

660 Société de coopération artistique de Montréal. **Festival du film amateur de Montréal 1964.** Montréal, 1964. 20p.

Programme du festival, notes sur les cinéastes et le jury.

661 Festival du film amateur de Montréal, 1er, 1963. **Le festival du film amateur de Montréal à l'Office national du film.** Montréal, 1963. 19p.

Programme du festival avec des textes de Claude Jutra, André Lafrance, Jean-Yves Bigras, Pierre Patry. On y présente les films québécois suivants: PIERROT DES BOIS de Jutra, KRONOS de Denys St-Denis, AINSI-SOIT-Il et AMOUR ADOLESCENT de Jean-Claude Lord, ALONZO de Gérard Loriot, HISTOIRE D'UNE BÉBITE de Pierre Hébert, LA FEMME IMAGE de Guy Borremans et VOTRE VISAGE de Bernard Lalonde.

662 L'Elysée, Montréal. **Festival du film de l'Elysée.** Montréal, 1969. 48p.

Dossier de presse. Créé par une salle d'art et essai pour compenser la suppression du Festival international du film de Montréal, ce festival présenta, en août 68, 18 longs métrages en primeur.

663 Coopérative des cinéastes indépendants. **Festival international cinéma en 16mm.** Montréal, 1972. 16p.

Programme du 2e festival.

664 Festival international du film de la critique québécoise, 1er, Montréal, 1977. **Festival international du film de la critique québécoise.** Montréal, 1977. 4p.

Présentation et buts du festival.

665 Festival international du film de la critique québécoise, 1er, Montréal, 1977. **Le Festival international du film de la critique québécoise 77.** Montréal, 1977. 38p.

Programme du festival.

666 Festival international du film de Montréal. **Festival international du film de Montréal. Montreal International Film Festival.** Montréal, 1968. 32p.

Brochure informative.

667 Festival international du film de Montréal. Comité scientifique. **Le Festival international du film de Montréal, août 1964: sondages scientifiques**. Montréal, 1965. 42p.

Rapporté par Robert Daudelin, ce sondage étudie les caractéristiques des spectateurs du 5e FIFM et leurs réactions à l'endroit des films.

668 Musée d'art contemporain. **Festival international du film sur l'art**. 8-12 octobre 1981. Montréal, 1981. 84p.

Catalogue du festival dirigé par René Rozon.

669 Office national du film du Canada. **Festival-maison de la production française 1970-1**. Montréal, 1971. 4p.

Compte-rendu de la séance d'évaluation du 2 avril. Suite au sentiment de déception manifesté par la distribution, les auteurs formulent sept recommandations à l'intention des cinéastes.

670 Chabot, Michel. **Les festivals internationaux de films au Québec**. Montréal, Direction générale du cinéma et de l'audiovisuel, audiovidéothèque, 1978. 18p.

R Fiction Films From China **voir** Films de fiction chinois.

671 Vincent, Solange. **La fiction nucléaire: de porteurs d'eau à exportateurs d'énergie**. Montréal, Québec/Amérique, 1979. 140p.

Dossier qui reprend plusieurs thèmes du film de Jean Chabot et les élabore. Réflexion sur toute la question de l'énergie et revendication d'une société socialiste et écologique.

672 Vincent, Solange et Dandurand, Andrée. **La fiction nucléaire: document d'accompagnement**. Montréal, Office national du film du Canada, 1979. 42p.

Document d'accompagnement du film LA FICTION NUCLÉAIRE de Jean Chabot. Aborde la question de l'énergie nucléaire et hydroélectrique, le développement des ressources énergétiques et les intérêts économiques et politiques en jeu dans tout cela.

673 Office national du film du Canada. **La fiction nucléaire**; recueil des principaux articles et documents cités dans la brochure LA FICTION NUCLÉAIRE. Montréal, 1979. 123p.

Informations complémentaires au film de Jean Chabot.

R Fifth Montreal International Film Festival, August 7 to 13 1964 Place des Arts **voir** Ve Festival international du film de Montréal, 7-13 août 1964, Place des Arts.

R Fifth Montreal International Film Festival, August 7 to 13, Place des Arts, Montreal 1964 **voir** Cinquième festival international du film de Montréal du 7 au 13 août, Place des Arts.

674 Centre diocésain du cinéma de Montréal. Comité des stages de la région de Montréal. **Figures de cinéastes: stages de cinéma 1962**. Montréal, 1962. 1v. (paginations diverses) et 1 dépl. dans une pochette.

Dirigé par Léo Bonneville, ce stage porte tout entier sur l'auteur cinématographique. En exemple: Truffaut, Fellini, Bergman, Huston.

675 Beaudin, Jean. **La fille de plâtre**. Montréal, Office national du film du Canada, 1974. 43p.

Scénario de CHER THÉO.

676 Office national du film du Canada. Service de distribution. **Le film 8mm en boucle**. Montréal, 1966. 24p.

677 Glover, Guy. **Film (1946 to 1957)**. Montréal, 1958. 10p.

Version intégrale du texte sur le cinéma paru dans THE ARTS IN CANADA publié chez MacMillans.

678 McGill University. Library. Reference Dept. **Film: a Student's Guide to Reference Resources**. Montréal, 1973. 21p.

Bibliographie d'ouvrages de référence en cinéma.

679 Bell, Don. **Film at Expo 67**. Montréal, 1967. 43p.

Notes sur chacun des films et spectacles cinématographiques présentés à l'Expo 67 de Montréal.

R Le film au service de l'industrie. 1959 **voir** Films for Industry. 1959.

680 Office national du film du Canada. **Film Canada**. Montréal. 1979. 72p.

Catalogue de films ayant trait au Canada.

681 Société de développement de l'industrie cinématographique canadienne. **Film Canada. Film Canada**. Montréal, S.D.I.C.C.; Direction générale du cinéma; Toronto, Ministry of Industry and Tourism, 1977? 64p.

Catalogue bilingue des films dans lesquels la SDICC a investi. On y reprend les placards publicitaires de ces films.

682   Office national du film du Canada. **Film Catalogue**. 1940- Montréal. Annuel.

On retrouve dans ce catalogue les films distribués en anglais par l'ONF. Les films retirés de la distribution le sont du catalogue. A partir de 1971, on publie un index des réalisateurs et des producteurs.

683   Giraudoux, Jean. **Le film de la Duchesse de Langeais**. Montréal, Bernard Vali-quette, 1946. 260p.

Texte d'un film de Jacques de Baroncelli tiré par Giraudoux de la nouvelle de Balzac. Le texte est précédé d'une préface sur le théâtre et le film et d'un avant-propos sur le texte lui-même. Reproduction d'une édition française publiée chez Grasset.

684   Firestone, Otto John. **Film Distribution, Practices, Problems and Prospects**. Part I & II. Ottawa, 1965. 1v. (paginations diverses).

Rédigée par un professeur d'économique à l'Université d'Ottawa, cette volumi-neuse étude fut remise au Interdepartmental Committee on the Possible Develop-ment of Feature Film Production in Canada. Son chapitre 8, qui porte sur les pro-blèmes particuliers du Québec en matière de distribution cinématographique, fut traduit dans le numéro spécial de la revue "Sociologie et Sociétés" (VIII, 1) portant sur la sociologie du cinéma.

685   Bégin, Jean-Yves. **Le film et les média communautaires comme instrument d'in-tervention sociale**. Montréal, Office national du film du Canada, 1977? 31p. (Médium-média).

Historique du Groupe de recherches sociales et de Société nouvelle. Réflexions sur le cinéma et le vidéo d'intervention sociale. Notes sur le programme Challenge For Change/Société nouvelle.

686   Dravet, Daniel. **Le film ethnographique**. Montréal, Université de Montréal, 1976. 167p.

Thèse de M.SC. (anthropologie). Réflexion théorique sur ce genre qu'est le film ethnographique pour en donner une définition aussi élaborée que possible. L'au-teur se penche d'abord sur l'ethnographie et sur son approche méthodologique originale. Puis, étudiant le film comme texte et la relation film/ethnographie en analysant THE FEAST de T. Asch et N. Chagnon, il en arrive à proposer sa défini-tion opératoire: "Le film ethnographique est un film scientifique dont le tournage est effectué dans l'esprit du cinéma direct conformément aux principes méthodo-logiques propres à l'enquête ethnographique et dont la présentation suit les normes de présentation des textes scientifiques".

687   Office national du film du Canada. **Film for Art's Sake**. Montréal, 1981. 14p.

Brochure sur les films de l'ONF qui ont été consacrés depuis dix ans aux artistes canadiens.

688   German, Vivian. **Film Holdings: Media Resources Centre John Abbott College**. Pointe-Claire, John Abbott College, 1976. 73, 11p. & Suppl.

Films distribués par le collège.

689   Canada. Secrétariat d'état. Direction générale des arts et de la culture. **The Film Industry in Canada**. Ottawa, 1977. 440p.

voir L'industrie cinématographique au Canada.

690   Festival international du film de Montréal, 2e, 1961. **Le film international**, Montréal, *La Presse*, Section rotogravure, (12 août 1961) 32p.

Numéro spécial à l'occasion du Festival international du film. On y retrouve des propos d'A. Lamothe, R. Daudelin, G.L. Coté, R. Demers et quelques autres et un dialogue entre Jean Rouch et Michel Brault.

R   A Film Program for the National Arts Centre of Canada **voir** Programme cinéma-tographique à l'intention du Centre national des arts du Canada.

R   Film Schedule **voir** Horaire des films.

691   Bégin, Jean-Yves. **Le film scientifique à l'ONF**. Montréal, Office national du film du Canada, 1970. 32p.

Synthèse d'informations émanant de Jean Roy, Eric Chamberlain, Claudia Overing, Jacques Tougas et d'une masse de documents, en vue de la préparation éventuelle d'une campagne d'information sur le film scientifique à l'ONF. Texte qui éclaire l'activité du Service didactique et scientifique.

R   Film Terminology: English-French **voir** Terminologie du cinéma: français-anglais.

692   Office national du film du Canada. **Film Workshops in Canada**. Ottawa, 195-? 12p.

Sur la façon d'organiser un atelier de cinéma sous l'égide d'un conseil du film.

693 **Filmographie canadienne.** Montréal, Bibliothèque de la Cinémathèque nationale. 14 cahiers à anneaux totalisant environ 3,000 titres de films. (Non publié).

Recueil de renseignements sur le cinéma canadien.

694 Bouchard René. **Filmographie d'Albert Tessier.** Québec, Boréal Express, 1973. 179p. (Documents filmiques du Québec, 1)

Après avoir présenté le cinéaste, l'auteur donne pour chaque film le générique, un résumé, un relevé des intertitres, ou de la bande sonore, des commentaires de Tessier et des références. Ouvrage abondamment illustré.

695 Commission étudiante du cinéma, Montréal. **Filmographie des films de 16mm à l'usage des ciné-clubs.** Montréal, 1952. 58p.

Catalogue pour guider les ciné-clubs dans leur programmation.

696 Demers, Pierre. **Filmographies à l'usage des enseignants: français, philosophie, cinéma.** Jonquière, 1972. 55, 67, 84p. (Publications des Presses collégiales de Jonquière, no 3)

Pour chaque film l'auteur fournit de brèves évaluations interne, externe et compa-rative pour guider le travail des professeurs et des étudiants.

697 Coté, Guy L. **Films.** 3d ed. Saint-Laurent, Qué., 1962. 1v. (non paginé)

Catalogue anglais des films distribués par Coté, qui sont surtout des films expéri-mentaux. On y trouve une étude de 18 pages sur le cinéma expérimental.

698 Coté, Guy L. **Films. Film Catalogue.** Saint-Laurent, Qué., 1961. 18p.

699 Coté, Guy L. **Films. Film Catalogue.** Saint-Laurent, Qué., 1962. 50p.

700 C.S.R. du Lac-St-Jean. Service des techniques audio-visuelles de l'enseignement. **Films 8 & 16, 1973-74.** 8e éd. S.I., 1974. 190p.

Catalogue.

701 Office national du film du Canada. **Films 16mm.** Ottawa, 1945. 70p. Publié aussi en anglais.

Catalogue.

702 Québec (Province) Conseil Exécutif. Service de ciné-photographie. **Films 16mm. Québec, 1943. 1v. (paginations diverses)** "Suppl. de la 1ère éd."

Catalogue.

703 Québec (Province) Office provincial de publicité. Service de ciné-photographie. **Films 16mm sonores en couleurs.** Québec, 1964?, 49p.

Catalogue publié aussi en anglais sous le titre: 16mm films on Québec.

704 Greater Montreal Film Council. **Films 1961-62.** Montréal, 1962. 21p.

Catalogue des films de court et moyen métrages distribués par le GMFC.

705 Greater Montreal Film Council **Films 1962-63.** Montréal, 1963. 17p.

R Films à l'écran **voir** Recueil des films

706 National Film Board of Canada. **Films about the Disabled Distributed by the Na-tional Film Board of Canada.** Montréal, 1981. 18p.

Catalogue de films sur les handicapés regroupés par thèmes.

707 Office national du film du Canada. **Films and Filmstrips.** New ed. Ottawa, Printer to the King's Most Excellent Majesty, 1951. 71p. Publié aussi en français. "Canadian edition". Supplément. 1952, 1953.

Catalogue.

708 Office national du film du Canada. **Films and Filmstrips for Canadian Industry.** Ottawa, 1950. 59p.

Catalogue.

709 Office national du film du Canada. **Films and Filmstrips for Canadian Industry.** Ottawa, 1955. 81p. 1957 Suppl. Ottawa, 1957. 36p.

710 Société de développement de l'industrie cinématographique canadienne. **Films auxquels la Société avait contribué financièrement au 30 septembre 1976. Films for Which the Corporation Had Advanced Funds on September 30, 1976.** Mon-tréal, 1976. 6p.

711 Office national du film du Canada. **Films by Other Producers Distributed in Canada by the National Film Board of Canada. Films de divers producteurs dis-tribués au Canada par l'Office national du film - Canada.** Montréal, s.d. 10p.

712 Office du film du Québec. **Films de courts métrages diffusés par l'Office du film du Québec.** Montréal, 1966. 83p.

R Films de divers producteurs distribués au Canada par l'Office national du film Canada **voir** Films by Other Producers Distributed in Canada by the National Film Board of Canada.

713 Cinémathèque québécoise. **Films de fiction chinois. Fiction Films From China.** Montréal, 1977. 8p.

Notes de programme à l'occasion d'une rétrospective de cinéma chinois.

714 Office national du film du Canada. **Films de l'Office national du film distribués par l'Office du film de la province de Québec.** Montréal, 1962. 8p.

715 Cinémathèque nationale du Québec. **Films déposés à la Cinémathèque nationale qui sont prêtés selon la procédure habituelle mais qui n'apparaissent pas au catalogue des documents audio-visuels 1975.** Montréal, 1977. 27p.

716 Association canadienne des producteurs de pâtes et papiers. **Films des industries forestières canadiennes. Canadian Forest Industries Films** Montréal, 1976. 13, 31p.

Catalogue bilingue des films produits par l'ONF ou l'industrie privée.

R Films en langues étrangères **voir** Foreign Language Films.

717 Office national du film du Canada. **Films et films fixes.** Nouv. éd. Ottawa, Imprimeur de sa très excellente majesté le roi, 1951. 64p. Publié aussi en anglais. "Edition canadienne".
Supplément. 1952.

718 Siskind, Jacob. **Films: Expo 67.** Montréal, Tundra Books, 1967. 40p.

Publié aussi en version française sous le même titre. L'auteur, directeur des pages de spectacles à The Gazette, fait le tour et commente presque tous les spectacles cinématographiques présentés à l'expo.

719 Egan, Catherine M. **Films for Art Programmes at The Secondary Level.** Montréal, Sir George Williams University, 1973. 211p.

Thèse de M.A. (Fine arts). Filmographie sélective des films sur l'art entendu au sens large. Après avoir visionné plus de 300 titres, l'auteur en choisit une centaine en fonction de leur qualité technique et humaine et de leur originalité. Elle les regroupe sous quatre chapitres: 1- The environment: looking and experiencing; 2- Perception: forming attitudes; 3- The artistic experience: making it; 4- Film: the new art. Pour chaque film l'auteur fournit des données informatives élémentaires, un résumé, un guide d'utilisation, un questionnaire pertinent et les titres des films apparentés.

R Films for Children **voir** Le cinéma pour enfants.

720 Sim, R. Alex. **Films for Farmers.** *C.S.T.A.A. Review* # 36, mars 1943, pp. 16-21.

Tiré-à-part d'un texte du Service rural d'éducation pour adultes au McDonald College rattaché à l'Université McGill. Il traite de l'utilisation du film agricole au Canada, principalement ceux produits par l'ONF.

721 Office national du film du Canada. **Films for Industry. 1959. Le film au service de l'industrie. 1959.** Ottawa, 1959. 61p.

Catalogue préparé pour le ministère fédéral du Travail. On y retrouve la description de films produits sur la question du travail au Canada, aux USA et en Europe, ainsi qu'un regroupement des titres par thème.

R Films for Which the Corporation Had Advanced Funds on September 30, 1976 **voir** Films auxquels la Société avait contribué financièrement au 30 septembre 1976.

722 Robert Anderson Associates, Aylmer East, Québec. **Films from Robert Anderson: Mental Health, Medical Teaching and Public Health, Learning Disabilities in Children.** Aylmer East, Québec, 1978? 12p.

Catalogue de différentes séries tournées par un cinéaste spécialisé dans les questions psychologiques.

723 Congrès international de géographie, 22e, Montréal, 1972. **Films géographiques;** programme de films présentés au 22e Congrès international de géographie. Montréal, Canada, 9-17 août 1972. Montréal, 1972. xi-28p.

724 Wener, Normand. **Les films, le hit parade et les jeunes;** recherche sociologique. Montréal, Fédération de la Jeunesse Etudiante Catholique de Montréal, 1969. 79, 18, 2p.

Étude qui vise à cerner l'importance des mass-média dans la vie des jeunes. L'auteur délimite deux objets d'analyse: les films à la télévision et le hit parade. Pour ce qui est des films, il étudie le temps passé par les jeunes au visionnement de films, les conditions qui l'entoure, le contenu des oeuvres et les effets qu'ils produisent. Cela l'amène à généraliser sur l'influence des mass-média. Travail agrémenté de nombreux tableaux.

725 Office national du film du Canada. **Films on Productivity.** Montréal, 1961. 11p.

Films pouvant venir compléter le travail du Conseil national de la productivité.

R Films on the Family **voir** Films sur la famille.

726 Centre catholique national du cinéma, de la radio et de la télévision. **Films pour ciné-clubs.** Montréal, 1959. 1v.
— Continué par **Sélection de films pour ciné-clubs.**

Liste de films sélectionnés.

727 Ste-Marie, Gilles. **Les films qu'on présente au cinéma du coin.** Montréal, Société Radio-Canada, 1954. 6p.

Conférence dans la série Radio-Collège. Critères économiques dans l'achat d'un film au cinéma du coin.

728 Office national du film du Canada. **Films sur la famille. Films on the Family.** New ed. Montréal, 196?. 42, 22p. Première éd. en 1965.

Guide conçu en vue d'orienter les usagers dans le choix de films portant sur la famille.

729 Labrecque, Jean-Claude et Gurik, Robert. **La fin des bleus.** Montréal, 1973?. 54p.

Première version du scénario de LES VAUTOURS.

R Financement et budget du Centre du cinéma du Québec **voir** Mémoire sur les éléments d'une politique du cinéma pour le Québec.

730 Godbout, Jacques et Sabourin, Marcel. **Flashie Flash et Mariette.** Montréal, s.n., 1973. 31p.

Scénario d'un court métrage que devait réaliser J.C. Labrecque.

731 Kent, Larry. **Fleur bleue.** Montréal, s.n., 1970. 111p.

Scénario.

732 Office national du film du Canada. **La fleur de l'âge (les adolescentes).** Montréal, 1964. 21p.

Notes sur la production de ce film à sketches, sur les quatre réalisateurs (Michel Brault, Jean Rouch, Gian Vittorio Baldi, Hiroshi Teshigahara) et sur les quatre épisodes. Nombreuses photos.

733 Noël, Jean-Guy. **Fleur de mai.** Montréal, s.n., 1977. 355p.

Dialogues et découpage technique d'un film non-réalisé.

734 Noël, Jean-Guy. **Fleur de mai ou Mayflower.** Montréal, s.n. 1977. 117p.

Scénario non-réalisé.

735 Lamothe, Arthur et Breton, Gabriel. **Fleurs de nuit (ou La vie parallèle).** Montréal, s.n., 1966. 23p.

Synopsis d'un film non-réalisé.

736 Dansereau, Jean et Carrier Roch. **Floralie, où es-tu?.** Montréal, Les Ateliers du cinéma québécois, 1972. 145p.

Scénario d'un film non-réalisé.

737 Université de Montréal. Service d'animation culturelle. **La folie.** Montréal, 197?. 16p.

Notes sur 6 films portant sur la folie.

738 Adam, Camil. **La folle.** Montréal, 1964?. 110p.

Scénario du film MANETTE OU LES DIEUX DE CARTON.

R Fonds permanent de soutien à l'industrie **voir** Mémoire sur les éléments d'une politique du cinéma pour le Québec.

739 Coté, Guy L. **For a Canadian Film Archives: a brief.** London, l'Auteur, 1954, revue en 1957. 18p.

Dans un premier temps, l'auteur explique ce qu'est une cinémathèque, puis spécifie le tout pour le Canada et finalement prend pour exemple la Cinémathèque française et la National Film Library (Londres).

740 Office national du film du Canada. **Foreign Language Films. Films en langues étrangères.** Montréal, 1964. 1v. (paginations diverses).

R Foreign Versions Catalogue **voir** Catalogue des versions étrangères.

741 Lambert, Roland. **La formation cinématographique.** Montréal, Université de Montréal, 1953. 78p.

Thèse de licence en pédagogie. Pour l'auteur, les effets du cinéma peuvent être bons ou mauvais selon la préparation et l'attitude mentale des spectateurs. Les plus hautes autorités religieuses font à l'éducateur un devoir de donner une bonne formation cinématographique. La critique doit se conformer aux principes suivants: être objective, apprécier les valeurs humaines du film et en évaluer la valeur artistique. Il existe plusieurs moyens de formation; les principaux sont l'enseignement et le ciné-club. L'auteur étudie donc successivement chacun de ces points. Fait surprenant de la part d'un prêtre, il dénonce vertement les écrits d'Henri Agel.

la fiction nucléaire

document d'accompagnement

JEAN BENOIT-LÉVY

LES GRANDES
MISSIONS
DU CINEMA

PARIZEAU

— RÉÉDITION —

CINÉASTES
DU QUÉBEC
2

GILLES
CARLE

conseil québécois pour la diffusion du cinéma

patrick straram le bison ravi

gilles
cinéma
groulx

le lynx inquiet
1971

jean-marc piotte pio le fou

742 Vallet, Antoine. **La formation cinématographique à l'école.** Montréal, Office catholique national des techniques de diffusion, 1962. 14p.

Causerie prononcée à l'occasion du Stage national de cinéma pour les éducateurs tenu à Rigaud du 9 au 14 juillet.

743 Litwack, William et Mintzberg, Henry. **La formation de la main-d'oeuvre dans l'industrie des média visuels au Canada:** une étude préparée par l'Office national du film. Montréal, Office national du film du Canada, 1973. 80p.

Rapport dont le but est d'examiner l'état actuel et les tendances futures de l'industrie cinématographique canadienne et des industries connexes afin d'évaluer leurs besoins en matière de formation de la main d'oeuvre. On y étudie ce qui se donne comme cours de cinéma et leurs liens avec l'industrie. On recommande que l'ONF devienne en fait un centre de formation important et on suggère la mise sur pied de neuf programmes à cet effet. La version anglaise du document fait 71p.

744 Midson, Tony. **Formation des maîtres quant à l'utilisation des moyens audiovisuels d'enseignement.** Montréal, Office national du film du Canada, 1975. 19p. (Série Programme d'aide à l'éducation # 4).

Importance, intérêt, objectif, besoins, rôle de l'ONF. Plusieurs tableaux.

745 Office national du film du Canada. **Four Painters of Canada Presented in Four Films From the National Film Board of Canada. Quatre peintres canadiens présentés en quatre films de l'Office national du film-Canada.** Montréal, s.d. 16p.

Notes sur les films VARLEY, LE MONDE DE DAVID MILNE, CORRELIEU et PAUL-ÉMILE BORDUAS.

746 Lefebvre, Jean Pierre. **François Truffaut un art ardent et triste.** Montréal, *Objectif 62,* vol. II no 14. 12p.

Tiré-à-part publié à l'occasion de la semaine Truffaut au Studio 9 à Québec.

G

R Games of the XXIst Olympiad, Montreal 1976: News Clips **voir** Jeux de la XXIe Olympiade, Montréal, 1976: revue de presse.

R Games of the XXIst Olympiad, Montreal 1976: Official Film **voir** Jeux de la XXIe Olympiade, Montréal, 1976: film officiel.

747 Young & Rubicam Ltd. **General Information on Canadian Television Programming Houses;** data. Montréal, 1954. 1v. (non paginé)

Données sur dix maisons de production canadiennes, qui sont principalement québécoises.

R General Measures that the Association professionnelle des cinéastes Recommends to the Government of Quebec in Order to Encourage Development of a Feature Film Industry in Keeping with the Economic and Cultural Interests of the Population **voir** Mémoire présenté au premier ministre du Québec par l'APC.

748 Commission des ciné-clubs. **Les genres au cinéma.** Montréal, 1956. 1v. (non paginé)

Exposé général sur les genres et études sur la comédie, le film à idées, le drame et le documentaire. Suivi de Méthodes de discussion en ciné-club.

749 Labrecque, Jean-Claude, Labrecque, Lise et Perron, Clément. **Les gens de l'arrière-pays.** Montréal, s.n., 1971. 77p.

Scénario du film LES SMATTES de Labrecque.

750 Cinémathèque québécoise. **Georges Dufaux.** Montréal, 1979. 38p. (Copie Zéro no 1).

Entrevue avec le cinéaste réalisée par Pierre Jutras, témoignages et filmographie.

751 Coté, Guy L. **Germany 1954;** a Report on the Distribution of N.F.B. Films in Germany, the Berlin Film Festival and Other Related Topics. London, National Film Board of Canada, 1954. 31p.

Rapport sur la présence de l'ONF en Allemagne, les films distribués, l'accueil qu'on leur réserve, etc.

752 Daudelin, Robert et Frappier, Roger. **Gilles Carle**. Montréal, Conseil québécois pour la diffusion du cinéma, 1970. 31p. (Cinéastes du Québec, 2)

Présentation, points de vue, entretien, extraits de RED, filmographie et bibliographie.

753 Faucher, Carol et Houle, Michel. **Gilles Carle**. Rééd. Montréal, Conseil québécois pour la diffusion du cinéma, 1976. 124p. (Cinéastes du Québec, 2)

Cette réédition, qui est en fait un tout nouveau dossier Carle, vise à éclairer les liens qui nouent un cinéaste à ses films et à l'industrie. Deux axes se dégagent: 1- Trajectoire: la production, 2- De la lucidité et du cinéma populaire (film/société). La matière du dossier: de nombreux entretiens, des commentaires, des analyses, des citations. Une des meilleures monographies consacrées à un cinéaste québécois.

754 Ferron, Micheline et Handling, Piers. **Gilles Carle**. Ottawa, Institut canadien du film, 1976. 29p. (Répertoire canadien du film en collaboration avec Archives nationales du film)

Notes de programme pour une rétrospective. Extraits de diverses critiques.

755 Séminaire de Sherbrooke. Bibliothèque. **Gilles Carle**. Sherbrooke, 1981. 132p.

Dossier de presse. Les articles sont classés par ordre de parution.

756 Bastien, Jean-Pierre. **Gilles Carle: rétrospective mars/avril**. Montréal, Cinémathèque québécoise, 1976. 8p.

Notes à l'occasion d'une rétrospective Carle: texte original du cinéaste et réimpression d'un article de Parti-pris de 1964.

757 Straram, Patrick et Piotte, Jean-Marc. **Gilles cinéma Groulx, le Lynx inquiet 1971**. Montréal, Cinémathèque québécoise; Editions québécoises, 1972. 142p.

Brochure-collage: textes, entretiens, cartes postales, réimpressions, etc. Pour ceux qui aiment fouiller dans le désordre, mettre de l'ordre dans les "scrapbooks" et nager dans le foisonnement.

758 Daudelin, Robert et al. **Gilles Groulx**. Montréal, Conseil québécois pour la diffusion du cinéma, 1969. 24p. (Cinéastes du Québec, 1)
2e éd. en 1970

Présentation, points de vue, entretien, extraits de OU ÊTES-VOUS DONC?, filmographie et bibliographie.

759 Bastien, Jean-Pierre. **Gilles Groulx: rétrospective février/1978**. Montréal, Cinémathèque québécoise, 1978. 22p.

Présentation, entretien avec le cinéaste, filmographie.

760 Arcand, Denys. **Gina**. Montréal, s.n., 1974. 134p.

Scénario.

761 Latour, Pierre. **Gina**; dossier établi par Pierre Latour sur un film de Denys Arcand. Montréal, L'Aurore, 1976. 126p. (Le Cinématographe, 3)

Présentation du cinéaste, découpage après montage, extraits de critiques.

762 Brodeur, René. **Gobi-tal**. Shawinigan, s.n., 1974. 83p.

Troisième version du scénario du film GOBITAL.

763 Dumas, Charles. **Grammaire de l'image**. S.l., s.n., 1959? 46p.

Étude orientée surtout vers la télévision, mais également vers le cinéma, qui sont équivalent au plan de l'image. L'auteur postule l'existence de règles grammaticales. Un exemple de la pensée "filmologique" qui régnait ici et en Europe à la fin des années 50 et qui est depuis lors discréditée. De larges passages recoupent ÉTUDE SUR L'IMAGE du même auteur.

764 Confederation Amusements. **Grand Opening. Outremont Theatre: Souvenir Program**. Montréal, 1929. 32p.

Programme fort illustré publié à l'occasion de l'ouverture de l'Outremont.

765 Garceau, Raymond. **Le grand Rock**. Montréal, Office national du film du Canada, 1967. 45p.

Scénario.

766 Office national du film du Canada. **Le grand Rock**. Montréal, 1967. 18p.

Dossier de lancement du film de Raymond Garceau.

767 Office national du film du Canada. **Le grand Rock**. Montréal. 1969. 29p.

Revue de presse du film de Raymond Garceau.

768 Benoit-Lévy, Jean. **Les grandes missions du cinéma.** Montréal, L. Parizeau, 1945. 345p.

Considérations diverses sur le cinéma par un éminent critique catholique français. Son attention se porte d'abord sur le documentaire où il rend hommage à l'ONF, puis sur le spectacle où l'art dramatique prend la vedette. Les grandes missions sont donc de favoriser les échanges d'âme entre hommes, entre pays, entre cultures.

769 Tana, Paul. **Les grands enfants.** Montréal, Association coopérative de productions audio-visuelles, 1978. 195p.

Scénario-découpage.

770 **Le gros Bill.** Montréal, France-Film?, 1949. 8p.

Scénario publicitaire du film de René Delacroix et Jean-Yves Bigras produit par Les productions Renaissance.

771 Québec (Province) Ministère des communications. **Le groupe de fermiers de Saint-Boniface;** un film de Communication-Québec Mauricie-Centre du Québec sur une expérience originale d'entraide en agriculture. Trois-Rivières, 1978. 4p.

Feuillet descriptif du film de Michel Audy.

772 Masse, Jean-Pierre. **La guérilla, les gars.** Montréal, Office national du film du Canada, 1970. 36p.

Scénario.

773 Lucas, George. **La guerre des étoiles.** Montréal, Presses de la Cité, 1977. 247p.

Traduction d'un roman américain tiré de STAR WARS.

774 Bonnière. René. **La guerre lointaine. Une question d'attitude./The Distant War. A Matter of Attitudes.** Montréal, Château Books, 1966. 48p.

Transcription du texte et des entretiens du film UNE QUESTION D'ATTITUDE/A MATTER OF ATTITUDES de R. Bonnière qui a ouvert la conférence nationale sur "La pollution et notre milieu".

775 Société de développement de l'industrie cinématographique canadienne. **Guide de la production canadienne du long métrage 1979.** Toronto, 1979. 86p.

Notes sur les films produits avec la participation de la SDICC avec comme devise: "Au Canada on tourne! Toujours plus, toujours mieux!

776 Association des cinéastes amateurs du Québec. **Guide de poche du cinéaste amateur du Québec.** Montréal, 1976. 168p.

Ouvrage divisé en 5 parties.1- Le cinéma 2- Le cinéma d'amateur 3- Fondation de clubs de cinéaste 4- Les ateliers de cinéma (Organisation, techniques, langage, réalisation) 5- Renseignements sur l'ACAQ.

777 Aubry, Jean-Marie. **Guide pour l'initiation au cinéma: première année.** Montréal, Centre catholique national du cinéma, de la radio et de la télévision. 1958. 79p.

"Guide pratique qui permette de faire acquérir un minimum de connaissances et d'orienter la formation du jugement des jeunes" Destiné au niveau 10e année/méthode (on annonce un deuxième guide 11e année/versification). 1er semestre: le phénomène cinéma; qui et comment on fait des films. 2e semestre: le langage (interprètes, espace, son, image). Un ouvrage pédagogique sur la façon d'initier au cinéma. Le deuxième volume porterait sur la syntaxe et la signification d'un film.

R Guide to Canadian Feature Film Production, 1979 **voir** Guide de la production canadienne de long métrage 1979.

778 Office national du film du Canada. **A Guide to Dance Squared.** Montréal, 1961. 16p.

Brochure expliquant la structure et l'utilisation du film d'animation de René Jodoin. Existe en version française sous le titre de RONDE CARRÉE.

779 **A Guide to Film and Television Courses in Canada. Un guide des cours de cinéma et de télévision offerts au Canada.** Ottawa, Institut canadien du film, 1973. Annuel.

Fait suite à "A Guide to Film Courses in Canada". Au fil des éditions, le rédacteur varie: Piers Handling, David Goldfield, Davie McNicoll, Marie-Claude Hecquet.

780 **A Guide to Film Courses in Canada. Un guide des cours de cinéma offerts au Canada.** Ottawa, Institut canadien du film, 1969?. Annuel.

Change de nom en "A Guide to Film and Television Courses in Canada". Rédacteur : Linda Beath.

H

781 Beauvais, Jean et Coté, Guy L. **Handbook for Canadian Film Societies.** Ottawa, 1959. 116p.

Guide sur la façon d'organiser, d'administrer et de programmer un ciné-club. Les services de la CFFS. Concerne indirectement le Québec.

782 Beattie, Eleanor. **A Handbook of Canadian Film** Toronto, Peter Martin Associates Limited in association with Take One Magazine, 1973. 280p. (Take One Film Book Series, 2)

Biofilmographie de nombreux cinéastes canadiens, bibliographie sommaire se rapportant à ceux-ci et informations générales sur différents intervenants du monde cinématographique.

783 Beattie, Eleanor. **The Handbook of Canadian Film** 2nd ed. Toronto, Peter Martin Associates Limited, in association with Take One Magazine, 1977. 355p. (Take One Film Book Series, 4)

Réédition et mise à jour de l'ouvrage précédent.

784 Associated Screen News Limited, Montreal. **Handbook of Screen Trailers.** Montréal, 1954? 36p.

Catalogue des nombreuses bandes-annonces utiles dans un cinéma.

785 Théberge, André. **Le hasard et la nécessité.** Montréal, s.n., 1977. 64p.

Scénario non-tourné.

786 Véronneau, Pierre. **Heynowski & Scheumann: documentaire politique.** Montréal, Cinémathèque québécoise, Musée du cinéma, 1979. 20p.

Présentation de l'oeuvre et des films des célèbres documentaristes est-allemands à l'occasion d'une rétrospective de leurs oeuvres.

787 Gurik, Robert et Morin, Jean-Pierre. **Hier l'Amérique.** Montréal, Les films Jean-Claude Labrecque, 1978. 168p.

Scénario, projet de film de Labrecque d'abord intitulé J'AI LE GOÛT DE T'EMBRASSER.

788 Ruszkowski, André. **Histoire de l'art cinématographique.** Ottawa, Université d'Ottawa, 1969. 71p.

Notes éditées pour le cours de l'auteur.

789 Cinémathèque québécoise. Musée du cinéma. **Histoire du cinéma.** Montréal, 1976-77. 1v. (non paginé)

Notes de programme préparées essentiellement par Pierre Véronneau pour la séance "Histoire du cinéma".

790 Daudelin, Robert et Véronneau, Pierre. **Histoire du cinéma mondial.** Montréal, Cinémathèque québécoise, 1974. 32p.

Notes sur les films présentés à la Cinémathèque dans la série "Histoire du cinéma".

791 Vachon, Henri Paul. **Histoire du cinéma; notes de cours.** Sherbrooke, Faculté des arts, Université de Sherbrooke, 1959. 74p.

Notes à l'usage des élèves du cours AC-401 de l'Ecole normale de Sherbrooke. Porte principalement sur le cinéma jusqu'en 1945.

792 Castonguay, Viateur. **Historique de l'Association des réalisateurs de films du Québec, octobre 1980.** Montréal, Association des réalisateurs de films du Québec, 1980. 16p.

Chronologie, activités, débats, positions de l'ARFQ de 1973 à 1980. Y occupent une bonne place les relations avec la SDICC. Texte intéressant pour l'étude du cinéma québécois et de ses associations professionnelles.

793 Savignac, Pierre. **Historique du cinéma canadien.** Montréal, 1966. 17p.

Synthèse du document homonyme publié par l'auteur l'année précédente.

794 Savignac, Pierre. **Historique du cinéma canadien;** semaine du cinéma canadien avec l'Office national du film, Canada. Montréal, 1965. 32p.

Survol informatif qui ramasse diverses informations pigées à gauche et à droite. L'accent est principalement mis sur l'ONF. En dernière partie, l'auteur se hasarde à une brève sociologie du cinéma canadien.

795 McKay, Marjorie. **History of the National Film Board of Canada.** Montréal, Office national du film du Canada, 1964. 147p.

Ecrit par une employée de la première heure à l'occasion du 25e anniversaire de l'ONF, cet ouvrage fut longtemps la seule référence sérieuse à l'histoire de l'Office. Il abonde de détails et de faits et frôle souvent le potin comme c'est parfois le cas de l'histoire écrite par ceux qui l'ont vécue. Un bon matériau de base pour approcher le premier quart de siècle de l'ONF.

796 Blanchard, André et Délisle, Jeanne-Mance. **L'hiver bleu.** Rouyn, s.n., 1976. 57p.

Scénario.

797 Sheard, Kathleen et Pâquet, André. **Hollywood and Alternatives: The Business of Movies.** Montréal, McGill University, 1973. 88p. (Série A Modular Introduction to Film 7).

Ouvrage en deux parties. D'abord Sheard fait l'historique d'Hollywood, industrie et usine de rêves. Puis Pâquet tente de définir le cinéma alternatif (expérimental ou militant) tel qu'on le retrouve un peu partout dans le monde. Série sous la direction de Donald F. Theall et Morrie Ruvinsky.

798 Patenaude, Michel, **Hommage à M.L. Ernest Ouimet.** Montréal, Cinémathèque canadienne. 1966. 26p.

Notes sur le ouimetoscope et sur L.E. Ouimet publiées à l'occasion du 60e anniversaire de l'ouverture du Ouimetoscope et de la pose d'une plaque commémorative.

799 Cinémathèque canadienne. **Hommage à Maurice Jaubert.** Montréal, 1967. 25p.

Témoignages sur le musicien, texte de lui et biofilmographie. Brochure publiée à l'occasion d'une rétrospective.

800 Véronneau, Pierre. **Hommage au western américain: 1903 jusqu'à?.** Trois-Rivières, Centre culturel de Trois-Rivières, 1970. 24p.

Présentation du genre western et notes sur les films montrés lors de la rétrospective.

801 Cinémathèque québécoise et Comité d'action cinématographique. **Hommage aux journées cinématographiques de Carthage; 12 ans de cinéma africain et arabe, 1966-1978.** Coordination: André Pâquet. Recherches et documentation: Naceur Ktari. Transcriptions: Hélène Bourgault, Montréal, 1980. 33p.

Ce document comprend un historique des Journées et la transcription d'une table-ronde avec les participants québécois aux Journées de 1978 (André Pâquet, Luce Guilbeault, Sylvie Groulx, Francine Allaire, Jean Chabot, Jean-Pierre Bastien) auxquel s'est joint le cinéaste tunisien Naceur Ktari.

802 Cinémathèque canadienne. **Hommage to John Grierson.** Montréal, 1964. 13p.

Publiée à l'occasion du 25e anniversaire de l'ONF, cette brochure reprend des textes sur les principaux documentaires anglais et canadiens produits par Grierson.

803 Cinémathèque canadienne. **Hommage to Stanley Brakhage.** Montréal, 1968. 11p.

Notes sur l'oeuvre du célèbre cinéaste expérimental américain.

804 Cinémathèque canadienne. **Hommage to the Vancouver CBC Film Unit.** Montréal, 1964. 10p.

Notes biographiques sur des producteurs et des cinéastes de la Côte-Ouest gravitant autour de Stan Fox.

805 Festival canadien des films du monde, 1er, Montréal, 1977. **Horaire des films. Film Schedule.** Montréal, 1977. 21p.

806 Labrecque, Jean-Claude. **Le hors-la-loi.** Montréal, s.n., 1972. 20p.

Synopsis.

807 Labrecque, Jean-Claude et Sabourin, Marcel. **Le hors-la-loi.** Montréal, s.n., 1972. 33p.

Scénario non-tourné.

808 Jacob, Jacques et Labrecque, Jean-Claude. **Le hors-la-loi.** Montréal, 1980. 176p.

Scénario non tourné.

809 Jacob, Jacques et Labrecque, Jean-Claude. **Le hors-la-loi.** Montréal, 1981. 148p.

Scénario non-tourné.

R How to Make or Not to Make a Canadian Film **voir** Comment faire ou ne pas faire un film canadien.

810 Office national du film du Canada. **How to Use Films for Discussion At Home and School Meetings.** Ottawa, 1955. 18p.

Brochure sur l'utilisation des films à l'école ou à la maison.

811 Office national du film du Canada. **How to Use Films for Discussion at Meetings of Church Groups.** Ottawa, 1955. 18p.

Brochure sur l'utilisation des films à l'église.

812 Office national du film du Canada. **How to Use Films for Discussion at Meetings of Rural Groups.** Ottawa, 1955. 18p.

Brochure sur l'utilisation des films en milieu rural.

813 Office national du film du Canada. **How to Use Films for Discussion in Your Union Local.** Ottawa, 1955. 18p.

Brochure sur l'utilisation des films dans les syndicats.

814 Festival international du film de Montréal, 8e, 1967. **Huitième Festival international du film de Montréal, Expo-Théâtre 4-18 août 1967. Eight Montréal International Film Festival Expo-Theatre August 4-18 1967.** Montréal, 1967. 1v. (non paginé).

Notes sur les films présentés au Festival et, plus particulièrement, au Ve Festival du cinéma canadien.

815 Carle, Gilles et Portugais, Louis. **Il est midi, le soleil brille.** S.l., s.n., 1962? 71p.

Scénario non-tourné.

816 Les Films de l'Hexagone. **Il est midi, le soleil brille.** Montréal, 1962. 8p.

Projet de film de Louis Portugais, Gilles Carle et François Séguillon.

817 Brassard, André et Tremblay, Michel. **Il était une fois dans l'Est.** Montréal, Les productions Carle-Lamy, 1972?. 159p.

Scénario.

818 Brassard, André et Tremblay, Michel. **Il était une fois dans l'Est.** Montréal, L'Aurore, 1974. 106p. (Collection Les Grandes vues, 1)

Description et dialogues du ffilm.

819 Jaubert, Jean-Claude, **L'image du pays dans le cinéma québécois.** Aix, Université d'Aix, Faculté des lettres et sciences humaines, 1975. 330p.

Thèse de doctorat de 3e cycle. L'auteur y aborde l'image physique du pays (fleuve, hiver, géographie), les hommes (jeunesse, marginaux, femme, travail, minorités) les institutions (famille, religion, enseignement, gouvernement) et les problèmes (chômage, langue, aliénation). Cette approche sociale et thématique complète le travail de Y. Lever, R. Boissonnault et de Y. Patry/R. Bérubé.

820 Office national du film du Canada. **Image par image.** Montréal, 1978?. 21p.

Brochure consacrée à différentes techniques d'animation.

821 Office national du film du Canada. **Images du Canada numéro 2.** Ottawa, 1948. 43p.

Catalogue encadré d'articles généraux, dont: La genèse d'un documentaire, Le cinéma facteur social, Des discours imagés, et Arts visuels.

822 **Images du Québec.** Paris, *La Revue du cinéma Image et son,* no 285 (juin-juil. 1974) pp. 34-72.

Numéro spécial où sont abordés plusieurs sujets: documentaire, télévision, animation, bande dessinée. Un lexique des travailleurs du film les complète.

823 Brûlé, Michel. **The Impacts of the American Film Industry on the Quebec Society and Its Cinema.** Montréal, 1975. 24p.

Considérations à propos de l'influence américaine sur la mentalité québécoise, sur la présence des américains dans notre industrie cinématographique, sur l'adoption de leurs modèles par plusieurs de nos films et sur le rôle de l'État pour préserver une identité propre.

R In Search of Raoul Barré **voir** Barré l'introuvable.

824 E.R.A. Consulting Economists. **Incidence de la déduction pour amortissement de 100 p. cent sur l'industrie canadienne du film de long métrage;** rapport de recherche sur les arts et la culture de la Direction de la recherche et des statistiques, Direction générale des arts et de la culture, Secrétariat d'État. Ottawa, Secrétariat d'État, 1979. 74, 34p.

Ce rapport fait d'abord l'historique de l'industrie canadienne du long métrage de 1958 à 1978, puis de l'industrie pour la même période. Il évalue ensuite l'incidence économique de la nouvelle déduction pour amortissement, émettant des prévisions à court terme et faisant part de certaines contraintes découlant de la réglementation. En annexe on retrouve de nombreux tableaux sur différentes ventilations budgétaires et sources de financement.

825 **L'inconnue de Montréal.** Paris, *Cinémonde*, No 30, 1951. 16p.

Publié dans la série Le film vécu, dossier sur René Dary et scénario publicitaire du film de Jean Devaivre titré au Canada SON COPAIN et produit par Québec-Productions.

825a Compagnie de fiducie Guardian. **Incubus.** Montréal, 1980. 51p.

Prospectus annonçant la mise en ventes de 1095 unités de 5 000$ pour le film de John Hough produit par Film Finances Canada.

826 Office des communications sociales et Bibliothèque nationale du Québec. **Index alphabétique de la documentation filmographique de l'Office des communications sociales.** Montréal, Bibliothèque nationale du Québec, 1970-

Index à une documentation microfilmée comportant principalement des coupures de presse sur des milliers de longs métrages.

827 Office national du film du Canada. **Index and Guide for the Use of National Film Board Productions on Canadian Television.** Montréal, 1975. 67, 38p.

828 Office national du film du Canada. **Index and Guide for the Use of National Film Board Productions on Canadian Television.** Montréal, 1979. 84p.

Puisque les films de l'ONF sont de contenu canadien à 100%, ils répondent aux exigences de la CRTC et devraient donc être utilisés par les télévisions canadiennes. Cette index donne le titre des films, leur durée précise et leur disponibilité pour la télévision.

829 Fédération des centres diocésains du cinéma. **Index de 6,000 titres de films avec leur cote morale (1948-55).** Montréal, Fides, 1955. 200p.

On trouve dans l'Index les titres français et anglais des films et, en appendice, une liste de films pour ciné-clubs et une liste de films convenant aux enfants.

830 **Index de la production cinématographique canadienne. Index of Canadian Film Production.** 1976- Montréal, Cinémathèque québécoise. Annuel.

Index de films publiés dans la revue Nouveau cinéma canadien. Deux éditions: 1976, 1977. Depuis cet index est intégrée à la revue Copie Zéro.

831 **Index des films.** 1955/59- Montréal. Centre catholique national du cinéma, de la radio et de la télévision, 1960.

Index de la publication. Recueil de films.

832 Office des communications sociales. **Index des films, 1956-1971.** Montréal, 1971. 220p.

833 Office des communications sociales. **Index des films 1956-1975.** Montréal, 1975. 276p.

834 Office national du film du Canada. **Index général des films libérés pour la télévision: programmes canadiens à 100%.** Montréal, 1963. 34p.

"ONF-TV"
Liste de films de l'ONF avec durée précise.

835 Coté, Guy L. and Coté, Nancy. **Index of 16mm Feature Films Available to Film Societies in Canada from the Canadian Film Institute.** Ottawa, Canadian Film Institute, 1953. 23p.

Index par titre et par cinéaste.

R Index of Canadian Film Production **voir** Index de la production cinématographique canadienne.

836 Canada. Secrétariat d'état. Direction générale des arts et de la culture. **L'industrie cinématographique au Canada.** Ottawa, 1977. 511p.

Rapport préparé par le Bureau des conseillers en gestion dont le mandat est d'étudier et d'évaluer le fonctionnement de l'industrie cinématographique et d'aider le Secrétariat d'Etat à définir son action dans le domaine du cinéma (buts, objectifs, moyens). Le rapport groupe quatre recherches:
1- Les différents marchés cinématographiques
2- La production
3- La distribution et l'exploitation
4- La main-d'oeuvre
Le rapport fourmille d'informations et de données pertinentes sur notre cinéma mais il ne porte pas de jugements sur la situation. Tout au plus préconise-t-il quelques mesures administratives et quelques études particulières pour mieux gérer le cinéma au Canada.

837 B.I.R.O. et CROP. **L'industrie cinématographique au Québec en 1978-79: les entreprises de production, de distribution et de services.** Étude réalisée pour l'Institut québécois du cinéma. Montréal, 1980. 34p.

L'étude se divise en deux parties. D'abord la méthodologie employée pour comprendre l'industrie cinématographique; les auteurs ont effectué une enquête originale. Ensuite une seconde partie où sont compilés les résultats de l'enquête; on a alors droit à une description du nombre, des caractéristiques et des revenus des entreprises. Ce rapport ne comprend aucune analyse, aucune systématisation. Ce sera l'objet du rapport de 1981. L'étude comprend onze annexes (48p.).

838 Morin, Robert. **L'industrie cinématographique dans le monde et au Canada.** Québec, Ecole supérieure de commerce, 1945. 65p.

Thèse de licence en sciences commerciales. Esquisse des différents aspects de l'industrie du cinéma ailleurs et au Canada. A noter que l'auteur est optimiste pour l'avenir ici car, au moment où il écrit son mémoire, s'éveille l'industrie cinématographique au Canada.

839 Lamarre, Denys. **L'industrie cinématographique et la loi-cadre au Québec.** Montréal, Université de Montréal, 1975. 62p.

Texte signalé dans l'ouvrage de G. Rozon, CINÉMA QUÉBÉCOIS.

840 Laverdière, Louis. **L'industrie cinématographique (France-Italie).** S.l., s.n., 1976. 12p.

Rapport d'un stage effectué en Europe par l'auteur pour y étudier les mécanismes, les lois et les structures du cinéma. Il y suggère la création d'une permanence du cinéma québécois en Europe.

841 Cadieux, Fernand. **L'industrie de production de long métrage au Canada d'expression française.** S.n., s.l., 1965. 50, 7p.

Après avoir décrit la croissance de l'industrie cinématographique au Canada, l'auteur brosse le tableau de la situation francophone (compagnies et ressources humaines). Il regroupe ses conclusions sous quatre chapitres: aide à l'expérimentation (aide aux jeunes cinéastes), production (création d'un fonds), prêts, subventions ou prix. A comparer au rapport anglophone écrit par Michael Spencer pour le même comité interministériel.

842 Conseil d'orientation économique du Québec. **L'industrie du cinéma au Canada et au Québec.** Québec, 1963. 100, 14p. (Le cinéma, document III)

La première partie du rapport touche à l'exploitation cinématographique: considérations générales, mise en graphiques des données du Bureau fédéral de la statistique, données sur les circuits de salles et analyse des recettes par circuit, ciné-parcs, distribution. La seconde partie aborde la production: présentation générale, production de longs métrages, de courts métrages, pour salles et à fins utilitaires, entreprise privée et télévision, productions étrangères tournées au Canada. Une annexe de 14 pages porte sur l'Analyse des salles de cinéma dans les villes de Montréal et de Verdun (1962); on y étudie les recettes par catégories de films.

843 St-Laurent, Jacques. **L'industrie du cinéma dans la province de Québec.** S.l., s.n., 1962. 43p.

Étude de la production, de la distribution et de l'exploitation cinématographique au Québec et de la protection qu'on devrait accorder pour palier aux difficultés du cinéma québécois. L'auteur recommande au gouvernement d'intervenir pour aider le cinéma à tous les niveaux.

844 Champagne, François, Lapierre, Laurent et Noël, Alain. **L'industrie du spectacle au Québec.** Montréal, Ecole des hautes études commerciales, 1980. 51p.

Étude économique qui analyse l'offre et la demande dans l'industrie du spectacle. Touche un peu au cinéma. On mentionne que c'est une version préliminaire.

845 B.I.R.O. et CROP. **L'industrie privée cinématographique au Québec: 1978-1979;** étude réalisée pour le compte de l'Institut québécois du cinéma. Montréal, 1981. 122p.

Cette étude porte sur la production, la distribution et l'exploitation. On y fait enquête, on y décrit l'industrie. Les résultats de l'étude couvrent 50 pages de tableaux, principalement sur les recettes des salles commerciales et des ciné-parcs de 1974 à 1979, sur la liste des films du Québec selon l'ordre décroissant de leurs recettes en salles commerciales et en ciné-parcs, et sur la liste des films canadiens hors-Québec selon leurs recettes. L'étude comprend aussi 17 annexes.

846 Lamothe, Arthur. **L'industrie québécoise du cinéma et l'état.** Montréal, 1971. 69, 38p.

Importante étude et l'une des rares écrite par un cinéaste. Le premier chapitre décrit les structures économiques et administratives du système actuel (1971) dans l'industrie du cinéma. Le second expose l'offre et la demande dans le domaine de l'audiovisuel. Le troisième aborde le rôle de l'Etat. Le dernier revendique l'établissement d'une loi-cadre. En annexe on retrouve des données sur la présence américaine, l'enseignement de l'audiovisuel et sur la relation cinéma/culture.

847 Grant, Sandra et Vallée, Maurice. **L'industrie québécoise du film.** Montréal, Université de Montréal, 1970. 76p.

848 Québec (Province) Ministère du Conseil exécutif. Secrétariat des conférences socio-économiques. **Les industries culturelles: hypothèses de développement.** Québec, 1978. 100p.

Document de travail déposé à la conférence sur les industries culturelles. Un chapitre est consacré au cinéma en posant les problèmes et énonçant des hypothèses d'orientation.

849 Québec (Province) Ministère du Conseil exécutif. Secrétariat des conférences socio-économiques. **Les industries culturelles: rapport.** Québec, 1979. 210p.

Allocutions ministérielles et des représentants des différents secteurs des industries culturelles. Pour le cinéma on retrouve celles de Roger Frappier (ARFQ), Denis Héroux (APFQ), André Link (AQDF) et Marcel Venne (APCQ). Outre ces interventions des réalisateurs, producteurs, distributeurs et propriétaires de salles, l'ouvrage donne le rapport de l'atelier cinéma où l'on débattit de la création d'une industrie du cinéma, des problèmes concrets et de la mise en marché, de son financement et des institutions du cinéma.

850 Institut social populaire. **Influence de la presse, du cinéma, de la radio, de la télévision.** Montréal, 1957. 242p.

Compte rendu des cours et conférences des Semaines sociales du Canada. Sur le cinéma on retrouve les textes suivants:
— Rôle et influence du cinéma par Guy Roberge
— Tendances actuelles du cinéma par Jacques Mordret
— L'éducation cinématographique par Jacques Cousineau. S.J.
Certains autres cours ou conférences effleurent la question du cinéma. Une bonne introduction à la réflexion catholique sur le cinéma.

851 Corbeil, Yvan. **L'influence des techniques de diffusion collective du point de vue de la recherche empirique.** Montréal, Office catholique national des techniques de diffusion, 1965. 38p.

Ce troisième numéro de la série Cahiers d'études et de recherches se situe dans la perspective des théories de la communication et se réfèrent nommément à Schramm et Klapper.

852 Bachy, Victor. **L'influence du cinéma sur la culture des jeunes; l'éducation cinématographique des jeunes dans quatre pays d'Europe (Belgique, Italie, U.R.S.S., Autriche).** Montréal, Office catholique national des techniques de diffusion, 1962. 27p.

Texte de deux causeries prononcées lors du stage national de cinéma pour les éducateurs tenu à Rigaud du 9 au 14 juillet.

853 Syndicat national du cinéma. **Information aux productions de films du Québec; tarifs minimum au 1er octobre 1973.** Montréal, 1973. 7p.

R Information Available for Educators on Audio-Visual Media **voir** Information dont les enseignants disposent sur les moyens audio-visuels.

854 **Information Cinema Canada.** Ottawa, Ministère de l'industrie et du commerce en collaboration avec la Société pour le développement de l'industrie cinématographique canadienne et l'Office national du film du Canada, 1971. 30p.

Ciné-fiches sur les films canadiens présentés à Cannes.

855 Midson, Tony. **Information dont les enseignants disposent sur les moyens audiovisuels.** Montréal, Office national du film du Canada, 1975. 13p. (Série Programme d'aide à l'éducation # 5)

Enquête pour appréciation subjective de la situation et analyse des documents imprimés.

856 Del Tredici, Robert. **Ingmar Bergman; Picture and Conversations.** Montréal, McGill University, 1972. 1v. (non paginé)

857 Lafrance, André. **Initiation à l'équipe de tournage.** Montréal, Presses de l'Université de Montréal, 1978. 139p.

Orienté vers la fiction, cet ouvrage veut guider l'amateur et l'étudiant vers des méthodes de tournage professionnelles. On y étudie la scénarisation, la production, la réalisation, la notation, la direction de photographie, la direction artistique, la prise de son et le montage.

857a Aubry, Jean-Marie. **Initiation au langage du cinéma.** Montréal, Centre pédagogique des Jésuites canadiens, 1960. 54p.

"Méthode inductive et expérimentale permettant d'analyser le langage cinématographique du point de vue du spectateur et de s'entraîner à lire un film sous toutes ses dimensions artistiques et esthétiques". Prolongeant le travail de Agel et de Bachy et Claude, cette brochure a l'originalité de proposer des feuilles de travail pour analyser plusieurs dimensions du film.

858 Hofsess, John. **Inner Views, Ten Canadian Film-Makers.** Toronto, Mc Graw-Hill Ryerson, 1975. 171p.

Après une introduction générale sur le cinéma canadien, notes/interview avec Claude Jutra, Frank Vitale, Denys Arcand et Paul Almond.

859 **Insight 67:** an International Programme of Films on Science at Expo. **Connaissance 67:** programme international de films scientifiques présenté à l'Expo. Montréal, 1967. 31p.

Connaissance 67 est offert par le Conseil national de recherches du Canada et organisé par la Cinémathèque nationale scientifique, et l'Institut canadien du film.

860 Institut canadien d'éducation des adultes. **L'Institut canadien d'éducation des adultes présente un dossier de travail à l'intention des groupes d'études sur les films des séries "Le Commonwealth" et "Les Antilles anglaises" produits par l'Office national du film.** Montréal, 1959. 123p.

Dossier conçu comme auxiliaire dans la préparation et la réalisation d'équipes de discussion autour des 13 films de la série Commonwealth et des 4 films de la série Antilles. On y donne plusieurs textes documentaires sur les questions abordées.

861 Institut québécois du cinéma. **Institut québécois du cinéma.** Montréal, 1979. 16p.

Brochure décrivant les objectifs de l'Institut.

862 Spry, Robin. **The Institution as Eco-System: Another Look at the Problems of the National Film Board of Canada.** Montréal, L'Auteur, 1969. 27p.

L'auteur analyse les problèmes de l'ONF et propose certaines solutions (priorité au culturel, décentralisation, etc.) afin que l'ONF demeure un éco-système en équilibre avec son milieu.

863 McGill University. Instructional Communications Center. **Instructional Communications Centre Film Library Catalogue.** Montréal, 1980. 179p.

Films de provenance diverse à intérêt pédagogique. Il existe des versions antérieures à ce catalogue.

864 Office national du film du Canada. **Instructions for Getting up Cinema Vans. Marche à suivre pour monter les ciné-bus.** Ottawa, 196-?. 11p.

Destinée à l'aide étrangère, cette brochure illustre la marche à suivre pour installer un ciné-bus.

R International Conference on Motion Picture and Television **voir** Conférence internationale de l'industrie cinématographique et télévisuelle.

865 Lamy, André. **Interpréter l'ONF aux artisans du film;** allocation (sic) prononcée par André Lamy, commissaire du Gouvernement à la cinématographie, et président de l'Office national du film du Canada à l'occasion de l'Assemblée annuelle du Council of Canadian Film Makers le 7 juin 1977. Toronto, Ont., 1977. 12p.

Allocution sur les rapports entre l'ONF et l'industrie privée.

866 Héroux, Denis. **Intervention du président de l'Association des producteurs de films du Québec.** Montréal, Association des producteurs de films du Québec, 1979. 9p.

Point de vue de l'APFQ amené lors de la rencontre organisée par le ministère des communications sur le Livre bleu sur le cinéma. Héroux parle des liens de l'Association avec les comédiens, la télévision, la publicité. Puis il commente plus directement le Livre bleu.

IMAGES
D'UN DOUX
ETHNOCIDE

JEAN-DANIEL LAFOND
ARTHUR LAMOTHE

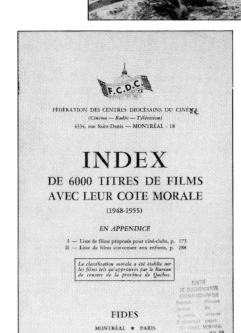

F.C.D.C.

FÉDÉRATION DES CENTRES DIOCÉSAINS DU CINÉMA
(Cinéma — Radio — Télévision)
4334, rue Saint-Denis — MONTRÉAL - 18

INDEX
DE 6000 TITRES DE FILMS
AVEC LEUR COTE MORALE
(1948-1955)

EN APPENDICE

I — Liste de films proposés pour ciné-clubs, p. 173
II — Liste de films convenant aux enfants, p. 188

*La classification morale a été établie sur
les films tels qu'approuvés par le Bureau
de censure de la province de Québec.*

CENTRE
DE DOCUMENTATION
CINÉMATOGRAPHIQUE

FIDES

MONTRÉAL ★ PARIS

**INITIATION
À L'ÉQUIPE
DE TOURNAGE**

ANDRÉ A. LAFRANCE

867 Association des propriétaires de cinémas du Québec. **(Intervention lors de la consultation sur le Livre bleu sur le cinéma.)** Montréal, 1979. 7p.

L'Association rejette toute idée d'imposer un nouveau fardeau financier au secteur de l'exploitation. Elle déplore la concurrence des salles parallèles, la présentation trop rapide des films à la télévision. Elle souhaite la création d'un conseil consultatif et l'affectation de la taxe d'amusement exclusivement à des fins cinématographiques.

868 Syndicat national du cinéma. **Intervention lors de la consultation sur le Livre bleu sur le cinéma.** Montréal, 1979. 8p.

Réactions du SNC au Livre bleu. Il souhaite l'établissement de quotas, de taxation spéciale des compagnies américaines et le renforcement de l'Institut. Il s'oppose aux privilèges fiscaux et demande une priorité d'emploi pour les Québécois, des mesures pour récupérer les salaires investis et la surveillance de la sécurité au travail.

869 Lemoyne, Wilfrid. **L'interview à la télévision.** Montréal, Office des communications sociales, 1968. 93p.

Ce huitième numéro de la série Cahiers d'études et de recherches regroupe une série d'interviews menées par Jean Ducharme, Andréanne Lafond, Raymond Laplante, Renée Larochelle, Wilfrid Lemoyne, Pierre Paquette, Michelle Tisseyre, Paul-Émile Tremblay.

870 Savignac, Pierre. **Introduction à l'éducation cinématographique spécialement par la méthode des ciné-clubs.** Montréal, 1965. 35p.

Publiée à l'occasion d'une semaine de cinéma canadien avec l'ONF, cette brochure porte sur le ciné-club, sa sociologie, sa psychologie et sa méthodologie. Se veut une analyse du phénomène.

R Introduction and Methodology **voir** Introduction et méthode de travail.

871 Beaudet, Gérard et Proteau, Donald. **Introduction au cinéma.** Montréal, Centre de psychologie et de pédagogie. Montréal, 1966. 120p.

Fiches pédagogiques pour initier les jeunes au cinéma afin de leur éviter une attitude de passivité et de docilité.

872 Lemieux, Sylvie, Legris, Chantal et Midson, Tony. **Introduction et méthode de travail.** Montréal, Office national du film du Canada, 1975. 21, 15p. (Série Programme d'aide à l'éducation)

Texte qui explique le pourquoi d'une enquête sur la situation des moyens audio-visuels dans l'enseignement, comment elle s'est effectuée et comment on l'a analysée. Tableaux pour les résultats généraux.

873 Caulfield, Tom. **An Introduction to Animation.** Montréal, McGill University, 1973. 73, 3p. (Série A Modular Introduction to Film)

L'auteur mélange historique, notes sur des cinéastes, techniques et réflexions. Nombreuses illustrations. Ouvrage pensé comme un collage. Série conçue par Donald F. Theall et Morrie Ruvinsky.

874 Ruvinsky, Morrie. **An Introduction to Cinema.** Montréal, McGill University, 1973. 131p. (Série A Modular Introduction to Film # 1)

Collage de réflexions, de notes historiques et d'illustrations. Pour réfléchir sur le cinéma selon une pédagogie a-logique. Série conçue par Donald F. Theall et Morrie Ruvinsky.

875 Walsh, Hal. **An Introduction to Italian Cinema.** Montréal, McGill University, 1973. 36p. (Série A Modular Introduction to film # 8)

Notes sur Fellini, Visconti, Antonioni, Pasolini, le western-spaghetti, etc. Un survol éclectique. Série sous la direction de Donald F. Theall et Morrie Ruvinsky.

876 Curtis, R.W. et Schieman, Arnold. **Introduction to the Technical Section of the Super-8 Workshop.** Montréal, National Film Board of Canada, 1967. 5, 4, 6p.

Comprend trois textes sur les caractéristiques du film super-8, son développement et sa projection.

877 Québec (Province) Ministère des affaires intergouvernementales. **Inventaire de la documentation audio-visuelle sur la santé produite au Québec.** Québec, 1972. 75p.

878 Pelletier, Antoine. **Inventaire des copies en distribution.** Montréal, Office du film du Québec, 1974. 62p.

879 Rousseau, Françoise Lamy. **Inventoriez et classez facilement vos documents audio-visuels.** Longueuil, 1972. 197p.

Sur une codification originale mise au point par l'auteur.

880 McQuillan, Peter E. **Investing in Canadian Films: Evaluating the Risks and the Rewards.** Toronto, CCH Canadian Limited, 1980. 79p.

Publié par un éditeur spécialisé qui a aussi un siège à Montréal, cet ouvrage touche à sept points principaux: l'investissement dans le film; l'industrie cinématographique américaine; l'industrie du long métrage au Canada; la production et la distribution; l'aspect impôt sur le revenu; le facteur de risque dans l'investissement cinématographique; le budget d'un film. En annexe on retrouve des données sur l'évasion fiscale, les lois qui régissent le cinéma, etc.

881 Office national du film du Canada. **It Works; Functions & Resources. The Mechanism of Distribution: a Friendly but Critical Look at Film Distribution, Canada — 1963.** Montréal, 1963. 1v. (paginations diverses)

Produit sous la direction de C.W. Gray, ce rapport aborde toute la question de la distribution 16mm. des films de l'ONF, de leur accès, de leur utilisation et examine certaines pistes pour l'avenir.

R Italian Film Week. May 31-June 5 **voir** Semaine du cinéma italien. 31 mai-5 juin.

882 Anica-Unitalia. **L'Italie au IIIe festival de Montréal.** S.l. 1979. 16p.

Notes sur les films italiens présentés en et hors compétition au 3e Festival des films du monde.

883 Office national du film du Canada. **IXE-13.** Montréal, 1971. 38p.

Transcription des dialogues du film de Jacques Godbout.

J

884 Gurik, Robert et Morin, Jean-Pierre. **J'ai le goût de t'embrasser.** Montréal, Les films Jean-Claude Labrecque, 1977. 153p.

Scénario. Projet de Labrecque intitulé ensuite HIER L'AMÉRIQUE.

885 Lareau, Danielle. **J'me marie, j'me marie pas;** synthèse du compte-rendu des commentaires et réactions recueillis par téléphone à la suite de la présentation du film à la télévision. Montréal, Office national du film du Canada, 1974. 85p.

Rapport préparé pour Société nouvelle sur le film de Mireille Dansereau. Données objectives sur les répondants et analyses de leurs attitudes.

886 Beaudin, Jean et Sabourin, Marcel. **J.A. Martin photographe.** Montréal, Office national du film du Canada, 1975. 150p.

Découpage.

887 Office national du film du Canada. **J.A. Martin photographe: revue de presse.** Montréal, 1979? 1 vol.

Revue de presse des articles publiés ici et à l'étranger sur le film de Jean Beaudin.

888 Patry, Yvan et al. **Jacques Godbout.** Montréal, Conseil québécois pour la diffusion du cinéma, 1972. 47p. (Cinéastes du Québec, 9)

Présentation, entretien, choix de critique, filmographie et bibliographie.

888a Séminaire de Sherbrooke. Bibliothèque. **Jacques Godbout.** Sherbrooke, 1981. 120p.

Revue de presse sur Godbout écrivain et cinéaste. Les coupures sont classées par ordre de parution.

889 Bastien, Jean-Pierre et Véronneau, Pierre. **Jacques Leduc;** essai de travail d'équipe. Montréal, Conseil québécois pour la diffusion du cinéma, 1974. 95p. (Cinéastes du Québec, 12)

Livre-collage construit à partir de différents témoignages de Leduc et de ses collaborateurs sur leurs films et leur travail, d'extraits de dialogues et de scénarios, de choix de critiques et de mises en situation/analyses par les auteurs.

890 Laplante, Marc. **Jalons pour une psycho-sociologie des moyens de communication sociale.** Montréal, Office catholique national des techniques de diffusion, 1965. 27p.

Ce deuxième numéro de la série Cahiers d'études et de recherches porte attention aux rapports mass-média et société et mass-média et personnalité.

891 Benchley, Peter. **Jaws. Les dents de la mer.** Montréal, Editions internationales Alain Stanké, 1975. 283p.

Traduction du roman à l'origine du film de Steven Spielberg.

892 Godbout, Jacques. **Je me souviens d'Ixe-13, l'as des espions (Une comédie en musique pour les 14 ans et plus).** Montréal, Office national du film du Canada, 1971. 135p.

Scénario du film IXE-13, précédé d'une présentation, d'une description des personnages et d'une chronologie des différentes moutures du scénario de 1968 à 1970.

893 La Rochelle, Réal, Frappier, Roger et Melançon, André. **Jean-Claude Labrecque.** Montréal, Conseil québécois pour la diffusion du cinéma. 1971. 38p. (Cinéastes du Québec, 7)

Présentation du cinéaste, choix de critiques, entretien, filmographie et découpage/dialogue de LA VISITE DU GÉNÉRAL DE GAULLE AU QUÉBEC.

894 **Jean Pierre Lefebvre.** Réalisé sous la direction de Renald Bérubé et Yvan Patry. Montréal, Presses de l'Université du Québec, 1971. 229p. (Les Cahiers de l'Université du Québec, C29)

Études diverses sur Lefebvre, témoignages, documents sur le cinéaste et sur ses films, filmographie et bibliographie. Un livre important pour approcher l'oeuvre d'avant 1970 d'un des cinéastes les plus personnels du Québec.

895 Rasselet, Christian, Chabot, Jean et Nadon, Claude. **Jean Pierre Lefebvre.** Montréal, Conseil québécois pour la diffusion du cinéma, 1970. 46p. (Cinéastes du Québec, 3)

Présentation, choix de critiques, entretien, bibliographie et filmographie.

896 Véronneau, Pierre. **Jean Pierre Lefebvre: rétrospective — novembre 1973.** Montréal, Cinémathèque québécoise, 1973. 20p.

Notes de Lefebvre; entretien avec Lefebvre, producteur et distributeur et choix de critiques sur chacun des films.

897 Harcourt, Peter. **Jean Pierre Lefebvre.** Ottawa, Canadian Film Institute, 1981. 178p.

Monographie sur le cinéaste québécois. L'auteur présente Lefebvre et, par l'analyse systématique de tous ses films, tâche de faire ressortir la cohésion de son oeuvre et d'illustrer ainsi le paysage mental du cinéaste. L'étude est complétée d'une entrevue-fleuve avec Lefebvre et d'une filmographie.

898 Connaissance du cinéma. **Jean Renoir du 18 au 25 octobre;** revue de presse. Montréal, 1963. 1v. (non paginé)

Brochure publiée à l'occasion de la première manifestation importante de l'organisme qui deviendra la Cinémathèque québécoise. On y retrouve plusieurs articles sur cette dernière question.

899 Marsolais, Gilles. **Jean Rouch.** Montréal, Cinémathèque québécoise, Musée de cinéma, 1973. 18p.

Notes sur le cinéaste et ses films. Filmographie et bibliographie.

900 Prédal, René. **Jeune cinéma canadien.** Paris, *Premier plan,* no 45 (octobre 1967), 140p.

Publié dans la lancée de la découverte des jeunes cinémas nationaux qui marque le milieu des années 60, cet ouvrage, après une brève mise en situation, comprend essentiellement 38 biofilmographies complétées d'analyses des principaux films des nouveaux cinéastes canadiens.

901 Pâquet, André. **Jeune cinéma: Hollande.** Montréal, Cinémathèque canadienne, 1970. 25p.

Notes de programme à l'occasion d'une rétrospective. Présentation, biofilmographies, entretien avec Johan van der Keuken, Adrian Detvoorst et Eric van Zuylen, bibliographie.

902 Pâquet, André. **Jeune cinéma: Suisse.** Montréal, Cinémathèque canadienne, 1970. 41p.

Notes à l'occasion d'une rétrospective. Présentation, biofilmographies, conversation avec Michel Soutter et Alain Tanner.

903 Office national du film du Canada. **Jeux de la XXIe Olympiade, Montréal, 1976.** Montréal, 1976. 37p.

Recueil des communiqués de presse couvrant les nombreux aspects du film.

904 Office national du film du Canada. **Jeux de la XXIe Olympiade, Montréal 1976: film officiel. Games of the XXIst Olympiad, Montreal 1976: Official Film.** Montréal, 1977? 12p.

Brochure informative abondamment illustrée sur le film de J.C. Labrecque.

905 Office national du film du Canada. Service de l'information. **Jeux de la XXIe Olympiade, Montréal, 1976: revue de presse. Games of the XXIst Olympiad, Montreal 1976: News Clips.** Montréal, 1976. 122p.

Articles publiés en français et en anglais au Canada sur le film de J.C. Labrecque.

906 Benesova, Maria. **Jiri Trnka.** Montréal, Cinémathèque québécoise, 1975. 19p.

Étude sur le grand animateur tchèque et filmographie.

907 Daudelin, Robert. **Johan van der Keuken.** Montréal, Cinémathèque québécoise, 1975. 20p.

Biofilmographie et entretien avec le cinéaste néerlandais.

908 **John Grierson.** Montréal, *The Lower Canada Review of Arts and Politics,* 28 février 1972. 8p.

Supplément au McGill Daily, ce numéro spécial fut publié à l'occasion de la mort de Grierson qui avait enseigné à l'Université l'année précédente.

909 Lamoureux, Jacques. **John Huston;** causerie prononcée à l'occasion du Stage national de cinéma pour les éducateurs, tenu à Rigaud, du 9 au 14 juillet 1962. Montréal, Office catholique national des techniques de diffusion, 1962. 15p.

Notes bio-historiques sur le cinéaste et son oeuvre.

910 Egyedi, Béla François. **Joseph Conrad;** His Verbal-Mental-Photo-Kinetics; an Independent Essay. With a Poem in Annex: Free Flight — (to Joseph Conrad) — by the Author. Montréal, 1972. 17p.

Étude sur l'aspect "cinématographique" de l'oeuvre de Conrad et son attitude à l'égard du cinéma.

911 Centre d'essai Le Conventum. **Les journées du cinéma différent (France/Suisse/-Belgique).** Montréal, 1978. 1v. (non paginé)

Notes sur de nombreux cinéastes et films français, suisses et belges. Quelques films québécois. Petit inséré (5 pages) par Serge Gagné: "Proposition pour une politique du cinéma au Conventum".

912 Festival international du film de Montréal. **Journées du cinéma tchécoslovaque;** Réalisées grâce à la collaboration de Ceskilovensky Filmexport... et du Festival international du film de Montréal. Montréal, 1964. 14p.

Considérations générales par Alain Pontaut, animation par André Martin et programme.

913 Centre d'essai Le Conventum. **Les journées itinérantes du cinéma d'ailleurs 78 France, Suisse et Belgique.** Montréal, 1978. 1v. (paginations diverses)

Rapport d'un voyage de recherche effectué par Christine Balta et Jean Gagné en Europe dans le but d'organiser une manifestation cinématographique de ces pays au Québec.

914 Martineau, Denyse. **Juliette Béliveau, sa vie, sa carrière.** Montréal, Editions de l'Homme, 1970. 218p.

Biographie d'une comédienne qui toucha au cinéma durant les années 40 et 50.

915 **Jusqu'au coeur;** revue de presse. Montréal, Office national du film du Canada, 1969. 1v. (non paginé)

Scénario.

916 **Jusqu'au coeur;** revue de presse. Montréal, Office national du film du Canada, 1969. 1v. (non paginé)

Ce cahier de presse reprend tous les articles publiés durant les deux premiers mois d'exploitation du film de Jean Pierre Lefebvre.

K

917 Jutra, Claude. **Kamouraska.** Montréal, Les productions Carle-Lamy, 1972?. 119p.

Scénario.

918 Jutra, Claude. **Kamouraska.** Montréal, 1972.

Découpage.

919 France-Film. **Kamouraska.** Montréal, 1973. 20p.

Scénario de presse.

920 Québec (Province) Direction générale du cinéma et de l'audiovisuel. Centre de documentation cinématographique. **Kamouraska de Claude Jutra.** Montréal, 1980. 1v. (Dossiers. Films québécois, 2)

Dossier de presse regroupant tous les articles publiés sur le film au Québec.

921 Véronneau, Pierre. **Kamouraska: étude du roman et de son adaptation cinématographique.** Montréal, Université du Québec, 1976. 221p.

Thèse de maîtrise (études littéraires). L'auteur analyse le roman d'Anne Hébert à partir principalement du travail de Genette sur la narrativité. Il met ensuite au point une méthode originale, dérivée de Metz, pour la compréhension de la syntagmatique cinématographique. La sémiologie du cinéma qu'il y développe se penche autant sur le film lui-même que sur les différents documents de préproduction préparés par Jutra. Finalement l'auteur compare les narrativités littéraire et cinématographique de KAMOURASKA.

922 Glaessner, Verina. **Kung Fu; la violence au cinéma.** Traduit de l'anglais par France-Marie Watkins. Montréal, Presses Sélect, 1976. 134p.

Histoire en mots et surtout en images des films de Kung Fu.

923 Office diocésain des techniques de diffusion. **Kwaidan;** un film de Masaki Kobayashi: scénario et dialogues. Montréal, 1965. 40p. (Cinéma et culture, 10)

Description et dialogues des quatre contes du film.

L

924 Ruszkowski, André. **Le langage cinématographique.** Montréal, Centre diocésain du cinéma, 1958. 32p. (Cinéma et culture, 2)

Analyse des différents éléments du film: plan, scène, séquence, etc. En annexe une analyse de KORINTHA (Un petit carroussel de fête) du Hongrois Zoltan Fabri (1955)

925 Ciné-club de l'amitié. **Le langage du film;** camp d'hiver 1958, Chalet Robert, Val-Morin, 2 au 6 janvier 1958. S.1., 1958. 10p.

Programme du camp d'hiver dirigé par Léo Bonneville c.s.v.

926 Patry, Yvan et La Rochelle, Réal. **Langage et analyse filmiques 530-900;** Laval, Cegep Montmorency, 1974. 238p.

Manuel-guide pour le cours de cinéma Langage et analyse filmiques. Comprend trois parties: Description technique des éléments constitutifs du discours filmique; Description critique à partir de l'oeuvre de J.L. Godard; Normes d'analyse.

927 Maggi, Gilbert et Maggi, France B. **Langage et analyse filmiques 530-900**; lexique-cinéma. Laval, Cegep Montmorency, 1974. 76p.

Cet ouvrage regroupe un certain nombre de définitions, d'informations et de points de vue sur le cinéma. Il se divise en quatre parties: a) La caméra, le film, b) Différentes étapes de la fabrication d'un film, c) Distribution, exploitation, consommation, d) Le langage cinématographique. En addenda on retrouve des notes sur quelques formes cinématographiques dont le processus de fabrication échappe en partie au schéma classique. Ce lexique fort utile s'inscrit dans une perspective de réflexion idéologique et politique sur le cinéma.

928 Centre catholique national du cinéma, de la radio et de la télévision. **La législation et la réglementation civiles des séances récréatives de cinéma pour les enfants dans la province de Québec;** mémoire. Montréal, 1960. 17p.

Mémoire présenté par le CCNCRT au premier ministre Jean Lesage. On y plaide pour le maintien de l'interdiction aux moins de 16 ans à cause de l'influence néfaste du cinéma et de l'importance de maintenir une saine atmosphère récréative par des séances organisées spécialement pour les enfants.

929 Québec (Province) Bureau de censure du cinéma. **Législation sur le cinéma 1909-1966: codification.** Montréal, 1967. 2 tomes en 1 v.

Réimpression des textes de tous les lois, règlements, arrêtés-en conseil, directives ministérielles de 1912 à 1966, des décisions de régie interne pour l'administration de toutes les mesures législatives concernant la censure et de divers documents sur le sujet. Un ouvrage de référence essentiel pour toute étude sérieuse de la censure. Cet important dossier fut monté par Lucien Desbiens.

930 Mallet, Marie-Louise. **Lentement.** Montréal, Office national du film du Canada, 1974. 12p.

Scénario d'un épisode de IL N'Y A PAS D'OUBLI. À noter que la réalisatrice écrit dorénavant son prénom Marilu.

931 Howe, John. **Letter Sent to the Prime Minister of Canada.** Montréal, Syndicat général du cinéma et de la télévision — ONF, 1969. 5p.

Réactions du syndicat aux mesures de crise annoncées par le gouvernement canadien.

932 Pie XII. **Lettre encyclique "Miranda Prorsus" de Sa Sainteté le Pape Pie XII sur le cinéma, la radio et la télévision, 8 septembre 1957.** Sherbrooke, Apostolat de la Presse, 1958. 46p. (Actes pontificaux, no 88)

Encyclique actualisant la pensée de l'église sur les communications de masse.

933 Pie XII. **Le   e encyclique "Miranda Prorsus" sur le cinéma, la radio et la télévision (12 septembre 1957).** Montréal, Institut social populaire, 1957. 31p. (Actes pontificaux, no 88)

934 Association des producteurs de films du Québec. **Lettre ouverte à la Société Radio-Canada.** Montréal, 1979. 66p, 6p.

Réalisée par la firme Idéacom, cette étude couvre la situation dramatique de la production indépendante face à la télévision d'État au Canada. Le premier chapitre décrit "le secteur de production indépendant: une étonnante vitalité". Le second analyse l'accès de "la production indépendante québécoise à l'antenne d'État du Canada" et les rapports entre Radio-Canada et le secteur privé. L'étude conclut de la nécessité de Radio-Canada d'accorder une plus large part aux productions privées, un meilleur temps d'antenne et d'élaborer une politique de coproduction.

934a Chamberlan, Claude et Couture, Denis. **Lettre ouverte du Cinéma Parallèle à Guy Fournier, Jean Fortier & Cie..., de l'IQC et à Denis Vaugeois, (ex-)ministre des Affaires culturelles;** Il faut mettre fin au mandat en blanc de l'Institut Québécois du Cinéma, le Parallèle dénonce l'ineptie de l'Institut. Montréal, Le Cinéma Parallèle, 1981. 5p.

Les auteurs font l'historique des positions de l'IQC face au Cinéma parallèle et au Festival international du nouveau cinéma et des vexations qu'ils ont subies. Ils dénoncent particulièrement les conflits d'intérêts où se serait placé Guy Fournier avec FANTASTICA.

935 Associated Screen News Limited, Montreal. **Lights Camera Action.** Montreal, 19?. 16p.

Brochure publicitaire abondamment illustrée sur les activités de l'ASN.

R Liste annexe d'analyses filmographiques **voir** Analyses filmographiques.

936 Collège d'enseignement général et professionnel Maisonneuve. Audiovidéothèque. **Liste cumulative de la documentation audio-visuelle organisée à l'Audiovidéothèque.** 4e éd. Montréal, 1979. 142p. & Mise à jour (mai 1980)

Comprend quelques films.

937 Office national du film du Canada. **Liste dactylographiée des films de l'ONF retirés de la distribution en 1976 (titres français).** Montréal, 1976. 8p.

938 Office national du film du Canada. **Liste dactylographiée des films de l'ONF retirés de la distribution en 1976 (versions étrangères).** Montréal, 1976. 22p.

939 Conseil québécois pour la diffusion du cinéma. **Liste dactylographiée en vue de la préparation d'un catalogue des longs métrages produits au Québec.** Montréal, 1974. 9p.

940 Office du film du Québec. **Liste d'invités au Colloque Distribu-bec.** Montréal, 1974. 72p. (Colloque Distribu-bec 21-24 mai 1974)

Liste de 456 invités.

941 Institut canadien du film. **Liste de films 16mm.** Montréal, 1960. 46p.

942 Fédération des centres diocésains du cinéma. **Liste de films convenant aux enfants: index.** Montréal, 1956. 7p.

943 Association des professionnels du cinéma (Québec). **Liste de membres au 15 mai 1977.** Montréal, 1977. 11p.

944 Québec (Province) Direction générale du cinéma et de l'audiovisuel. **Liste des compagnies accréditées par la D.G.C.A.** Montréal, 1978. 1v. (non paginé)

Il fallait qu'une compagnie soit accréditée pour obtenir un contrat du gouvernement ou pouvoir aller en appel d'offres.

945 **Liste des critiques, collaborateurs et journalistes cinématographiques québécois qui ont écrit dans les journaux, périodiques et livres (1948-1975).** Montréal, Bibliothèque de la Cinémathèque nationale. (Non publié)

946 Office du film du Québec. **Liste des films ayant une coppie 35mm.** Montréal, 1976. 9p.

947 Ciné-club Edouard-Montpetit. **Liste des films et renseignements généraux.** Longueuil, Ciné-club Edouard-Montpetit et Centre cinématographique Jean Mitry, 1972 (1972/1973) — Annuel.

948 Lefebvre, Jean. **Liste des films primés, 1966.** Montréal, Office national du film du Canada, 1966. 10p.

949 Lefrançois, Raymond. **Liste des films québécois de 1950 à 1974, années, titres, réalisateurs, producteurs, distributeurs.** Montréal, Office du film du Québec, 1975. 16p.

950 **Liste des films visés par catégories de spectateurs.** Montréal, Bureau de surveillance du cinéma. v. Mensuel.

Publication qui regroupe les films qui obtiennent chaque mois leur visa d'exploitation.

951 **Liste des participants au Colloque Distribu-bec.** Montréal, Office du film du Québec, 1974. 9p. (Colloque Distribu-bec 21-24 mai 1974)

Liste de 206 participants.

952 Office national du film du Canada.**Liste des productions ONF-SRC disponibles à MECQUE pour visionnements à la demande.** Montréal, 1979. 38p.

Productions de l'ONF et de Radio-Canada mises en vente au marché des moyens d'éducation par le cinéma et l'audiovisuel au Québec.

953 **Liste officielle des films visés pour enfants. Official List of Films Approved For Children's Showings.** 1965/1966 — Montréal, Bureau de censure du cinéma. Annuel.

Liste cumulative 1961-65 divisée en 16 et 35mm. Voir suite sous le titre "Le cinéma pour enfants"

R Little Red Riding Hood **voir** Le petit chaperon rouge.

954 Garfinkel, Bernie. **Liv Ullman et Ingmar Bergman.** Montréal, Editions Quinze, 1976.

Traduction d'un ouvrage américain. Notes sur ce couple et particulièrement sur SCÈNES DE LA VIE CONJUGALE.

955 Québec (Province) Lois, statuts, etc. **Loi abrogeant la Loi du Secrétariat et modifiant d'autres dispositions législatives.** Québec, 1969. 26p.

Ch. 26. Loi qui touche à l'Office du film du Québec.

956 Québec (Province) Lois, statuts, etc. **Loi amendant les Statuts refondus, 1909, concernant les exhibitions de vues animées.** Québec, 1912. 6p.

Ch. 36, 3 Geo V. Loi qui crée le Bureau de censure.

957 Québec (Province) Lois, statuts, etc. **Loi amendant les Statuts refondus, 1909, concernant les exhibitions de vues animées.** Québec, 1914. 4p.

Ch. 40, 4 Geo V.

958 Québec (Province) Lois, statuts, etc. **Loi amendant les Statuts refondus, 1909, concernant les exhibitions de vues animées.** Québec, 1919. 2p.

959 Québec (Province) Lois, statuts, etc. **Loi amendant les Statuts refondus, 1909, concernant les exhibitions de vues animées.** Québec, 1921. 1p.

Ch. 74, 11 Geo V.

960 Québec (Province) Lois, statuts, etc. **Loi amendant les Statuts refondus, 1909, concernant les exhibitions de vues animées.** Québec, 1922. 1p.

Ch. 57, 3 Geo V.

961 Québec (Province) Lois, Statuts, etc. **Loi amendant les Statuts refondus, 1909, relativement aux exhibitions de vues animées.** Québec, 1905. 2p.

Ch. 58, 5 Geo V.

962 Société des auteurs et compositeurs. **Loi-cadre du cinéma.** Montréal. 1971. 5p.

Points de vue et recommandations sur la loi-cadre.

963 Union des artistes. **Loi cadre sur le cinéma.** Montréal, 1975. 5p.

Critiques formulées par l'Union au projet de loi-cadre.

964 Québec (Province) Lois, statut, etc. **Loi concernant le Bureau de censure du cinéma et la surveillance des spectacles télévisés.** Québec, 1952. 3p.

Ch. 17, 1-2 Eliz II. Loi qui veut interdire la télédiffusion de films s'ils n'ont pas le visa de censure de la province.

965 Québec (Province) Lois, statuts, etc. **Loi concernant les exhibitions de vues animées.** Québec, 1911. 2p.

Ch. 34, 1 Geo V (2e session). Loi qui complète les Statuts refondus 1909 où l'on parlait des exhibitions publiques en général.

966 Québec (Province) Lois, statuts, etc. **Loi concernant les exhibitions de vues animées.** Québec, 1925. 7p.

Statuts refondus, ch. 174. Cette loi fait le point après 14 années d'amendements successifs. Elle touche principalement à l'admission des enfants et à la censure, les deux sujets chauds de l'époque. Elle est communément appelée Loi des vues animées.

967 Québec (Province) Lois, statuts, etc. **Loi concernant les exhibitions de vues animées.** Québec, 1941. 10p.

Statuts refondus, 1941. Ch. 55.

R Loi établissant une Société d'encouragement à l'industrie cinématographique canadienne **voir** Loi établissant une Société de développement de l'industrie cinématographique canadienne.

968 Canada. Lois, statuts, etc. **Loi établissant une Société de développement de l'industrie cinématographique canadienne.** Ottawa, Imprimeur de la Reine, 1966. 6p.

Bill C-204. En première lecture, l'intitulé de la loi différait légèrement.

969 Québec (Province) Lois, statuts, etc. **Loi modifiant la loi des vues animées.** Québec, 1928. 2p.

Ch. 60, 18 Geo V. Loi modifiée suite à l'incendie du Laurier Palace.

970 Québec (Province) Lois, statuts, etc. **Loi modifiant la loi des vues animées.** Québec, 1929. 2p.

Ch. 58, 19 Geo V.

971 Québec (Province) Lois, statuts, etc. **Loi modifiant la loi des vues animées.** Québec, 1930. 1p.

Ch. 75, 20 Geo V.

972 Québec (Province) Lois, statuts, etc. **Loi modifiant la loi des vues animées.** Québec, 1932. 2p.

Ch. 67, 22 Geo V.

973 Québec (Province) Lois, statuts, etc. **Loi modifiant la loi des vues animées.** Québec, 1949. 2p.

Ch. 25, 13 Geo VI.

974 Québec (Province) Lois, statuts, etc. **Loi modifiant la Loi des vues animées.** Québec, 1961. 2p.

Ch. 19, 9-10 Eliz II.

975 Québec (Province) Lois, statuts, etc. **Loi modifiant la loi des vues animées, relativement aux annonces dans les journaux.** Québec, 1930. 1p.

Ch. 76, 20 Geo V.

976 Québec (Province) Lois, statuts, etc. **Loi modifiant la loi des vues animées relativement aux représentations en plein air.** Québec, 1947. 2p.

Ch. 29, 11 Geo VI. Loi qui prohibe les ciné-parcs.

R Loi nationale sur le cinématographe **voir** Loi pour créer un Office national du film.

R Loi nationale sur le film **voir** Loi relative à l'Office national du film.

977 Canada. Lois, statuts, etc. **Loi pour créer un Office national du film.** Ottawa, 1939.

Ch. 20, 3 Geo VI. Loi nommée aussi Loi nationale sur le cinématographe. Crée l'ONF, situe son activité par rapport au Bureau du cinématographe officiel (CGMPB) et en précise le fonctionnement.

978 Québec (Province) Lois, statuts, etc. **Loi pour instaurer un service provincial de publicité.** Québec, 1946. 4p.

Ch. 44, 10 Geo VI. Le Service de ciné-photographie est rattaché au SPP.

979 Québec (Province) Lois, statuts, etc. **Loi pourvoyant à la création d'une commission royale pour s'enquérir des circonstances de l'incendie du théâtre "Laurier Palace" et de certaines autres matières d'intérêt général.** Québec, 1927. 3p.

Ch. 10, 171 Geo V.

980 Canada. Lois, statuts, etc. **Loi relative à l'Office national du film.** Ottawa, Imprimeur de la Reine, 1950. 9p.

Ch. 44, 14 Geo VI. Deuxième loi redéfinissant l'ONF.

981 Canada. Lois, statuts, etc. **Loi relative à l'Office national du film.** Ottawa, Imprimeur de la Reine, 1970. 9p.

Statuts refondus, ch. 185, Reprend la loi de 1950.

982 Québec (Province) Lois, statuts, etc. **Loi relative au Bureau de censure du cinéma.** Québec, 1938. 2p.

Ch. 77, 2 Geo VI.

983 Office du film du Québec. **Loi sur le cinéma.** Montréal, 1963. 28p.

Projet de loi rédigé par l'OFQ où l'accent est mis sur l'établissement d'un Centre cinématographique du Québec. Rédaction faite par André Guérin.

984 Grandpré, Pierre de. **Loi sur le cinéma.** Québec, Ministère des Affaires culturelles, 1966. 22p.

Rédigé à la demande de Pierre Laporte, ce projet de loi suggérait la création d'un Conseil du cinéma, d'un centre de la cinématographie du Québec, réorganisait le contrôle et la surveillance des films et réaménageait toutes les lois touchant au cinéma. Un projet de 82 articles qui n'eût pas de suites.

985 Québec (Province) Lois, statuts, etc. **Loi sur le cinéma. An Act Respecting the Cinéma.** Québec, Editeur officiel du Québec, 1976. 23p.

Réimpression de la loi sanctionnée le 19-6-75. Loi sur le cinéma pour laquelle se sont battus plusieurs cinéastes et gens du milieu durant 15 ans. Elle crée une Direction générale du cinéma et de l'audiovisuel, un Institut québécois du cinéma et un nouveau Bureau de surveillance et de classification. Cette loi ne fut jamais entièrement promulguée, donc mise en application.

986 Québec (Province) Lois, statuts, etc. **Loi sur le cinéma: bill 52. An Act Respecting the Cinema: Bill 52.** Québec, Imprimeur de la reine, 1967. 10p.

Loi qui transforme le Bureau de censure en Bureau de surveillance du cinéma.

987 Québec (Province) Lois, statuts, etc. **Loi sur le ciné:na. Cinéma Act.** Québec, Éditeur officiel du Québec, 1964. 21p.

Statuts refondus 1964, chap. 55 (15-16 Eliz. II, ch 22, a.2). Loi qui traite du Bureau de censure du cinéma, de l'admission dans les salles, de la règlementation des salles et des ciné-parcs, de la censure des affiches et des annonces. Comprend aussi les règlements.

988 Québec (Province) Lois, statuts, etc. **Loi sur le cinéma; projet de loi no 1. An Act Respecting the Cinema; Bill no. 1.** Québec, Éditeur officiel du Québec, 1975. 20p.

Texte présenté en première lecture. Comprenant 90 articles, il fut revu et augmenté.

989 Québec (Province) Lois, statuts, etc. **Loi sur le cinéma; projet de loi no 1. An Act Respecting the Cinema; Bill no. 1.** Québec, Éditeur officiel du Québec, 1975. 23p.

Ch. 14. Loi sanctionnée le 19-6-75. Comprend 104 articles.

990 Québec (Province)Lois, statuts, etc. **Loi sur le cinéma: projet de loi no 20.** Québec, Éditeur officiel du Québec, 1980. 25p.

Ce projet de loi est mort au feuilleton. Il prévoyait la refonte de la loi de 1975.

jean-pierre lefebvre

RENALD BÉRUBÉ / YVAN PATRY

les presses de l'université du québec

mon almanach
sur les media d'information
et de communication

Jean-Pierre Lefebvre

Les éditions SCRIPTOMÉDIA Inc.

CINÉMA ET CULTURE

LE LANGAGE
CINÉMATOGRAPHIQUE

ANDRE RUSZKOWSKI

2

**Journées
cinématographiques
de Carthage**

Cinémathèque québécoise / 17 janvier-2 février 1980
Bibliothèque nationale / 1700 rue St-Denis

991 **Loi sur le cinéma;** réunion tenue au bureau du Ministre des affaires culturelles à Montréal le 26 mars 1975. Transcription de l'enregistrement sur bande magnétique. Montréal, 1975. 127p.

Deuxième rencontre des représentants du ministère avec ceux du milieu du cinéma pour discuter du projet de loi qui sera bientôt déposé à l'Assemblée nationale.

992 Office national du film du Canada. **Louis-Hippolyte Lafontaine.** Montréal, 1961. 30p.

Description des bandes vidéo et audio du film de Pierre Patry.

993 Sauriol, Brigitte. **Le loup blanc.** Montréal, Association coopérative de productions audio-visuelles, 1972. 18p.

Scénario.

994 Lefebvre, Jean Pierre. **Les machines à effacer le temps;** mon almanach sur les média d'information et de communication. Montréal, Scriptomédia, 1977. 110p. (Collection Les Pamphlets du Nouveau réseau)

Notes sur les média d'information, ces machines à effacer le temps, qui envahissent la vie quotidienne, privée et sociale, par la surconsommation, la publicité, etc. L'auteur plaide pour leur silence afin de "retrouver notre véritable image individuelle et collective". Ce collage de textes et de pensées éclaire utilement le travail du cinéaste.

995 Vincente. **Les mains vides:** adaptation du film Les mains vides par Jean Filiatrault. Montréal, Fides, 1959. 107p. (Collection Rêve et vie).

Adaptation du film espagnol BALARRASSA de J.A. Nieves Conde. C'est l'histoire édifiante d'un légionnaire noceur qui devient prêtre et meurt en mission. En préface, une présentation du cardinal P.E. Léger.

996 Rached, Tahani et Schirmer, Audrey. **La maison d'Aleya.** Montréal, Office national du film du Canada, 1981. 35p.

Scénario.

997 Office du film du Québec. **Maisons de production du Québec.** Montréal, 1973. 32p.

998 Fournier, Claude et Raymond, Marie-José. **Les maitres chats.** Montréal, Onyx-Fournier, 1970?. 190p.

Scénario de LES CHATS BOTTÉS.

999 Fournier, Claude et Raymond, Marie-José. **Les maîtres chats.** Montréal, s.n., 1970?. 380p.

Scénario du film LES CHATS BOTTÉS.

1000 Jeunesse étudiante catholique. **Maîtrise du cinéma.** Montréal, 1950. 44p.

1001 Bird, Charles. **The Making of 8mm Film Loops.** Montréal, Concordia University, 1979. 118p.

Thèse de M.A. (Educational Technology). Le but de l'auteur est de vérifier si l'enseignement de la façon de réaliser des films 8mm en boucle varie selon qu'on utilise une pédagogie traditionnelle ou un film. Dans le premier cas, après un cours adéquat, 72 étudiants fabriquèrent 24 boucles sur des sujets divers. Dans le second, après avoir visionné le film THE MAKING OF 8mm LOOPS (FOR TEACHERS), 81 étudiants réalisèrent 27 bandes. La comparaison de ces deux productions ne démontra aucune différence significative entre elles au point de vue du raisonnement ou de l'énoncé des informations.

1002 Carle, Gilles. **Les mâles.** Montréal, s.n., 1969? 133p.

Scénario.

1003 Carle, Gilles. **Les mâles.** Montréal, s.n., 1970. 113p.

Scénario.

1004 Carle, Gilles. **Les mâles.** Montréal, Onyx Films, 1970. 127p.

Dialogues.

1004a Commission d'étude du gouvernement du Québec sur le cinéma et l'audiovisuel. **Mandat.** Québec, 1981. 10p.

Après avoir rappelé le rapport de l'Institut québécois du cinéma proposant une réforme des lois sur le cinéma, le document reprend l'objectif et le mandat confié par le gouvernement à la Commission. Son rapport devrait être présenté en juin 1982.

1005 Bail, René. **Manifeste pour le cinéma libre.** Montréal, S.n., 1972. 15p.

Considérations du cinéaste sur le cinéma qui, possédé par une minorité, en est aliéné mais qui se libérera en circulant librement.

R Manpower Training in the Canadian Screen Industry **voir** La formation de la main-d'oeuvre dans l'industrie des média visuels au Canada.

1006 Office national du film du Canada. Service de distribution. Service des recherches et statistiques. **Manuel provisoire sur le mode de présentation des rapports.** Montréal, 1965. 1 vol.

R Marche à suivre pour monter un ciné-bus **voir** Instructions for Setting up Cinema Vans.

1007 Québec (Province) Service général des moyens d'enseignement. **Le marché aux images.** Montréal, 1979. 46p.

Catalogue de 311 émissions ou films destinés aux enfants et qui ont été diffusés à Radio-Québec.

1008 Nicaud, Jacques. **Le marché cinématographique canadien.** Paris, *Unifrance Film*, no 40 (31 octobre 1960) 90p.

Écrite par le délégué d'Unifrance Film au Canada, cette étude fort intéressante se divise en 5 parties.
1- Conditions générales du marché canadien; incidence linguistique sur l'exploitation du film français.
2- Exploitation; les circuits au Québec.
3- Distribution; statistique et compagnies
4- Conditions cinématographiques au Canada: prix, censure, fiscalité, etc.
5- Considérations pratiques pour les producteurs-exportateurs français.
En plus de trouver dans cette étude de nombreuses informations qui n'existeraient ailleurs qu'à l'état disparate, le lecteur aura l'intérêt d'y lire des opinions pertinentes émises par un observateur étranger.

1009 Institut québécois du cinéma. **Marché du film: les XVIIe journées cinématographiques de Poitiers.** Montréal, 1979. 58p.

Participation de l'Institut québécois du cinéma aux Journées de Poitiers. Voir: Cinéma du Québec.

1010 Lamy, Suzanne et Roy, André. **Marguerite Duras à Montréal.** Montréal, Editions Spirale, 1981. 175p.

En avril 81, Duras est de passage à Montréal à l'occasion d'une rétrospective organisée par la Cinémathèque. Elle accorde des entrevues, rencontre le public. Ces textes sont repris dans le recueil. Ils sont complétés de neuf lectures de textes et de films de Duras.

1010a Cinémathèque québécoise. Musée du cinéma. **Marguerite Duras; Films.** Montréal, 1981. 12p.

Publiée à l'occasion d'une rétrospective à la Cinémathèque, cette brochure se compose essentiellement d'un texte-hommage de Patrick Straram et d'une biblio-filmographie.

1011 Plamondon, Léo et Roux, Gilles. **Marie et Charles ou Vivre au futur.** Trois-Rivières, Les films de la girouette, 1975. 18p.

Synopsis d'un film non-réalisé.

1012 Harvey, Gérard. **Marins du Saint-Laurent.** Postface de Pierre Perrault. Montréal, Éditions du Jour, 1974. 310p. (Collection Un bon bout de chemin; v.1)

Longue postface (63 pages) de Perrault qui fait écho à son film LES VOITURES D'EAU.

1013 Carrier, Roch. **Le martien de Noël.** Montréal, s.n., 1970. 115p.

Deuxième version du scénario du film de Bernard Gosselin.

1014 La Rochelle, Réal. **Mass-media, cinéma et idéologie (productions culturelles et production idéologique);** cours 530-905. Laval, Cegep Montmorency, 1974. 64p.

Manuel-guide pour un cours sur l'idéologie du cinéma. Se divise en 3 parties.
1- Qu'est-ce que l'idéologie
2- Idéologie: image renversée et faussée de la réalité
3- Rôle actif de l'idéologie et de ses appareils de production

1015 Dubuc, Jean-Guy. **Mass-media: pour ou contre dieu?** Montréal, Beauchemin, 1971. 119p. (Pensée actuelle)

Prêtre et ex-directeur de l'Office des communications sociales, l'auteur fut appelé à donner quelques conférences à l'Université Saint-Paul d'Ottawa. Ce sont ces pistes de réflexions qu'il publie ici: la culture nouvelle et le dieu d'autrefois, la nouvelle morale des mass-media, la foi chrétienne à l'âge électronique, le cinéma et le sacré, communication et communion, McLuhan et l'Église. En conclusion, l'auteur invite l'Église à s'adapter et à profiter des mass-media.

1016 Centre catholique national du cinéma, de la radio et de la télévision. **Matériel audio-visuel pour l'initiation au cinéma et à la télévision.** Montréal, 1960. 11p.

1017 Daudelin, Robert. **Matjaz Klopcic.** Montréal, Cinémathèque québécoise, Musée du cinéma, 1979. 20p.

Brochure consacrée au cinéaste slovène. Entretien et filmographie.

1018 Latour, Pierre. **La maudite galette;** dossier établi par Pierre Latour sur un film de Denys Arcand. Montréal, Éditions Le Cinématographe & VLB Éditeur, 1979. 105p. (Le Cinématographe)

Découpage après montage, présentation, bio-filmographie, extraits de presse.

1019 Lefebvre, Jean Pierre. **Les maudits sauvages ou L'eau de vie.** Montréal, s.n., 1970. 55p.

Scénario.

1020 McGill University. Instructional Communications Center. Film Library. **McGill University, Instructional Communications Center Film Library Catalogue.** Montréal, 1974. 67p. & 2 suppléments.

1021 Glover, Guy. **McLaren.** Montréal, Office national du film du Canada, 1980. 31p.

Luxueuse brochure-hommage au grand cinéaste d'animation. Sa vie, sa carrière, ses oeuvres. Iconographie abondante. Existe en version française et en version anglaise.

1022 Lambart, Evelyn. **McLaren's Techniques as Developed at the National Film Board of Canada 1940-1962 (up to and Including "Opening Speech").** Montréal, National Film Board of Canada, 1962. 8p.

Exposé des techniques de McLaren par celle qui fut souvent sa collaboratrice. Le texte fait référence à de nombreuses photos qui illustrent ces techniques.

R Measures Recommanded by l'Association professionnelle des cinéastes to the Government of Canada in Order to Encourage the Development of a Feature Film Industry Compatible with the Country's Economic and Cultural Aspirations **voir** Mesures que l'Association professionnelle des cinéastes recommande au gouvernement du Canada...

R Media Catalogue **voir** Catalogue de media.

1023 Le Moyne, Jean. **La médiation de l'ONF.** Montréal, Office national du film du Canada, 1967. 20p.

Rédigé à la demande du directeur de la production française, ce texte se veut une réflexion sur l'ONF auquel l'auteur assigne une mission: la médiation entre les dynamismes de l'époque et le peuple canadien. Ce texte fait partie des documents qui alimentèrent le colloque sur l'ONF qui eut lieu au Mont-Gabriel en août 1967. Il est suivi d'un appendice de huit pages.

1024 Bonin, Laurier. **Le médium "film" et les habiletés cognitives: l'enseignement de la notion de temps par le film.** Montréal, Université de Montréal, 1977. 113p.

Thèse de M. Sc. (communication). Puisque les avis sont partagés sur la capacité du film de développer une habileté mentale, l'auteur entreprend de vérifier cette hypothèse auprès d'un public des 2e et 3e années primaires. Il prépare donc un film, L'ÂGE DES FLEURS, et étudie si, après la représentation, les élèves ont compris la notion d'âge. Les résultats obtenus le conduisent à élaborer une stratégie d'enseignement par le film. Sa recherche démontre donc que le développement d'une notion temporelle peut être suscité par la présentation d'un film montrant les transformations explicites des opérations constitutives de cette notion.

1025 Cinémathèque québécoise. Musée du cinéma. **Mémoire.** Montréal, 1975. 8p.

Feuillets décrivant l'activité et les réalisations de la Cinémathèque.

1026 Conseil québécois pour la diffusion du cinéma. **Mémoire.** Montréal, 1975. 18p.

Mémoire soumis lors de la consultation qui suivit l'adoption en première lecture du projet de loi sur le cinéma. Le Conseil ne prise pas du tout le projet de loi, décrit en détail le contrôle étranger sur notre cinéma et souhaite que la loi s'attaque aux vrais problèmes.

1027 Les Films du Crépuscule. **Mémoire.** Montréal, 1979. 10p.

Texte écrit dans le cadre de la consultation sur le Livre bleu. Après avoir fait l'historique de la production et de la distribution au Québec, cette maison de distribution conclut que seul le cinéma à petit budget est "rentabilisable".

1028 Conseil de la culture de la région de Québec. **Mémoire à l'intention du Ministre des Communications présenté le 27 avril 1979.** Québec, 1979. 7p.

Mémoire remis dans le cadre de la consultation sur le Livre bleu. Le Conseil se prononce sur la plupart des aspects du livre bleu.

1029 Institut québécois du cinéma. **Mémoire au CMPDC, production certifiée québécoise.** Montréal, 197-? 14p.

Proposition d'une définition de "production québécoise". Problématique, politiques qui se pratiquent ailleurs, paramètres, éléments d'une définition.

1030 Fédération des auteurs et des artistes du Canada. **Mémoire au Comité d'enquête de la radiodiffusion.** Montréal, 1964. 85p.

Mémoire d'une fédération qui regroupe à Montréal l'Union des Artistes et la Société des Auteurs et Compositeurs, à Québec la Société des Artistes et à Ottawa le Syndicat du Spectacle. Il plaide en faveur d'un véritable régime national de radiodiffusion.

1031 Bouchard et associés et Secas-Adimec. **Mémoire au Ministre des Communications du gouvernement du Québec ce 23 mars 1979.** Montréal, 1979. 7p.

Mémoire déposé lors de la consultation sur le Livre bleu. Les deux compagnies parlent ici au nom du Mecque, un organisme qui oeuvre pour la production et la diffusion de documents audiovisuels à usage éducatif. Après avoir exposé les problèmes de ce marché, les auteurs dénoncent la concurrence des organismes publics.

1032 Poirier, André. **Mémoire concernant la distribution des films d'expression française au Canada.** Montréal, Association canadienne des distributeurs indépendants d'expression française, 1964.

Étude faite pour le compte de l'ACDIEF.

1033 Association québécoise des distributeurs de films et Association of Independent and Canadian Owned Motion Picture Distributors. **Mémoire conjoint.** Montréal, 1978.

1034 **Mémoire conjoint. Création du Centre cinématographique du Québec.** Montréal, 1971. 19, 2p.

Mémoire élaboré par les associations suivantes: Association canadienne des distributeurs indépendants de films d'expression française, Association des propriétaires de cinémas du Québec, Association des producteurs de films du Québec, Association professionnelle des cinéastes du Québec, Association canadienne des distributeurs de films (MontrEal Film Board), Société des auteurs et compositeurs, Society of Filmmakers (section québécoise), Syndicat général du cinéma et de la télévision (section ONF), Syndicat national du cinéma, Union des artistes. Pour certaines parties du mémoire, quelques associations furent dissidentes. Le mémoire aborde les points suivants: les objectifs du centre, sa composition, sa régie, sa gestion du fonds, le mode d'octroi de primes à la qualité, la coproduction. Le rapporteur était Raymond-Marie Léger.

1035 Thiboutôt, Yvon. **Mémoire d'évaluation des recommandations apparaissant au document de travail du ministère des Communications intitulé "Vers une Politique du Cinéma au Québec" ainsi que du document préparé par le groupe de travail des Hautes Études Commerciales et intitulé "Recherche sur la diffusion du long métrage et sur les considérations financières d'une nouvelle formule de visa favorisant le développement de l'industrie québécoise du Cinéma", mémoire préparé par l'Union des Artistes suite à son intervention devant le Comité ministériel en date du 23 mars 1979.** Montréal, Union des artistes, 1979. 6p.

Tout en appuyant les recommandations gouvernementales, l'Union met en garde contre toute centralisation qui donnerait prise à un dirigisme culturel et souhaite une action énergique dans le domaine du doublage.

1036 Cloutier, Léo. **Mémoire de Ciné-campus (Trois-Rivières) inc.** Trois-Rivières, 1979. 5, 5p.

Texte écrit dans le cadre de la consultation sur le Livre bleu. L'auteur décrit la situation des salles dites parallèles et s'élève en faux contre la classification des salles proposées.

1037 Viau, Bélanger & Associés. **Mémoire de l'Association canadienne des distributeurs de films en réponse au document de travail intitulé "Vers une politique du cinéma au Québec", préparé pour le Ministère des communications du Québec.** Montréal, 1979. 1v. (paginations diverses)

Mémoire de l'Association qui regroupe les gros distributeurs (en majorité américains). Leurs griefs portent surtout sur la possibilité de l'imposition d'une taxe sur les redevances provenant de la location de films, sur la restriction de leurs droits de distributeurs de films non-québécois, sur la possibilité de soumettre les rapports entre distributeurs et propriétaires de salles à des contrôles gouvernementaux et sur la possibilité d'obliger les propriétaires à présenter un court métrage avec leur long métrage. L'association souhaite que la production québécoise s'oriente vers des films reflétant essentiellement notre culture et notre identité mais doute qu'un apport financier additionnel gouvernemental puisse aider à la réalisation de cet objectif et à la création d'une industrie viable.

1038 Association canadienne des distributeurs indépendants de films d'expression française. **Mémoire de l'Association canadienne des distributeurs indépendants de films d'expression française remis à Monsieur Guy Frégault, sous-ministre des affaires culturelles, le 3 septembre 1971.** Montréal, 1971. 5p.

Réactions au document de travail du ministère portant sur la loi du cinéma et recommandations.

1039 Office catholique national des techniques de diffusion. **Mémoire de l'Office catholique national des techniques de diffusion à l'Honorable Procureur général de la province de Québec sur la censure des films.** Montréal, 1962. 41p.

Enonciation du point de vue catholique en matière de censure. L'Office veut le maintien de la censure ou contrôle, suggère 3 paliers d'âge, recommande des modifications de structure et des normes de jugement moral pour accepter ou refuser un film.

1040 Office catholique national des techniques de diffusion. **Mémoire de l'Office catholique national des techniques de diffusion à la Commission Laurendeau-Dunton.** Montréal, 196-? 8p.

Plaidoyer pour l'aide aux films doublés ou sous-titrés en français.

1041 Office national du film du Canada. **Mémoire de l'Office national du film du Canada soumis à un comité de la Commission de la radio-télévision et des télécommunications canadiennes en réponse à l'avis public du 8 janvier 1980 sur le prolongement des services au Grand Nord et aux communautés éloignées, etc.** Montréal, 1980. 46p.

Positions de l'ONF sur le Grand Nord et la télévision et réflexions sur la radiodiffusion (problèmes de programmation et d'argent, émissions canadiennes, distribution par satellite).

1042 Haché, Rolland. **Mémoire de la coordination provinciale du cinéma.** Montréal, 1979. 10p.

Réactions des professeurs de cinéma de niveau collégial au Livre bleu. Ils font le bilan de l'enseignement du cinéma au Québec et proposent des changements.

1043 Fédération de l'industrie du cinéma du Québec. **Mémoire de la Fédération de l'industrie du cinéma du Québec adressé au Premier Ministre M. J.J. Bertrand.** Montréal, 1970. 13p.

Plaidoyer pour l'implication plus grande du gouvernement du Québec dans le cinéma. À noter que ce fut Robert Bourassa qui reçut le mémoire.

1044 Fédération québécoise de l'industrie du cinéma. **Mémoire de la Fédération québécoise de l'industrie du cinéma remis au premier ministre du Québec, M. Robert Bourassa.** Montréal, 1970. 29p.

Cette fédération regroupe l'Association des producteurs de films du Québec, l'Association professionnelle des cinéastes du Québec, l'Association canadienne des distributeurs indépendants de films d'expression française, le Syndicat général du cinéma et de la télévision — ONF, l'Union des artistes et le Syndicat général du cinéma. Le mémoire aborde la situation du cinéma au Québec, énonce son point de vue sur la loi du cinéma et la création d'un centre du cinéma.

1045 Godbout, Jacques. **Mémoire de la production française de l'Office national du film du Canada présenté au directeur général M. Bertrand par le directeur de la production française.** Montréal, 1969. 31p.

Propositions structurelles pour renforcer l'ONF (qui n'est pas, selon l'auteur, la même chose que le NFB) tant en production qu'en distribution. Fournit plusieurs organigrammes et définitions de tâche.

1046 Frégault, Guy. **Mémoire de M. Pierre Laporte au Conseil des ministres sur l'action culturelle par le cinéma.** Québec, Ministère des Affaires culturelles, 1965.

Énoncé qui explique le rôle de l'État en matière de cinéma. Annonce le livre blanc du Ministère de la même année.

1047 **Mémoire des cinéastes de la production française au conseil d'administration de l'Office national du film.** Montréal, 1973. 86p.

Version longue d'un mémoire (No 1048) qui sera fusionné avec celui de la section anglaise.

1048 **Mémoire des cinéastes de la production française et de la production anglaise au conseil d'administration de l'Office national du film/Brief Presented to Members of the NFB by the Film-Makers of English and French Production.** Montréal, 1973. 97p.

Mémoire écrit en anglais (les francophones ne sont pas satisfaits de la traduction) qui fusionne deux mémoires homonymes. Il veut démontrer que l'administration et la programmation de l'ONF échappe de plus en plus au conseil d'administration et au commissaire. On y parle de l'originalité de l'ONF, de ses revenus, de sa programmation, de l'absence de politique culturelle fédérale et des compétences perdues au profit du Secrétariat d'État. La seconde partie retrace l'historique de l'évolution de la production française et plaide en faveur de son développement à l'avenir.

1049 Comité des ciné-clubs. **Mémoire du Comité des ciné-clubs à la Commission royale d'enquête sur l'enseignement.** Montréal, 1962. 19p.

Mémoire qui recommande l'instauration d'une politique d'éducation cinématographique à tous les niveaux scolaires.

1050 Comité des ciné-clubs. **Mémoire du Comité des ciné-clubs au procureur général de la province de Québec.** Montréal, 1962. 9p.

Réactions du Comité des ciné-clubs au rapport du Comité provisoire chargé par le gouvernement de préparer des recommandations pour la réforme de la loi sur la censure du cinéma. On retrouve dans ce comité notamment les cinéastes Guy L. Coté et Jean Pierre Lefebvre.

1051 Québec (Province) Comité provisoire pour l'étude de la censure du cinéma. **Mémoire du Comité provisoire sur l'étude de la censure du cinéma.** Québec, Imprimeur de la Reine, 1962. 124p.

Mémoire du Comité chargé de préparer des recommandations pour la réforme de la loi sur la censure des vues animées et pour la réorganisation du bureau de censure. Le mémoire comprend plusieurs parties: 1- Etude de la question; rappel de la situation actuelle et nature du phénomène. 2- La loi des "vues animées" considérée comme loi positive et ses effets moraux. 3- Dimensions psychologiques du phénomène de la censure. Ensuite viennent les recommandations. En annexe on retrouve les règlements actuels (1961), les procédures du bureau de censure, le rapport des audiences accordées aux distributeurs, une opinion légale sur la loi et des documents sur les recettes et dépenses du Bureau. Ce texte est connu sous le nom de "rapport Régis", du nom de son président Louis-Marie Régis, O.P.

1052 Office des communications sociales. **Mémoire en prévision de la loi-cadre du cinéma présenté au Ministre des affaires culturelles du Québec.** Montréal, 1971. 21p.

Rappelant ses nombreux mémoires depuis 10 ans sur le sujet d'une loi-cadre, l'OCS énonce les principes directeurs d'une telle loi, fait un certain nombre de recommandations et réfléchit sur l'importance du cinéma dans l'évolution culturelle du Québec.

1052a Labrecque, Jacques. **Mémoire, loi cadre sur le cinéma.** Sherbrooke, Université de Sherbrooke. Centre culturel, 1981. 7p.

Intervention devant la Commission d'étude sur le cinéma et l'audiovisuel qui vise surtout les cinémas parallèles. L'auteur en décrit les difficultés et les avantages et espère leur reconnaissance officielle et le respect de leur originalité régionale.

1053 Institut québécois du cinéma. **Mémoire: politique d'aide automatique pour le cinéma.** Montréal, 1979. 21p.

Mémoire qui a pour objet d'exposer la nécessité d'une aide automatique pour développer l'industrie cinématographique nationale et favoriser la culture cinématographique. Pour rencontrer cet objectif, différent de l'aide sélective, l'IQC doit se constituer un nouveau fonds; le mémoire énonce diverses hypothèses pour ce faire. Finalement il indique les modalités de cette aide.

1054 Chambre de commerce des jeunes du district de Montréal. **Mémoire préparé à l'intention de l'Honorable premier ministre de la province de Québec Me Jean Lesage, respecteuesement soumis par la Chambre de commerce des jeunes du district de Montréal à l'occasion de sa visite parlementaire annuelle.** Montréal, 1964. 19p.

La Chambre recommande que l'État institue un Centre du cinéma, favorise la création du long métrage au Québec, retourne au cinéma l'argent provenant du cinéma et favorise l'éducation cinématographique.

1054a Association des réalisateurs et réalisatrices de film du Québec. **Mémoire présenté à la Commissions d'étude sur le cinéma et l'audio-visuel.** Montréal, 1981. 19p.

Mémoire un peu désabusé qui vient encore répéter ce que l'Association avance depuis dix ans. Pour chaque citation de mémoire antérieur, l'Association montre l'accueil qui lui fut réservé. Elle déplore le manque de volonté politique du gouvernement et demande que le cinéma québécois puisse vivre et croître.

1054b Pageau, Pierre. **Mémoire présenté à la "Commission d'étude sur le cinéma et l'audio visuel".** Montréal, s.n., 1981. 14p.

Professeur de cinéma et coordonateur provincial en cinéma (réseau collégial), l'auteur ramène les positions semi-officielles de la Coordination. Il propose d'abord la création éventuelle d'une école de cinéma. Il analyse ensuite les besoins des professeurs de cinéma quant aux services de documentation et de cinémathèque.

1054c Syndicat des travailleurs en communication de l'Abitibi-Témiscamingue. **Mémoire présenté à la Commission d'étude sur le cinéma et l'audio-visuel par le Syndicat des travailleurs en communication de l'Abitibi-Témiscamingue.** Noranda, 1981. 7p.

Le Syndicat plaide pour un cinéma à budget modéré et bien inscrit dans le dynamisme des régions. En annexe, une brève filmographie régionale.

1055 Office catholique national des techniques de diffusion. **Mémoire présenté à la Commission Parent.** Montréal, 1962. 67p.

Le mémoire met surtout l'accent sur l'éducation cinématographique et les ciné-clubs et recommande d'instaurer l'enseignement du cinéma à l'école, de former les futurs enseignants au cinéma, d'encourager l'établissement de ciné-clubs et de constituer une cinémathèque scolaire provinciale.

1056 Office national du film du Canada. **Mémoire présenté à la Commission royale d'enquête sur l'avancement des arts, des lettres et des sciences au Canada.** Ottawa, 1949. 84p.

Important mémoire qui souligne l'activité de l'ONF et fait part de ses projets d'avenir dans la télévision notamment. Un tel mémoire, à une époque où certains exigeaient la peau de l'ONF a pu contribuer à son renforcement.

1057 Association des propriétaires de cinémas du Québec. **Mémoire présenté à la Commission royale d'enquête sur la fiscalité par l'Association des propriétaires de cinémas du Québec inc. concernant la taxe d'amusement sur le cinéma.** Montréal, 1964. 8p.

Mémoire pour réclamer l'abolition de la taxe d'amusement sur les représentations cinématographiques que les propriétaires de salles estiment être un fardeau injuste et qui les place dans une impasse financière. Le mémoire comporte trois tableaux de données comparatives sur la dite taxe.

R Mémoire présenté au Ministère des affaires culturelles **voir** Rapport.

1058 Association féminine d'éducation et d'action sociale. **Mémoire présenté au Ministère des affaires culturelles en prévision de la loi-cadre du cinéma.** Montréal, 1972. 24p.

L'AFEAS demande que la loi porte une attention spéciale au respect de la dignité de la femme, au respect de l'amour humain et à l'appréciation des valeurs familiales et que ces principes gouvernent la programmation, la publicité, la surveillance et l'enseignement.

1059 Association des propriétaires de cinémas du Québec. **Mémoire présenté au Ministre des affaires culturelles du Québec par l'Association des propriétaires de cinémas du Québec inc.** Montréal, 1970. 9p.

Mesures suggérées pour assurer la rentabilité de l'industrie du cinéma et protéger les intérêts des exploitants.

1060 Association professionnelle des cinéastes. **Mémoire présenté au premier ministre du Québec par l'Association professionnelle des cinéastes.** Montréal, 1964. 20p.

Parlant essentiellement du long métrage, le rapport touche d'abord à l'importance du cinéma (culture, création et économie), puis décrit la situation actuelle pour enfin préconiser un certain nombre de mesures économiques. Ce mémoire complète celui présenté au Secrétaire d'Etat (No 1088) et celui intitulé "Vingt-deux raisons pour lesquelles le gouvernement du Canada..." Ce mémoire existe aussi en anglais.

R Mémoire présenté au Secrétaire d'Etat du Canada par l'Association professionnelle des cinéastes **voir** Mesures que l'Association professionnelle recommande au gouvernement du Canada...

1060a Association des producteurs de films du Québec. **Mémoire présenté par l'Association des producteurs de films du Québec (APFQ) à la Commission d'étude sur le cinéma et l'audio-visuel.** Montréal, 1981, 6p.

Après avoir rappelé les différents types de production cinématographique, l'APFQ demande que la future loi tienne compte de cette cohérence, déplore la concur-

rence étatique et recommande des mesures pour consolider légalement et économiquement l'industrie du cinéma et de l'audiovisuel au Québec. Cela implique une consolidation de l'Institut québécois du cinéma.

1061   Association des réalisateurs de films du Québec. **Mémoire présenté par l'Association des réalisateurs de films du Québec à la Commission parlementaire sur le projet de loi no 1 sur la langue.** Montréal, 1977. 4p.

Mémoire appuyant le projet de loi, réclamant une charte de la culture québécoise et revendiquant le français comme langue du cinéma.

1062   Association professionnelle des cinéastes. **Mémoire présenté par l'Association professionnelle des cinéastes au Comité de la radio-diffusion.** Montréal, 1964. 21p.

Réflexions sur les aspects de la relation cinéma/télévision qui affectent la profession de cinéastes.

1063   Cinémathèque canadienne. **Mémoire présenté par la Cinémathèque canadienne au Conseil des arts de la région métropolitaine de Montréal.** Montréal, 1965. 9p.

Mémoire d'activités pour fins de subventions.

1064   Centre catholique national du cinéma, de la radio et de la télévision. **Mémoire présenté par le Centre catholique national du cinéma, de la radio et de la télévision (secteur français) à l'Honorable Jean Lesage, premier ministre de la province de Québec concernant la législation et la réglementation civiles des séances récréatives de cinéma pour les enfants dans la province de Québec.** Montréal, 1960. 13, 2p.

Mémoire sur l'admission des jeunes de moins de 16 ans au cinéma. Le Centre prône un contrôle strict, une sélection des films, une meilleure surveillance et l'organisation de séances spéciales.

1065   Conseil québécois pour la diffusion du cinéma. **Mémoire présenté par le Conseil québécois pour la diffusion du cinéma.** Montréal, 1975. 35p.
— **Annexes au mémoire.** Montréal, 1975, 1v. (non paginé)

Mémoire décrivant les activités du CQDC. L'annexe regroupe des rapports plus détaillés sur les activités.

1066   Conseil québécois pour la diffusion du cinéma. **Mémoire présenté par le Conseil québécois pour la diffusion du cinéma au Ministère des affaires culturelles du Québec.** Montréal, 1968. 19p.

Le mémoire comprend des renseignements généraux sur le conseil, ses projets et ses prévisions budgétaires.

1067   Conseil québécois pour la diffusion du cinéma. **Mémoire présenté par le Conseil québécois pour la diffusion du cinéma au Ministère des communications.** Montréal, 1976. 1v. (non paginé)

Rapport des activités du CQDC.

1068   Syndicat général du cinéma et de la télévision. **Mémoire présenté par le Syndicat général du cinéma et de la télévision — ONF au Comité permanent de la radiodiffusion, des films et de l'assistance aux arts.** Montréal, 1970. 32p.

Ce mémoire aborde tous les problèmes rencontrés par l'ONF à cette période de crise, devise sur ses orientations, le démarque par rapport à l'entreprise privée, touche à ses relations avec la télévision et se penche sur le projet de filmothèque automatique. Dans les Procès-verbaux et témoignages du Comité permanent..., # 19, 26-2-70, pp. 1 à 87, ce mémoire est repris intégralement ainsi que les minutes de l'interrogation des délégués du SGCT. Le comité étudiait alors le budget des dépenses de l'ONF pour l'année se terminant en mars 71.

1069   Syndicat général du cinéma et de la télévision — ONF. **Mémoire présenté par le Syndicat général du cinéma et de la télévision — ONF au Ministère des affaires culturelles du Québec.** Montréal, 1971. 6p.

Point de vue du syndicat sur la loi du cinéma. Il demande la création d'une Régie du cinéma québécois.

1070   Syndicat général du cinéma et de la télévision — ONF. **Mémoire présenté par le Syndicat général du cinéma et de la télévision (section ONF) au CRTC.** Montréal, 1970. 22p.

Le mémoire appuie d'abord la politique du CRTC concernant la programmation canadienne. Puis il se penche sur quelques problèmes présents et futurs de l'ONF: régionalisation, télévision, cablodiffusion, filmothèque automatique (fait l'objet d'un long appendice). Le SGCT souhaite finalement que le CRTC étudie la question de l'utilisation des films de l'ONF par les télédiffuseurs. Ce mémoire existe aussi en anglais.

1071   Fédération québécoise de l'industrie du cinéma. **Mémoire remis à Robert Bourassa et François Cloutier.** Montréal, 1971.

1071a Association vidéo et cinéma du Québec (**Mémoire soumis à la Commission d'étude sur le cinéma et l'audiovisuel**). Montréal, 1981, 5p.

Dénonçant la Commission et son fonctionnement, l'Avecq, demande à l'Etat de favoriser une politique de production de cinéma culturel et termine par une citation du Manifeste du cinéma parallèle (voir Lettre ouverte du Cinéma parallèle...)

1071b Marcoux, Bondfield. (**Mémoire soumis à la Commission d'étude sur le cinéma et l'audiovisuel**). Montréal, Union des artistes, 1981. 3p.

Mémoire qui revendique la participation des artistes québécois à l'industrie cinématographique québécoise, et particulièrement dans le domaine du doublage.

1072 Office national du film du Canada. **Mémoire sur l'ONF et les écoles.** Montréal, 1960?. 11, 8p.

Ce mémoire porte surtout sur l'historique des rapports entre le Québec et l'ONF au plan de la distribution et sur l'utilisation de ses films dans un domaine de juridiction provinciale.

1073 Office des techniques de diffusion, Amos. **Mémoire sur l'organisation régionale de l'éducation cinématographique présenté aux commissions scolaires régionales Lalonde, Harricana, La Vérendrye, Du Cuivre.** Amos, 1966. 80p.

Ce mémoire d'inspiration catholique comprend 4 chapitres:
1- Documents critiques: décret conciliaire et rapport Parent.
2- Description des activités d'éducation cinématographique.
3- Organisation matérielle de l'enseignement cinématographique.
4- Documentation générale.
En annexe, on retrouve les films proposés et une bibliographie.

1074 Fédération des cinémathèques et des conseils du film de la province de Québec. **Mémoire sur l'utilisation du film dans l'enseignement, présenté à la Commission royale d'enquête sur l'enseignement.** Québec, 1962. 87p.

Ce mémoire comprend en fait cinq parties:
1- Historique de la Fédération par Jacques Gagné.
2- Document sur la place du cinéma dans l'enseignement scolaire par Roch Demers.
3- L'utilisation du film dans l'enseignement par Evariste-Charles Jacob.
4- La distribution du film documentaire par Roger De Bellefeuille.
5- Un mémoire sur l'éducation populaire et l'atelier du film par Jacques Beaucage.

1075 Office catholique national des techniques de diffusion. **Mémoire sur la moralité des représentations cinématographiques dans la province de Québec.** Montréal, 1966. 3, 10p.

Mémoire qui souhaite l'adoption d'une nouvelle loi sur la censure cinématographique qui reviserait les catégories d'âge d'admission. En annexe, statistiques sur les cotes morales, les films interdits aux moins de 10 ans en France et présentés ici, liste des films classifiés "à proscrire" dans divers pays avec motivation de la cote, programmation des salles de cinéma le 20-11-65 et liste des films acceptés pour enfants.

1075a Bachand, Guy. **Mémoire sur le cinéma québécois.** North Hatley, 1981. 2p.

Ecrit par un exploitant de salle, ce mémoire déplore le manque de films québécois vraiment commerciaux et en demande cinquante-deux par année.

1076 Institut canadien d'éducation des adultes. **Mémoire sur le projet de loi no 1 sur le cinéma.** Montréal, 1975. 11p.

Ce mémoire souligne les "failles graves de ce projet de loi" et propose un certain nombre d'autres possibilités quant à l'autonomie des structures d'application de la loi, à la promotion des films ouverts à la culture populaire et aux courants novateurs et à la participation du public aux décisions.

1077 Grandpré, Pierre de et Léger, Raymond-Marie. **Mémoire sur les éléments d'une politique du cinéma pour le Québec.** Montréal, Office du film du Québec, 1970. Paginations diverses.

Dossier introductif à la problématique du cinéma au Québec. Il regroupe plusieurs textes autonomes:
1- Pierre de Grandpré. L'État québécois et le cinéma. 22p. Repères chronologiques et extraits de quelques documents essentiels.
2- Pierre de Grandpré, Raymond-Marie Léger. Cheminement critique pour une politique du cinéma. 4p.
3- Jean Gagnon. Extension de la procédure No 11. 10p. Sur l'autonomie budgétaire et l'autofinancement de l'organisme responsable du cinéma.
4- Raymond-Marie Léger. Fonds permanent de soutien à l'industrie. 15p. Projection de rentabilité sur cinq ans.
5- Raymond-Marie Léger, Jean Tellier. Exonération totale des frais de censure pour les films québécois; réduction des frais de censure pour les films en langue française. 12p. Comprend plusieurs tableaux du BSCQ.
6- Office du film du Québec et fonds de soutien: inventaire des principaux projets en suspens. 12p.

7- *Comparaison des deux projets de loi-cadre de 1963 et de 1965. 3p.*
8- *Organigramme du Centre du Cinéma du Québec. 16p. Brèves descriptions des fonctions de chacune des directions.*
9- *Raymond-Marie Léger. Financement et budget du Centre du cinéma du Québec (essai de budget pour 1971-1972). 9p. Comprend en annexe le tableau des traitements versés par les organismes gouvernementaux et par l'industrie privée en regard de ceux pratiqués à l'OFQ.*
10- *Raymond-Marie Léger. Modalités d'utilisation du Fonds de soutien à l'industrie. 9p.*
11- *Ottawa, le cinéma et les communications. 9p. On conclut qu'Ottawa est sur le point d'achever d'occuper tout l'espace du cinéma et des communications.*
12- *Raymond-Marie Léger. Cinéma québécois: situation d'ensemble. Diagnostic 1970: une santé étonnante. 4p.*
Annexe 1- Longs métrages produits au Canada depuis 1960. Le long métrage à travers le monde. Liste des longs métrages québécois produits depuis 1960. 9p.
Annexe 2- Raymond-Marie Léger. Quelques principes directeurs pour la rédaction de la loi-cadre du cinéma portant sur la création du Centre cinématographique du Québec. 3p.

1078 Audiences publiques sur le cinéma, Rimouski, 1979. **Mémoires des organismes de la région de l'Est du Québec.** Rimouski, 1979. 1v. (paginations diverses)

Ce volume regroupe les mémoires des organismes et personnes suivants: Conseil régional de développement de l'Est du Québec, Conseil de la culture de l'Est du Québec, Cinéma 4, Cegep de Rimouski, Normand Gobeil, Pelletier et Bouffard enr., Société de production sous-marine de Gaspé. Toutes ces personnes répondent à la consultation organisée autour du Livre bleu (VERS UNE POLITIQUE DU CINÉMA AU QUÉBEC). Certains plaident pour une régionalisation, d'autres en faveur d'une audiovidéothèque, d'autres déplorent la situation du cinéma dans leur région. Au total, 92 pages pour prendre le poulx de l'est du Québec cinématographique.

1079 Kidd, James Robbins. **Memorandum on Film Censorship in Canada.** Ottawa, s.n., 1950. 81p.

Annexe au rapport du Special Committee on Film Services to the Joint Planning Commission. L'auteur parle de la censure au Québec et plaide pour la liberté de circulation des films.

1080 Syndicat général du cinéma et de la télévision — ONF. **Memorandum on the Proposed National Film Policy Prepared by the Executive of the SGCT-NFB, July 1970, for Submission to the Secretary of State.** Montréal, 1970. 32p.

Considérations sur le fonctionnement et les problèmes de l'ONF.

1081 Association professionnelle des cinéastes. **Memorandum Submitted to the Board of Broadcast Governors.** Montréal, 1964. 5p.

Abrégé du mémoire en français portant sur le contenu canadien et le contingentement.

1082 Pelletier, Gérard. **Memorandum to Cabinet;** Government Film Policy. Ottawa, Secrétariat d'Etat, 1971. 6, 2p.

Mémoire qui touche au rôle et à la politique de l'ONF, de la SDICC, de Radio-Canada et des Archives. Cet énoncé de la nouvelle politique canadienne ne manque pas de soulever plusieurs objections des organismes concernés.

1083 Lamothe, Arthur. **Le mépris n'aura qu'un temps.** Montréal, Les ateliers audio-visuels du Québec, 1970. 49p.

Transcription des dialogues du film.

1084 Ste-Marie, Gilles. **Les merveilles d'une machine.** Montréal, Société Radio-Canada, 1954. 9p.

Conférence dans la série Radio-Collège. Fin de l'époque héroïque et recherches dans tous les sens. Le cinéma peut espérer ses premiers génies.

1085 Brouillard, Marcel. **Mes rencontres avec les grandes vedettes.** Montréal, Éditions populaires, 1971. 112p. (Allo Paris, 1)

Certaines de ces vedettes du spectacle ont touché au cinéma. Un ouvrage superficiel.

1086 Québec (Province). Direction générale du cinéma et de l'audiovisuel. **Mesdames et messieurs, la fête.** Montréal, 1977. 6p.

Petit catalogue de quelques productions du gouvernement québécois.

1087 Société nouvelle/Challenge for Change. **Mesurer les changements d'attitudes, premières tentatives;** recherche portant sur les changements d'attitude enregistrés, un an après, chez les gens qui ont vu le film Le bonhomme dans la région de Québec en 1973. Montréal, Office national du film du Canada, 1974. 90, 13, 39p.

Résultats d'une recherche scientifique effectuée à partir de questionnaires. Analyse des variables, des changements d'attitude mesurés d'après 32 énoncés spécifiques (plusieurs portent sur la famille). En appendice, des tableaux sur la valeur affective et coefficient d'ambiguïté des énoncés portant sur l'attitude, et, pour la mesure du changement, tableaux des fréquences et des pourcentages obtenus à chaque choix multiple et pour chaque section. Un des nombreux documents produits sur le film de Pierre Maheu.

R   Mesures d'ensemble que l'Association professionnelle des cinéastes recommande au gouvernement du Québec pour favoriser le développement d'une industrie de cinéma de long métrage conformément aux intérêts économiques et culturels de la population **voir** Mémoire présenté au premier ministre du Québec par l'APC

1088   Association professionnelle des cinéastes. **Mesures que l'Association professionnelle des cinéastes recommande au gouvernement du Canada pour favoriser le développement d'une industrie de cinéma de long métrage conformément aux intérêts économiques et culturels du pays.** Montréal, 1964. 26p.

Mémoire présenté au Secrétaire d'État qui complète celui envoyé au gouvernement du Canada et au premier ministre du Québec. On y retrouve: contexte économique, relations fédérales-provinciales, mesures financières et administratives et des recommandations d'ensemble. Ce mémoire a été traduit en anglais.

1089   Champagne, Monique. **Le métier de script.** Montréal, Leméac, 1973. 90p.

Description minutieuse d'un métier par une personne que d'anciens considèrent être la meilleure scripte du Québec. En annexe, définition des tâches du cinéma.

1090   Lefrançois, Raymond. **Métiers du cinéma.** Montréal, Office du film du Québec, 1975. 27p.

Description des différents métiers qu'on retrouve au cinéma.

1091   Véronneau, Pierre. **Mexique: cinéma d'hier et d'aujourd'hui: janvier-février 1974.** Montréal, Cinémathèque québécoise, Musée du cinéma, 1973. 20p.

Notes sur le cinéma mexicain des origines à 1940, sur son histoire récente (1970-73, par Émilio Garcia Riera), sur son contexte économique (40-73) et sur les 16 films présentés à l'occasion de la rétrospective. À la fin, une bibliographie.

1092   Bastien, Jean-Pierre. **Michael Snow.** Montréal, Cinémathèque québécoise, Musée du cinéma, 1975. 28p.

Présentation du célèbre cinéaste expérimental canadien, entretien, notes sur chacun de ses films et bibliographie.

1093   Cinémathèque québécoise. **Michel Brault.** Montréal, 1980. 51p. (Copie Zéro no 5)

Numéro sous la direction de Pierre Jutras. Entretien avec le cinéaste, témoignages de R.M. Léger, Pierre Perrault, Claude Jutra et Guy Borremans. Filmographie établie par André Laflamme.

1094   Marsolais, Gilles. **Michel Brault.** Montréal, Conseil québécois pour la diffusion du cinéma, 1972. 79p. (Cinéastes du Québec, 11)

Présentation, entretien, extraits de dialogues, points de vue, filmographie, bibliographie.

1095   Centre du film underground et Coopérative des cinéastes indépendants. **Minifestival II, cinéma underground, Canada, 1970.** 2 documents dans une pochette.

Programme.

1096   Pelletier, Alex. **Les missionnaires:** première ébauche de scénario. Montréal, Office national du film, 1963. 75p.

Premier scénario du film LE FESTIN DES MORTS de Fernand Dansereau.

R   Modalités d'utilisation du Fonds de soutien à l'industrie **voir** Mémoire sur les éléments d'une politique du cinéma pour le Québec.

1097   Chabot, Jean. **Mon enfance à Montréal.** Montréal, s.n., 1969. 39p.

Première version du scénario.

1098   Chambers, Marilyn. **Mon éroto-biographie.** Montréal, Éditions Feu Vert, 1977. 140p.

Par une comédienne spécialisée dans le cinéma porno qui doit servir, selon elle, à exciter le spectateur. Potinages érotiques.

1099   Jutra, Claude. **Mon oncle Antoine.** Montréal, Art Global, 1979. 102p.

Texte tiré du film, dialogues in extenso, photos de tournage et photogrammes.

1100   Collège d'enseignement général et professionnel Montmorency. **Monographie 053.00 cinéma.** Laval, 1973. 13p.

Notes explicatives sur le programme du cours de cinéma offert par le Cegep Montmorency.

R   Montréal 1978 World Film Festival **voir** Festival des films du monde, Montréal 1978.

1101 Conseil québécois pour la diffusion du cinéma. **Montréal Blues.** Montréal, 1972. 24p. (Films du Québec, 1)

Présentation, synopsis, entretien avec Pascal Gélinas et note sur Le Grand Cirque ordinaire.

1102 Gélinas, Pascal, Laroche, Claude et Cloutier, Raymond. **Montréal Blues.** Montréal, s.n., 1971. 192p.

Scénario du film de Gélinas.

1103 Office national du film du Canada. **Montréal Branch. 1940-1950. 10th Anniversary.** Souvenir Ed. Montréal, 1950. 20p.

Brochure publiée à l'occasion du 10e anniversaire de l'ONF.

R Montreal International Film Festival **voir** Festival international du film de Montréal.

1104 Vitale, Frank. **Montreal Main.** Montréal, President Films, 1972. 49p.

Première version du scénario. En annexe, un budget.

1105 Vitale, Frank, McPhearson, David et Moyle, Allan. **Montreal Main.** Montréal, The Great Canadian Moving Picture Company, 1972. 69p.

Scénario.

1106 Régnier, Michel. **Montréal Paris d'Amérique, Paris of America**; 130 photos. Préf. de Félix Leclerc. Textes de Michel Régnier, de Louis Dudek et de 22 poètes canadiens. English Texts Selected and Introduced by Louis Dudek. Montréal, Editions du Jour, 1961. 160p.

Livre de photos prises par le caméraman-réalisateur M. Régnier.

1107 Carle, Gilles et Lamothe, Arthur. **La mort d'un bûcheron.** Montréal, Les productions Carle-Lamy, 1972. 191p.

Découpage du film de Carle.

1108 Gurik, Robert. **La mort du père.** Montréal, 1974?. 150p.

Scénario de LES VAUTOURS d'après "une histoire du temps passé" de J.C. Labrecque.

1109 Lord, Jean-Claude, et Patry, Pierre. **Mort-né; scénario.** Montréal, s.n., 1963. 122p.

Premier scénario de TROUBLE-FÊTE.

1110 Cunard White Star Limited. **Motion Picture Catalogue.** Montréal, 1937? 7p.

Catalogue des films disponibles auprès de cette compagnie de navigation. Ils touchent à son activité et au tourisme.

1111 Drabinsky, Garth H. **Motion Pictures and the Arts in Canada, the Business and the Law.** Toronto, McGraw-Hill Ryerson, 1976. 201p.

Traité sur les aspects financiers et légaux du cinéma au Canada et par extension au Québec. Contrats, diffamation, copyright, droits, accords, financement, distribution, censure, voilà quelques points abordés par l'auteur.

1112 Coté, Guy. L. **Motion Pictures in Canada: a Brief history of the Development of Canadian Film.** S.l., s.n., 1961. 17p.

Rapide historique de la production cinématographique. Tient surtout de la liste de films et résume d'autres articles sur le sujet.

1113 Canada. Bureau fédéral de la statistique. **Motion Pictures Production. Production cinématographique.** Ottawa, annuel.

Brochure # 63-206. Donne des statistiques récapitulatives. Classe les films par catégories. Données à prendre avec un grain de sel.

1114 Canada. Bureau fédéral de la statistique. **Motion Pictures Theatres and Films Distributors. Cinémas et distributeurs de films.** Ottawa, annuel.

Brochure # 63-207. Donne en tableaux statistiques: recettes, salles, taxes, etc. par province et par ville.

1115 Rolland, John et Coté, Guy L. **Le mouvement des ciné-clubs pour adultes dans la Province de Québec.** Montréal, s.d. 7p.

Notes rappelant le rôle et le travail d'un ciné-club et prônant la reconnaissance officielle du statut de ciné-club. Date probable: fin des années 50.

R Movies in the Bush Camps **voir** Le cinéma en forêt.

1116 **The Moving Image: Current Trends in Canadian Film.** Toronto, *ArtsCanada,* vol. XXVII No 2, No 142-43, April 1970. 62p.

Quelques articles portent sur le cinéma québécois: André Pâquet (Qu'est-ce que le cinéma canadien?), Terry Ryan (Six Filmmakers in Search of an Alternative), Guy L. Coté (Anybody Making Shorts These Days?), Danielle Corbeil (Charles Gagnon, Painter, Filmmaker, 35 Years Old, Lives in Montréal). Numéro spécial mettant particulièrement l'accent sur l'aspect expérimental et esthétique des films.

CLAUDE JUTRA

Mon Oncle Antoine

ART GLOBAL

MARGUERITE DURAS

FILMS

LA CINEMATHEQUE QUEBECOISE MUSEE DU CINEMA

La maudite galette

Dossier établi par Pierre Latour

..Textes de présentation et témoignages..Bio-
filmographie..Découpage technique et dialogues
in-extenso..Photogrammes (tirés du film même)
..Choix de critiques et bibliographie.. Photos
de tournage

Sélectionné
pour la semaine
de la critique
au Festival de Cannes 1972

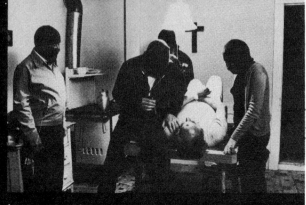

éditions le cinématographe & vlb éditeur

1117 Commission des écoles catholiques de Montréal. Bureau des techniques audio-visuelles. **Les moyens audio-visuels dans l'enseignement.** Montréal, 1967. 31p.

Effleure à peine les projecteurs 8 et 16mm.

1118 Juneau, Pierre. **Les moyens audio-visuels et le système scolaire.** Montréal, Office national du film, s.d. 12p.

Conférence prononcée au début des années 60 par le directeur exécutif de l'ONF.

1119 Poitevin, Jean-Marie. **Moyens de communication sociale et apostolat mission-naire.** Montréal, 1968. 20p.

Exposé donné à l'Entraide missionnaire. L'abbé Poitevin y raconte son expérience et en tire quelques enseignements généraux.

1120 Les ateliers audio-visuels du Québec, **Mushuau innu (L'homme de la toundra).** Montréal, 1979. 57p.

Texte français du film d'Arthur Lamothe.

1121 Lefebvre, Marcel, Gauthier, Gilles et Salvy, Jean. **Mustang.** Montréal, Les productions Mutuelles?, 1973?. 153p.

Scénario révisé du film de Lefebvre.

1122 Office national du film du Canada. **National Directory of 16 mm Non-Commercial Film Services in Canada, 1956-1957.** Montréal, 1956. 62p.

Annuaire de tous les endroits où l'on peut se procurer du film non-commercial au Canada.

1123 Office national du film du Canada. **National Directory of 16 mm Non-Theatrical Film Services in Canada, 1955-1956.** Montréal, 1955. 1 vol.

Première version du catalogue précédent.

R National Film Act **voir** Loi pour créer un Office national du film.

1124 Office national du film du Canada. **The National Film Board of Canada.** Montréal, 1968. 39p.

Revue de presse des articles consacrés à l'ONF, son histoire, ses buts, ses réalisations de 1963 à 1968.

1125 Lysyshyn, James. **The National Film Board of Canada: a Brief History.** Montréal, National Film Board of Canada, 1971. 10p.

Brochure de circonstance émanant du service de publicité.

1126 Cruickshank, Lyle. **National Film Board of Canada Distribution Branch Library Services Operations Policy Change Proposal.** Montréal, National Film Board of Canada, 1971. 11p.

L'auteur propose que l'ONF perçoive des frais pour les films distribués aux maisons d'enseignement et distribue des films produits par le privé.

1127 Office national du film du Canada. **National Film Board of Canada Film Catalogue: International Edition.** New ed. Montréal, 1967. 104p.

Publié aussi en français.

1128 James, Clifford Rodney. **The National Film Board of Canada: its Task of Commu-nication.** S.1., Ohio State University, 1968. 515p.

Reproduction faite en 1977 chez Arno Press d'une thèse soutenue 10 ans plus tôt. Après avoir situé le film d'information au Canada avant la création de l'ONF, l'auteur retrace l'historique de la maison en le découpant en trois périodes. Il étudie ensuite la production télé, la production francophone, le long métrage, l'animation, la commandite et le film didactique. Après avoir témoigné de la réputation de l'ONF à l'étranger, l'auteur cite en annexe une série de documents officiels pertinents. Une histoire factuelle, peu interprétative, où la part du lion est réservée aux anglophones.

1129 Office national du film du Canada. **The National Film Board of Canada Stock Shot Film Library Subject Index Handbook.** Montréal, 1966. 47p.

1130 Jones, David Barker. **The National Film Board of Canada;** The Development of Its Documentary Achievement. Stanford, Stanford University, 1976. 397p.

Thèse de PhD (Communication). Étude historique et critique d'une des pratiques de l'ONF: le documentaire. En douze chapitres, l'auteur suit chronologiquement ce qui se passe à l'ONF tant sur le plan factuel qu'en analysant les films. En conclusion, il analyse les facteurs qui contribuèrent à la qualité des meilleurs documentaires de l'ONF et tente d'en dégager des leçons générales. Une des meilleures études sur la production onéfienne (principalement de langue anglaise).

1131 Morris, Peter. **The National Film Board of Canada: the War Years.** Ottawa, Canadian Fi Institue, 1965. 32p. Réimpression 1971.

Répertoire sélectif des films de l'ONF de 1939 à 45 et recueil d'articles et de textes de l'époque.

1132 Office national du film du Canada. **National Film Board Production Operations Report.** Montreal.

Rapport annuel qui donne toutes les productions de l'année, leur coût, leur calendrier de tournage et quelques indications techniques.

1133 Office national du film du Canada. **National Film Society of Canada, Montreal Branch 10th Anniversary, 1940-1950.** Montréal, 1950. 20p.

Aperçu de ce qu'est un ciné-club et des activités de la fédération des ciné-clubs.

1134 Maheu, Pierre. **La nef des fous;** un film exorcisme. Montréal, Office national du film du Canada, 1973. 26p.

Texte-synopsis d'un film qui se voulait la suite de la démarche entreprise dans LE BONHOMME et qui traiterait de la folie. Le projet se matérialisera sous le titre de L'INTERDIT (1976).

1135 Office national du film du Canada. **Netsilik Eskimos Series. Série: Netsilik eskimos.** Montréal, 1967. 32p.

Brochure accompagnant les neuf films de Quentin Brown sur la vie traditionnelle des Inuit Netsilik, le peuple du phoque.

1136 Société nouvelle. **Neuf mois de distribution communautaire, octobre 1977 à juin 1978;** rapport intérimaire. Montréal, Office national du film du Canada, 1978. 98p.

Rapport de distribution des films FAMILLE ET VARIATIONS de Mireille Dansereau, QUÉBEC À VENDRE de Raymond Garceau, RAISON D'ÊTRE d'Yves Dion, LES HÉRITIERS DE LA VIOLENCE de Thomas Vamos et LA P'TITE VIOLENCE d'Hélène Girard. Une large place est accordée aux réactions du public.

1137 Burger, George. **The New Wave.** Montréal, McGill University, 1973. 85p. (Série A Modular Introduction for Film #1)

Mise en situation, présentation des principaux cinéastes, traduction de cerains de leurs textes ainsi que ceux de Bazin, reproduction de plusieurs points de vue, dont une interview de Roger Manvell. Série sous la direction de Donald F. Theall et Morrie Ruvinsky.

1138 Joly, Thierry, Viguier, Alain et Périsson, Alain. **Le nez qui voque.** Montréal-Paris, s.n., 1971. 60p.

Scénario du film LE GRAND SABORDAGE tiré du roman de Réjean Ducharme.

1139 Glover, Guy. **NFB and Education.** Montréal, National Film Board of Canada, 1968. 13p.

Écrit au secteur de la production, ce rapport plaide en faveur de l'implication continue de l'Office dans le cinéma pédagogique.

R NFB Film-Makers Look at Education **voir** Exploration du milieu scolaire par les cinéastes de l'ONF.

1140 Brodeur, René et Mercier, André. **Les noctambules;** chronique d'une grippe. Shawinigan, 1976. 183p.

Scénario non-réalisé agrémenté d'illustrations.

1141 Leduc, Jacques. **Nominingue — depuis qu'il existe.** Montréal, Office national du film du Canada. 1968. 10p.

Transcription des dialogues.

1141a Institut canadien d'éducation des adultes. **Non au modèle américain;** mémoire présenté à la Commission d'étude du gouvernement du Québec sur le cinéma et l'audiovisuel par le Groupe de travail sur les communications de l'institut canadien d'éducation des adultes. Montréal, 1981. 15p.

Mémoire qui se veut un cri d'alarme pour que survive un cinéma québécois enraciné dans la culture populaire et qui soit le reflet de sa diversité. Inquiété par le fonctionnement de la Commission qui mépriserait le public et les réseaux du cinéma moins établi, l'ICEA constate que le dynamisme du cinéma québécois des années 60 fut étouffé et que l'inertie du PQ est inexplicable. Il formule donc des propositions pour une politique globale de développement de notre cinéma national.

1142 **Norman McLaren.** Montréal, *Séquences,* no. 82, octobre 1975, 155p.

Ce numéro spécial XXe anniversaire de la revue Séquences est consacré au célèbre animateur Norman McLaren. Le gros du numéro est formé d'une entrevue du cinéaste menée par Janick Beaulieu, Patrick Schupp, Léo Cloutier, Gilles Blain, Léo Bonneville et André Leroux; on y suit l'oeuvre film par film. Ensuite ces mêmes personnes y vont de leurs études et commentaires. D'autres cinéastes apportent leur témoignage. Le dossier est complété par des analyses statistiques des films ainsi que des références diverses.

1143 Cinémathèque canadienne. **Norman McLaren.** Montréal, 1965. 17p.

Exposition tenue à l'hôtel Reine Elizabeth et présentée par la Cinémathèque canadienne, avec la collaboration de l'Office national du film et de l'Association française pour la diffusion du cinéma, dans le cadre du 6e Festival international du film de Montréal. Description des documents exposés.

1144 Collins, Maynard. **Norman McLaren.** Ottawa, Institut canadien du film, 1976. 119p.

Notes sur le cinéaste, son univers, ses films. Entretien, prix, bibliographie.

1145 Cinémathèque canadienne. **Norman McLaren.** Editions française et anglaise. Montréal, 1965. 48p.

Brochure préparée pour les journées internationales d'Annecy. Comprend une étude d'André Martin, des témoignages de divers cinéastes, une biofilmographie et le catalogue de l'exposition.

1146 Jordan, William E. **Norman McLaren: His Career and Techniques.** *The Quarterly of Film, Radio and Television,* v. 8 no 1, 1953, 14p.

Filmographie et étude sur N. McLaren.

1147 Batz, Jean-Claude. **Note au sujet de la production cinématographique de long métrage au Canada.** Montréal, s.n., 1965. 16p.

Note visant à résumer le sens de quelques-unes des interventions faites devant le Comité interministériel chargé d'étudier l'industrie du cinéma de long métrage au Canada par le spécialiste belge J.C. Batz.

1148 Office national du film du Canada. **Notes à l'usage de la Commission royale d'enquête sur le bilinguisme et le biculturalisme.** Montréal, 1965. 10p.

Points de repère qui pourraient être utiles à la Commission dans son travail d'enquête auprès de l'ONF. On insiste surtout sur ce qui manifeste le caractère bilingue et biculturel de l'organisme et sur son mandat. On y dit que par la qualité de ses oeuvres, largement diffusées à la grandeur du Canada, l'ONF favorise la compréhension mutuelle des deux communautés.

1150 Centre catholique national du cinéma, de la radio et de la télévision. **Notes documentaires sur le cinéma au Canada.** Montréal, 1958. 15p.

Comprend plusieurs chapitres: Législation, production, consommation, organismes d'éducation, Centre catholique du cinéma de Montréal et Québec.

R Notes From Siberia **voir** Nouvelles de Sibérie

1151 Office catholique diocésain des techniques de diffusion. **Notes manuelles pour le ciné-club.** Joliette, 196-? 18p.

Notes pour analyser la grammaire, la technique du cinéma afin d'en favoriser la discussion.

1152 Juneau, Pierre. **Notes on Government Legislation Related to the Development of a National Film Industry in Various Country.** Montréal, Office national du film du Canada, 1958. 22p.

Le document rapporte la situation en France, Allemagne, Italie, Belgique, Pays-Bas, Royaume-Uni.

1153 Hardy, Denis. **Notes pour l'allocution du ministre des communications, monsieur Denis Hardy, à l'occasion du banquet d'ouverture du congrès de l'Association des producteurs de films du Québec, Centre municipal des congrès, centre ville, Québec, le vendredi 9 avril 1976, 21h.** Québec, Ministère des communications, 1976. 19p.

1154 Domville, James de B. **Notes pour l'allocution prononcée par James de B. Domville, Commissaire du Gouvernement à la cinématographie devant le Comité Applebaum/Hébert.** Montréal, 1981. 12p.

Selon l'auteur le développement de la culture nationale canadienne se heurte à la déficience des réseaux de distribution des produits culturels. Pour ce qui est du cinéma, la solution réside du côté des avantages fiscaux, de la cablodiffusion et de la télévision à péage. L'auteur déplore que l'ONF ne bénéficie pas de ressources suffisantes pour réaliser ses programmes et souhaite que le gouvernement mette le prix pour la culture occupe la place qu'elle devrait avoir en tant qu'élément fondamental de notre survivance en tant que nation. Cette allocution complète le mémoire de l'ONF devant le même comité.

1155 Canada. Secrétariat d'État. **Notes pour une allocution de l'honorable John**

Roberts, secrétaire d'État, devant le Comité permanent de la radiodiffusion, des films et de l'assistance aux arts. Ottawa, 1978. 28p.

Allocution portant sur l'ONF et Radio-Canada.

1156 Germain, Jean-Pierre. **Notes remises au Ministère des Communications du Québec.** Hull, Bibliothèque centrale de l'Outaouais, 1979. 9p.

Texte écrit dans le cadre de la consultation sur le Livre bleu. On y plaide pour un service de diffusion culturelle régionalisé.

1157 Juneau, Pierre. **Notes sur l'aide financière gouvernementale à la production cinématographique dans quelques pays d'Europe.** Montréal?, 1963. 20p.

L'auteur étudie 3 catégories d'aide (prêts, subventions, primes à la qualité ou prix) dans 7 pays européens. Existe en version anglaise (voir no 1152).

1158 Chagnon, Jean-Jacques. **Notes sur l'apport du gouvernement fédéral à l'industrie cinématographique canadienne.** Montréal, Office national du film du Canada, 1970. 22p.

Suite au rapport de R. Daudelin sur la situation du cinéma au Québec. Ce texte fait voir l'apport du gouvernement fédéral au cinéma canadien d'expression française: Radio-Canada, ONF, SDICC.

1159 Dansereau, Fernand. **Notes sur la condition du cinéma de long métrage au Québec.** Sol., A.M., 1978. 19p.

Réflexions suggérées par la lecture des 2 chapitres du livre blanc sur la culture qui concernent le cinéma. L'auteur croit qu'il est urgent d'intervenir en diffusion et en distribution, analyse les problèmes de financement des longs métrages, trace quelques jalons d'une politique du cinéma et prend à partie l'Institut du cinéma.

1160 Mitropoulos, Aglaé. **Notes sur le cinéma grec.** Montréal, Cinémathèque québécoise. 1980. 11p.

Réimpression d'une brochure française à l'occasion d'une rétrospective.

1161 Marsolais, Gilles. **Notes sur le cinéma québécois.** S.1. s.n., 1977. p. 97 à 101. Estratto della rivista "*Francia*" n. 24 ottobre-dicembre 1977.

Tiré-à-part d'un article qui n'apprend rien de neuf sur le cinéma québécois.

1162 La Rochelle, Réal. **Notes sur le cinéma récréatif et son intégration au niveau élémentaire.** Québec, Ministère de l'éducation, éd. *L'école coopérative*, #11, septembre 1970. pp.4-38.

Texte sur la façon d'intégrer le cinéma aux milieux éducatifs et sur les éléments à y faire ressortir.

1163 Ruszkowski, André. **Notes sur les ciné-clubs.** Montréal, Centre catholique national du cinéma, de la radio et de la télévision, 1959. 24p.

Conférence prononcée à la journée d'étude des délégués diocésains ou CCNCRT le 25-1-58. Elle porte sur 4 points: importance et urgence de l'éducation cinématographique, le ciné-club comme méthode d'éducation cinématographique, la discussion en ciné-club et l'Église et le mouvement des ciné-clubs.

1164 Ruszkowski, André. **Notes sur les ciné-clubs.** 2e éd. Montréal, Office catholique national des techniques de diffusion, 1965. 24p.

Pour cette édition, seule la couverture change.

1165 Dansereau, Fernand. **Notes sur un programme de films en recherches sociales.** Montréal, Office national du film du Canada, 1967. 14p.

Par ces notes, l'auteur précise quelques aspects de ce programme: utilisation du film en réaménagement social, concept du film-outil, attitude à propos des problèmes de la communication, distribution, etc. Il fournit aussi la liste provisoire des projets particuliers qui seront ST-JÉRÔME, L'ÉCOLE DES AUTRES et LA PETITE BOURGOGNE. Un document important pour comprendre la démarche du cinéaste, les films de ce programme et le projet Société nouvelle.

1166 Burnett, Ron. **Notes Towards a New Pedagogy for the Teaching of Film.** Montréal, s.n., 1975. 59p.

Considérations sur la pédagogie en général et plus spécifiquement sur celle du cinéma par un enseignant du niveau collégial. L'auteur postule qu'il est impossible de séparer l'analyse de la pédagogie de celle des films. Après avoir réfléchi sur sa pratique, il identifie les superstructures idéologiques qui gouvernent l'analyse filmique. Il dénonce l'enseignement du cinéma-narration et globalement ce qui se pratique au Canada. À lire par tout professeur qui veut s'interroger sur son travail.

1167 Hamel, Oscar. **Notre cinéma.** Montréal, Edition réservée, 1928. 64p.

Sous le titre LE CINÉMA existe une version de cet ouvrage expurgée des analyses de film, des reproductions d'annonces afin de pouvoir rejoindre un large public. Pour l'auteur, devant l'immoralité, le bon citoyen doit s'abstenir d'aller au cinéma et doit lutter contre l'immoralité du cinéma, "un instrument de perversion et de ruine morale et sociale". Il est donc en faveur de la censure, de l'interdiction aux moins de 16 ans, de la prohibition de tout placard publicitaire. C'est à ce prix qu'on doit lutter contre la déchristianisation.

1168 Collège d'enseignement général et professionnel Montmorency. **Nouveau cinéma: 530-904;** (manuel-guide), 2e éd. Laval, 1976. 65, 30p.

Manuel-guide pour le cours sur le nouveau cinéma au niveau du cegep.

1169 Office du film du Québec. **Nouveaux courts-métrages à l'Office du film du Québec.** Québec, 1965. 8p.

1170 Office du film du Québec. **Nouveaux courts-métrages à l'Office du film du Québec.** Québec, 1966. 8p.

1171 Office national du film du Canada. **Le nouvel immeuble/The New Building.** Montréal, 1956. 22p.

Brochure publicitaire illustrée publiée à l'occasion de la construction du nouvel immeuble de l'ONF à Montréal. Bilingue.

1172 Office national du film du Canada. **Nouvelles de Sibérie.** Montréal, 1980-. (paginations diverses).

Bulletin publié en deux versions par le Service Recherches et élaboration des politiques. Regroupe les informations les plus diverses sur le cinéma, l'ONF, la télévision, le CRTC, etc. Les textes publiés vont du mémo à l'allocution du commissaire, de l'article de journal aux débats aux Communes. Le but de la publication est d'engendrer des idées et de susciter des discussions. Une excellente source de documentation pour ceux qui s'intéressent au cinéma et particulièrement au point de vue des anglophones de l'ONF. Le lien avec la production française n'est pas évident. Cinq volumes sont parus: 1 (avril 80), 2 (mai 80), 3 (juillet 80), 4 (octobre 80, 5 (juin 81)).

1173 Québec (Province) Direction générale du cinéma et de l'audiovisuel. **Nouvelles productions 1976.** Montréal, 1976. (dépliant).

1174 Settimana cinematografica internazionale, Veronese, 1972. **Il Nuovo Cinema Canadese.** Veronese, 1972. 36p.

Programme d'une semaine de cinéma canadien tenue en Italie. On y trouve en français un texte de Gianni Rondolino: Introduction au cinéma-vérité.

1175 Duguay, Raoul. **Ô ou l'invisible enfant.** Montréal, Office national du film du Canada, 1971. 13p.

Scénario.

1176 Legris, Chantal. **L'ONF et l'éducation;** rapport de recherche préparé pour la section "Plan et recherche". Montréal, Office national du film du Canada, 1975. 15, 13, 24p.

Publiée par le Service des besoins et réactions du public, cette brochure comprend trois parties: implication de l'ONF en éducation; synthèse du "Programme de développement éducatif"; recommandations et suggestions pour la planification et la recherche.

1177 **L'O.N.F. et le cinéma québécois.** Montréal, *Parti-Pris*, vol 1, no 7, avril 1964.

Vingt-deux pages d'articles de Jacques Godbout, Gilles Carle, Clément Perron, Denys Arcand et Gilles Groulx. L'ONF revu et critiqué du point de vue du cinéma québécois par des cinéastes qui y oeuvrent.

1178 **Objectif 63;** cahier d'information présenté au Conseil des arts du Canada. Montréal, 1963. 4p.

Présentation de la revue de cinéma qui joua un rôle déterminant dans la critique québécoise et dans le cinéma québécois.

1179 National Film Board of Canada. **Observations by the National Film Board on "A Special Report on the Cultural Policy and Activities of the Government of Canada 1965-66".** Montréal, 1966. 19p.

Réactions sévères de l'Office à un rapport qu'il considère faible, confus, inadéquat, contradictoire et qui affirme principalement que le Canada ne peut avoir en même temps une industrie cinématographique forte et une production d'Etat. Cette cinglante réplique permet à l'ONF de repréciser sa fonction.

1180 Cinémathèque canadienne. **L'oeuvre de Chris Marker.** Montréal, 1965. 10p.

Notes sur les films de Chris Marker et témoignages de Resnais et Lapoujade à son endroit.

R Office du film du Québec et fonds de soutien **voir** Mémoire sur les éléments d'une politique du cinéma pour le Québec.

1181 Boivin, Gilles. **L'Office du film du Québec et sa distribution.** Montréal, Office du film du Québec, 1974. 22p. (Colloque Distribu-bec 21-24 mai 1974)

Rappel historique, situation actuelle et hypothèses d'orientation nouvelle formulées par le directeur de la distribution de l'OFQ.

1182 Lemire, Guy et Camden, Réjean. **Office du film (Québec et Montréal).** Québec, Ministère des affaires culturelles, 1974. 77p.

Étude sur l'Office du film du Québec commandée par Guy Frégault au Service organisation & méthodes dans le but de réorganiser la Direction générale du cinéma et de l'audiovisuel et en vue de la loi cadre sur le cinéma. Les auteurs analysent chacun des services de l'OFQ (production, distribution, photothèque, etc.), leur fonctionnement, et en arrivent à la conclusion qu'il y a quatre problèmes majeurs: 1- le rôle exact de l'OFQ au sein du gouvernement, 2- les lacunes de l'organigramme (autorité, pouvoir, communication), 3- l'OFQ est un organisme vieillissant dû à certains employés ayant perdu tout dynamisme, 4- dans certains cas le travail effectué ne correspond pas à la classification. Ils étudient aussi le statut du Département de documentation cinématographique et la question des cinéparcs.

1183 Le Moyne, Jean. **L'Office national du film.** Montréal, Office national du film du Canada, 1965. 61p.

Préparé en collaboration avec Pierre Juneau et Fernand Cadieux, ce texte se veut d'abord une réflexion générale sur l'ONF et la télévision. Sa deuxième partie est une longue considération sur l'humanisme scientifique et technique dans le monde, humanisme dans lequel l'ONF devrait s'insérer. L'auteur privilégie le documentaire philosophico-pédagogique sur les sciences et la technologie et souhaite que l'ONF produise abondamment de ces essais cinématographiques.

1184 **L'Office national du film du Canada présente "Premières oeuvres".** Montréal, 1970. 20p.

La brochure comprend un entretien avec Jean Pierre Lefebvre, producteur de ce programme spécial, des notes sur 5 films: TI-COEUR de Fernand Bélanger, MON ENFANCE À MONTRÉAL de Jean Chabot, QUESTION DE VIE de André Théberge, JEAN-FRANÇOIS-XAVIER DE... de Michel Audy et UN JOUR SANS ÉVIDENCE ou AINSI SOIENT-ILS de Yvan Patry, et des textes de Léo Bonneville et Luc Perreault sur ce programme. Résumé de la brochure "Premières oeuvres".

1185 Véronneau, Pierre. **L'Office national du film l'enfant martyr.** Montréal, Cinémathèque québécoise, Musée du cinéma, 1979. 68p. (Les Dossiers de la Cinémathèque, 5)

Recueil de textes officiels ou publics sur les 25 premières années de l'ONF: extraits de lois, débats en Chambre, mémoires, articles de journaux. L'auteur met l'accent sur différents moments de "crise" qui contribuèrent à la définition de l'ONF. Les documents sont liés entre eux par quelques notices historiques.

1186 Office national du film du Canada. **L'Office national du film, organisme public.** Montréal, 1963. 30p.

Texte de relation publique qui décrit le rôle et l'activité de l'ONF.

R Official List of Films Approved For Children's Showings **voir** Liste officielle des films visés pour enfants.

1187 Cinéma d'information politique. **On a raison de se révolter;** série de 4 films sur les luttes ouvrières au Québec. Montréal, 1973. 29p.

Cahier de présentation de la série: 1- État des luttes actuelles, 2- La lutte profitera à nos enfants, 3- Les travailleurs face à l'État, 4- Bâtir son pouvoir dans les luttes. Description du mode d'utilisation et générique. Le film n'existe qu'en version long métrage qui fusionne les quatre parties prévues.

1188 Office national du film du Canada. **On est au coton.** Montréal, s.n., 197-? 53p.

Transcription des dialogues du film de Denys Arcand.

1189 Leduc, Jacques. **On est loin du soleil.** Montréal, Office national du film du Canada, 1969? 12p.

Synopsis.

1190 Leduc, Jacques. **On est loin du soleil.** Montréal, Office national du film du Canada, 1970?, (non paginé)

Découpage du film

1191 Spry, Robin. **One man.** Montréal, Office national du film du Canada, 1977. 27p.

Transcription et traduction des dialogues

1192 McInnes, Graham. **One Man's Documentary.** (Manuscrit non publié déposé à l'ONF en 1974, 242p.)

Petite histoire de l'activité de l'ONF à Ottawa du temps de Grierson. Certains passages concernent le Québec.

1193 Straram, Patrick. **One + One; Cinemarx & Rolling Stones.** Montréal, Les Herbes rouges, 1971. 109p.

Recueil des textes de Straram parus dans TV Hebdo. Précédés d'une introduction-citations.

1194 Foucault, Andréanne, Rivard, Fernand et Guérin, Michelle. **Les oranges d'Israël.** Montréal, Victor Lallouz Productions, 1973. 93p.

Scénario du film de Fernand Rivard VALSE À TROIS.

1195 Brault, Michel. **Les ordres.** Montréal, s.n., 1971. 62p.

Première version du scénario.

1196 Brault, Michel. **Les ordres.** Montréal, s.n., 1973. 62p.

Deuxième version du scénario.

1197 Brault, Michel. **Les ordres.** Montréal, s.n., 1973. 126p.

Version finale du scénario.

1198 Québec (Province) Direction générale du cinéma et de l'audiovisuel. Centre de documentation cinématographique. **Les ordres de Michel Brault.** Montréal, 1979.

Dossier de presse des articles publiés au Canada sur le film. Un excellent document de référence.

1199 Marsolais, Gilles. **Les ordres; un film de Michel Brault.** Montréal, L'Aurore, 1975. 127p. (Le Cinématographe, 1)

Découpage après montage, texte des dialogues et abondante illustration.

R Organigramme du Centre du cinéma du Québec **voir** Mémoire sur les éléments d'une politique des cinéma pour le Québec.

R Origin and Golden Age of American Cartoon Film, 1906-1941 **voir** Origine et âge d'or du dessin animé américain de 1906 à 1941.

1200 Lemieux, Sylvie, Legris, Chantal et Midson, Tony. **Origine des films éducatifs utilisés au Canada.** Montréal, Office national du film du Canada, 1975. 27p. (Série Programme d'aide à l'éducation # 2)

Origine des films disponibles et présentés au Canada: 66% sont étrangers et 21% de l'ONF.

1201 Martin, André. **Origine et âge d'or du dessin animé américain de 1906 à 1941. Origin and Golden Age of American Cartoon Film, 1906-1941.** Montréal, Cinémathèque canadienne, 1967. 1 feuille.

Arbre généalogique des animateurs et des écoles en forme d'affiche. Essentiel pour s'orienter dans le dessin animé américain.

1202 Roger, Harold. **The Origins of Motion Pictures and their Early History in Canada.** Montréal, Sir George Williams College, 1952. 19p.

Reformulation d'écrits antérieurs.

R Ottawa, le cinéma et les communications **voir** Mémoire sur les éléments d'une politique du cinéma pour le Québec.

1203 **Où va notre jeunesse?.** Montréal, *Idéal féminin*, mars-avril 1961. 16p.

Numéro spécial qui déplore l'influence néfaste du cinéma sur la jeunesse québécoise.

1204 Bélanger, Léon H. **Les ouimetoscopes: Léo-Ernest Ouimet et les débuts du cinéma québécois.** Montréal, VLB éditeur, 1978. 247p.

Histoire d'un pionnier du cinéma au Québec qui joua un rôle important dans l'exploitation, la distribution et même la production de films. Ouimet oeuvra aussi aux USA. L'auteur en profite pour évoquer quelques traits de l'époque: l'affaire du Laurier Palace, l'église et le cinéma. Un ouvrage qui fourmille d'informations parfois disparates (il n'y a pas d'index!) sur le cinéma muet au Canada.

1205 Bélanger, Léon H. **Les ouimetoscopes, ou Les débuts du cinéma canadien à Montréal: projet**. St-Eustache, l'auteur, 1978. 1 vol.

Différents documents non publiés dans le volume LES OUIMETOSCOPES, corrections d'erreurs et recherches complémentaires.

1206 National Film Board of Canada. **An Overview of NFB Distribution**. Montréal, 1971. 6p.

Description des activités du service.

P

1207 Caron, André. **Le pacte**. Montréal, Cinépix, 1971. 147p.

Scénario du film de Jean Beaudin LE DIABLE EST PARMI NOUS.

1208 Matéeva, Boriana et Antov, Siméon. **Panorama na kvebekskoto kino — Kanada**. Sofia, Bulgarska Nacionalna Filmoteka, 1978. 32p.

Brochure publiée à l'occasion d'une rétrospective de cinéma québécois en Bulgarie. Notes sur chacun des films présentés.

1209 Champagne, Monique et Margerie, Benoît de. **Paon-pan**. Montréal, s.n., 1970. 180p.

Scénario non-tourné.

1210 Syndicat général du cinéma et de la télévision — ONF. **A Paper Concerning the Internal Structure of the National Film Board of Canada Prepared by the Executive of the SGCT-NFB, April 1970, for Submission to the Secretary of State**. Montréal, 1970. 51p.

Pour répondre au souhait du ministre et pour collaborer avec son envoyé André Saumier, chargé de produire un rapport sur l'industrie cinématographique au Canada, le SGCT tente de définir quel type d'organisation conviendrait le mieux au potentiel créateur de l'ONF et à l'accomplissement de son rôle. Le syndicat termine son mémoire par douze recommandations concernant l'activité et le fonctionnement de l'Office.

1211 Paramount Pictures Corporation. **Paramount Pictures présentent la première mondiale du film Carnaval de Québec**. s.l., s.n., 1960. 47p.

Cette brochure a été conçue et réalisée par Charles Desmarteau, à l'occasion de la première de son film. On y retrouve une biographie, des notes sur le film, sur le carnaval et les organismes subventionneurs.

1212 Archambault, Papin. **Parents chrétiens, sauvez vos enfants du cinéma meurtrier!** Montréal, L'Action paroissiale, 1927. 16p. (L'Oeuvre des tracts, no 91)

Sur les raisons qui rendent le cinéma un danger moral et réel pour les enfants et pourquoi il faut les en protéger: le cinéma est un danger pour le corps, pour l'esprit et surtout pour l'âme. En annexe une entrevue avec le président du Tribunal des jeunes délinquants de Montréal qui impute beaucoup de mal au cinéma.

1213 Vallerand, Claudine Simard. **Les parents devant le cinéma**. Montréal, Centre de psychologie et de pédagogie, 1953. pp. 113-126. (Les Conférences pédagogiques; vol. VIII, no 9).

Ouvrage sur le cinéma et les enfants qui reprend les vieilles objections contre le cinéma commercial, bouleversant les émotions des jeunes et qui tolère le cinéma paroissial ou scolaire. Aperçu de ce qui se passe ailleurs. Un autre avatar de la pensée religieuse.

1214 Jacob, Evariste Charles. **Les parents et les techniques de diffusion: imprimé, cinéma, radio, télévision**. Chicoutimi, Centre diocésain du cinéma, de la radio, de la tv et de la presse, 1961. 16p.

Point de vue catholique sur les techniques de diffusion, "instruments efficaces et positifs d'élévation, d'éducation et d'amélioration".

1215 Tremblay, Michel et Lord Jean-Claude. **Parlez-moi d'amour**. Montréal, Les productions Mutuelles, 1975. 286p.

Découpage de PARLEZ-NOUS D'AMOUR

1216 **Parlez-nous d'amour;** un film de Jean-Claude Lord. Montréal, En première, 1978. 14p.

Brochure distribuée lors de la première du film. On y trouve des textes de Michel Tremblay, Jean-Claude Lord, Jacques Boulanger, de nombreuses photos et quelques questions.

1217 **Passe-partout in 1956;** ode to the Film Dept. of C.B.C. Montréal, 1957. 53p.

Notes sur la série de l'ONF, PASSE-PARTOUT, et sur sa diffusion à Radio-Canada.

1218 Edsforth, Janet. **Paul Almond: the Flame Withing** Ottawa, Canadian Film Institute, 1972. 56p. (Canadian filmography series, no II)

Étude sur la carrière et l'oeuvre d'un des plus célèbres cinéastes québécois anglophones. L'accent est surtout mis sur ses longs métrages. En annexe, une filmographie et une bibliographie.

1219 Rolland, Hélène, Brunel, Julien et Labrecque, Jean-Claude. **Paulu Gazette.** Montréal, s.n., 1973. 126p.

Scénario non-tourné.

1220 Office national du film du Canada. **Pavillon cinéma ONF Terre des Hommes 1972.** Montréal, 1972. 1v. (non paginé)

Sur l'organisation cinématographique du pavillon.

1221 Livinson, Abraham Jacob. **The Pedagogical Value and Psychical Influence of the Motion Picture on Present Day Eductional Systems.** Montréal, McGill University, 1916. 68p.

Thèse de M.A. Étudiant la technique, les films et l'accueil qu'on leur réserve, l'auteur plaide pour l'utilisation du cinéma à l'école afin de favoriser le développement psychologique et pédagogique des étudiants. Il étudie surtout ce qui se pratique aux USA. Probablement la plus ancienne thèse écrite ici sur le cinéma.

1222 Alfonso, Antonio d'. **La pellicule ensorcelée: analyse sémiologique de Mouchette de Robert Bresson.** Montréal, Université de Montréal, 1979. 166p.

Thèse de M.Sc. (communication). Analyse du film en s'appuyant sur les théories de Metz (syntagmatique de la bande-images), de Barthes (connotation) et de Bachy (bande-son/bande-images). L'auteur dégage sept unités dont il analyse les principaux éléments (thèmes et syntagmatique). Il en conclut que le film s'articule autour de deux grands lexèmes: Vie (feu, ailleurs)/Mort (eau, village), qui possèdent chacun des prédicats nombreux et qui s'entrecroisent de façon complexe.

1223 Bobet, Jacques. **Perspective proposée pour un programme cinéma-sport.** Montréal, Office national du film du Canada, 1972. 3p.

Réflexions pré-olympiques pour un cinéma qui contribue à créer un climat sportif sain.

1224 Coté, Guy L. **Petit catalogue des meilleurs films de l'ONF à l'intention des animateurs de ciné-clubs.** Montréal, s.n., 1963. 41p.

1225 Bruneau, Pierre. **Le petit chaperon rouge. Little Red Riding Hood;** scénario. S.l., s.d. 1v. (paginations diverses)

Scénario d'un film de 7 minutes.

1226 Noël, Gilles et Langlois, Bertrand. **Le petit pays.** Montréal, s.n., 1978. 34p.

Scénario du court métrage de Langlois.

1227 Asselin, Emile. **La petite Aurore.** Montréal, Alliance cinématographique, 1952.

Roman écrit d'après le film homonyme de J.Y. Bigras.

1228 **La petite Aurore, l'enfant martyre.** Montréal, France-Film?, 1952. 8p.

Scénario de presse illustré, diffusé à l'occasion de la sortie du film.

1229 Bigras, Jean-Yves. **La petite Aurore, l'enfant martyre.** Montréal, 1951. 118p.

Découpage du film.

1230 Canada. Ministère du Secrétariat d'Etat. **Petits formats deviennent grands;** étude sur la distribution et l'utilisation des films de 16mm, des enregistrements et des documents audio-visuels. S.l., 1976. 280p.

Le rapport aborde les aspects suivants: les usagers, les organismes de distribution, les caractéristiques fonctionnelles de ces deux groupes, leur méthode d'acquisition ou de commercialisation, leurs opinions. Finalement on retrace les conceptions et les politiques des gouvernements provinciaux.

1231 Carle, Gilles et Saul, Oscar. **Phantastica.** Montréal, Les productions du Verseau; E.I. Productions, 1979. 106p.

Scénario de FANTASTICA.

1232 Carter, Urbain. **Le phénomène de la rétention selon le mode de projection écranique fixe, projection multiple et projection linéaire.** Québec, Université Laval, 1971. 195p.

Thèse de maîtrise en éducation. Recherche sur l'utilisation de l'audiovisuel en processus d'apprentissage. Bien que l'auteur privilégie le diaporama et le multi-écran, certaines de ses considérations s'appliquent aussi au cinéma.

1233 Burnett, Ronald F. **A Philosophical and Critical Inquiry into Film Semiotics.** Montréal, McGill University, 1981. 367p.

Thèse de PhD (communications). La rencontre entre l'analyse cinématographique et la recherche sémiologique a produit un changement capital dans la théorie du cinéma, un virage philosophique et épistémologique que l'auteur explore. Il réfléchit sur un certain nombre de données de base de la sémiologie cinématographique: image, montage, segmentation, langage, codes, signification, etc. Il passe en revue les théories des différents sémiologues: Metz, Eco. Il remarque que les modèles sémiologiques ont accordé une trop grande importance à la structure textuelle aux dépens des problèmes du jeu et de l'interprétation. Pour expliquer le cinéma, l'auteur croit à la nécessité d'une stratégie fondamentalement différente reposant sur un nouveau concept, celui de projection. Les projections ne sont pas des images, mais des lieux du sens et de la signification, lieux qui peuvent être ambigus. Le cinéma doit donc être abordé comme l'un des nombreux aspects du processus complexe de la communication et de l'échange.

1234 Beauchamp, René. **Photo, ciné, télé: trois agents de communication.** Montréal, Centre de psychologie et de pédagogie, 1970. 144p.

Manuel pour les élèves de niveaux secondaire et collégial. Son objectif: apprendre à produire en maîtrisant technique et langage.

1235 Cailher, Diane et Chartrand, Alain. **La piastre.** Montréal, s.n., 1974. 105p.

Scénario et dialogues.

1236 Ramsaye, Terry. **Pictures.** Montréal, Associated Screen News, 192-?, 16p.

Brochure publicitaire illustrée sur les activités d'ASN à la fin des années 20.

1237 **Pierre Perrault.** Paris, *La Revue du cinéma, Image et son,* no 256 (janvier 1972), 143p.

Numéro spécial qui regroupe plusieurs textes sur le cinéaste.

1238 Berson, Alain. **Pierre Perrault.** Montréal, Conseil québécois pour la diffusion du cinéma, 1970. 58p. (Cinéastes du Québec, 5)

Présentation, points de vue, interview par Berson, Christian Rasselet, Jacques Leduc, paroles d'UN PAYS SANS BON SENS, filmographie, bibliographie.

1239 Séminaire de Sherbrooke. Bibliothèque. **Pierre Perrault.** Sherbrooke, 1981. 94p.

Dossier de presse sur le poète et le cinéaste. Les articles sont classés par ordre de parution.

1240 Brûlé, Michel. **Pierre Perrault ou un cinéma national;** essai d'analyse socio-cinématographique. Montréal, Presses de l'Université de Montréal, 1974. 152p.

Analyse qui prolonge celle entreprise sur l'oeuvre de J.P. Lefebvre et qui veut faire une sociologie du Québec à travers son long métrage. L'auteur étudie séquence par séquence les longs métrages de Perrault. Il y met en lumière un découpage du monde qu'opère la petite-bourgeoisie et qui donne à l'oeuvre son sens et sa cohérence. L'auteur ne critique pas l'idéologie de Perrault (conscience ethnique, non-remise en cause du système économique, etc) car il ne veut que dégager la structure significative d'un univers imaginaire et l'analyse en tant que réponse pour mieux comprendre la réalité québécoise.

1241 **La Place des enfants n'est pas au cinéma;** témoignages de magistrats, d'éducateurs, de médecins, etc. Montréal, 1933. 32p. (L'Ecole sociale populaire, no 228)

Plaidoyer pour le maintien de l'interdiction des cinémas aux enfants âgés de moins de 16 ans car on y présente des spectacles immoraux qui rompent l'équilibre mental de l'enfant. Excellent exemple de l'attitude de l'église face au cinéma. Témoignages d'un magistrat belge et de plusieurs personnalités canadiennes.

1241a Venne, Marcel. **Plan d'implantation des salles de cinémas ou ciné-parcs au Québec.** Joliette, Association cinématographique Joliette, 1981. 3p.

Intervention devant la Commission d'étude sur le cinéma et l'audiovisuel par un petit propriétaire de salles qui déplore la concurrence des grandes chaînes.

1242 Office national du film du Canada. **Plan global de mise en distribution. Le bonhomme.** Montréal, 1974. Paginations diverses.

Annexe I à "Mesurer les changements d'attitude, premières tentatives".

1242a International Cinema Corporation. **Les Plouffe. The Plouffe Family.** Montréal, 1981. 23, 21p.

Brochure de relations publiques qui fournit tous les renseignements pertinents au film de Gilles Carle.

1242b Compagnie de fiducie Guardian. **Les Plouffe;** une production en 1980 de ICC — International Cinema Corporation. Montréal, 1980. 46p.

Prospectus annonçant la mise en vente de 318 unités de 10 000$ pour le film de Gilles Carle. Ce prospectus décrit le projet, renseigne sur les artisans de cette production, avance un budget et s'étend en détail sur les aspects financiers de l'opération.

1243 Lacroix, Yves. **Poète de la parole, Pierre Perrault.** Montréal, Université de Montréal, 1972. 192p.

Thèse de M.A. (études littéraires). Étude sur l'oeuvre complète de Perrault, que son cinéma a trop fait oublier alors qu'il a écrit 672 scripts radiophoniques, des téléthéâtres, des séries, des poèmes, etc. Pour l'auteur, le projet fondamental de Perrault est de se constituer un langage authentique, de donner au Québec une littérature authentique, ce mot signifiant l'adéquation, dans le langage, d'un homme et d'une réalité. L'auteur détaille et illustre ce projet et en suit le développement à travers les nombreux média auxquels Perrault a travaillé. Il montre comment son cinéma est non pas un aboutissement, mais la même recherche, le même poème, mais en plus évident. Cette thèse possède un appendice, un deuxième volume de 168 pages, où on retrouve des scripts radiophoniques, des textes de CHANTS DES HOMMES, d'AU PAYS DE NEUFVE-FRANCE, de CHRONIQUES DE TERRE ET DE MER, etc.

1244 Byrd, Christopher John. **The Poetry of Film Montage: an Analysis of Montage as a Poetic Element of Film.** Montréal, McGill University, 1975. 58p.

Thèse de M.A. (département d'anglais) La capacité figurative du montage équivaut à celle de l'image poétique. L'auteur étudie ce point de convergence du cinéma et de la littérature et s'intéresse surtout au cinéma expérimental, tout en ne négligeant pas le cinéma soviétique. Sa thèse est accompagnée d'un film Super-8 intitulé PRIMAL PATH.

1245 Office national du film du Canada. **Politique culturelle et plan quinquennal de l'Office national du film du Canada (projet).** Montréal, 1969. 24, 31p.

Notes sur l'ONF, ses canaux de communication, ses programmes propres ou provenant du gouvernement (bilinguisme, Société nouvelle). Le texte comprend plusieurs annexes qui développent chacun des points.

1246 Institut québécois du cinéma, **Politique d'aide à moyen terme de l'Institut québécois du cinéma;** ("Plan quinquennal"). Montréal, 1981. 32p.

Ce document énonce les principes qui guideront l'IQC au cours des prochaines années. Court métrage de fiction pour la télévision, long métrage documentaire et série télévision, long métrage de fiction, aide à l'entreprise, distribution, scénarisation, sélection, voilà les principaux points que le document aborde. Distribué en conférence de presse le 22 juin, ce texte se veut un élément de réponse à la crise actuelle du cinéma québécois; une réponse économique qui constitue une modification radicale des politiques de l'Institut.

1247 Québec (Province) Direction générale du cinéma et de l'audiovisuel. **Politique de développement de l'audiovidéothèque nationale.** Montréal, 1979. 45p.

Problématique, principes directeurs, objectifs opératoires, moyens, avantages économiques et sociaux, étapes de réalisation. En première partie, on trace le portrait de la situation en matière de distribution de documents audiovisuels de type fonctionnel. En seconde, on indique les principes qui guideront les politiques futures. En troisième et quatrième, les moyens et les coûts de cette politique. Enfin on trouve un échéancier. Rien de tout cela ne se réalisa.

1248 Boivin, Gilles. **Politique de distribution commerciale et reproduction des documents audiovisuels produits par l'Office du film du Québec.** Montréal, Office du film du Québec, 1974. 7p. (Colloque Distribu-bec 21-24 mai 1974)

Allocution du directeur de la distribution de l'OFQ

1249 Office national du film du Canada. **Politique de distribution des films de l'ONF sur vidéocassette.** Montréal, 1976. 16p.

Notes sur tous les aspects de l'implantation d'un service vidéo à l'ONF.

1250 Québec (Province). Service général des moyens d'enseignement. **Politique générale de production audiovisuelle pour le ministère de l'Education.** Montréal, 1976. 86p.

Texte qui fait l'historique de l'implication du ministère dans l'éducation audiovisuelle, se penche sur les aspects idéologiques et méthodologiques de cette problématique, disserte sur une politique générale de production audiovisuelle pour l'éducation et en analyse les implications. Un texte à lire pour comprendre la traditionnelle opposition entre l'OFQ et le SGME en ce qui a trait à la production cinématographique.

1251 Véronneau, Pierre et Beaudet, Louise. **La Pologne et le cinéma (tendances des années soixante-dix).** Montréal, Cinémathèque québécoise, Musée du cinéma, 1978. 15p.

Mise en situation du cinéma polonais récent, notes sur les films présentés lors de la rétrospective.

1252 Comité d'action cinématographique. **Portugal.** Montréal, Cinémathèque québécoise, Musée du cinéma; 1978. 23p.

Données diverses sur le Portugal et son cinéma avant et après avril 74. Ces textes de provenances multiples ont été colligés par André Pâquet.

1253 Conseil québécois pour la diffusion du cinéma. **Position du C.Q.D.C. sur la loi-cadre;** mémoire. Montréal, 1975. 18p.

Le Parti québécois, alors dans l'opposition, ayant convoqué une "commission parlementaire officieuse", le CQDC vient y faire connaître ses analyses et ses suggestions qui tournent autour de quelques points: Pourquoi légiférer en matière de cinéma, Origine et conséquences du contrôle étranger et Recommandations basées sur l'expérience du CQDC.

1255 Julien, Alain. **Pour la suite du cinéma québécois;** thèse de doctorat. Montpellier, Université de Montpellier, Faculté de droit et des sciences économique, 1978. 452p.

Thèse de doctorat en 2 tomes, le second étant consacré aux annexes (des tableaux divers), à la bibliographie et à la filmographie de tous les films québécois. Le premier propose d'abord une réflexion sur la spécificité du cinéma québécois. Ensuite l'auteur analyse le financement des films québécois, secteurs public et privé. En deuxième partie, il dégage les axes thématiques dans le court métrage (le pays, sports, milieu rural, enseignement, etc) et dans le long métrage (retour au passé, identité, star, sexe et comédie, etc). En troisième partie, il porte attention à la distribution commerciale et communautaire. Comme axe à son travail, l'auteur veut repérer le politique à travers la vision globale d'un cinéma national en cernant ce cinéma sous le maximum d'angles de prises de vues et en faisant appel à la notion de service public reposant sur l'intérêt général. Si les conclusions générales sont brèves, celles particulières, dégagées au fil des chapitres, sont beaucoup plus éclairantes. Il faut signaler la méthodologie innovatrice de l'auteur qui fut de se baser sur une information chiffrée traitée par ordinateur et permettant l'obtention d'un portrait autre qu'impressionniste du cinéma québécois. Le travail investi dans cette thèse servit de point de départ au DICTIONNAIRE DU CINÉMA QUÉBÉCOIS de Julien et Houle.

1256 **Pour la suite du monde.** Montréal, Office national du film du Canada, 1963. 132p.

Transcription et découpage du film de Pierre Perrault et Michel Brault.

1257 Office national du film du Canada. **Pour la suite du monde.** Montréal, 1964. 38p.

Transcription des dialogues du film de Brault et Perrault.

1258 Jutra, Claude. **Pour le meilleur et pour le pire.** Montréal, s.n., 1974. 161p.

Scénario.

1259 Léger, Raymond-Marie. **Pour Monsieur le Ministre Denis Hardy, aide-mémoire, Commission parlementaire des Affaires culturelles, Programme no 6, Cinéma et audiovisuel, 6 mai 1975.** Montréal, Office du film du Québec, 1975. 12p.

Aide-mémoire du directeur de l'OFQ fournissant des informations sur trois sujets: Bilan de l'OFQ 1970-75, Intégration de l'OFQ à la nouvelle DGCA, Bilan du projet de loi no 1 sur le cinéma.

1260 Fournier, Guy. **Pour que s'organise la résistance.** Montréal, Institut québécois du cinéma, 1980. 19p.

Allocution du président de l'IQC qui n'engage que lui. Il plaide pour redonner aux cinémas nationaux, et particulièrement au cinéma québécois, la place qui leur revient et dénonce l'omniprésence américaine à laquelle il faut résister.

1261 Lavigne, Pierre. **Pour un réseau général de distribution des documents audiovisuels au Québec.** Montréal, Office du film du Québec, 1974. 13p. (Colloque Distribu-bec 21-24 mai 1974)

Allocution du directeur de la Cinémathèque de l'Université Laval.

1262 Syndicat national du cinéma. **Pour une politique cohérente de la cinématographie au Québec.** Montréal, 1978. 12p.

1263 Guérin, André. **Pour une politique dynamique, efficace et rentable.** Montréal, Office du film du Québec, 1970. 7p.

Texte qui définit onze objectifs pour l'OFQ et en énonce les solutions et avantages.

1264 Brûlé, Michel. **Pour une sociologie du cinéma.** *Sociologie et sociétés,* v.8 no 1 (avril 1976). Publié aux Presses de l'Université de Montréal, 143p.

Numéro qui regroupe des articles de plusieurs auteurs: Thomas H. Guback, Annie Goldmann, Dominique Noguez, Guido Aristarco. Portent sur le cinéma québécois: 1- M. Brûlé (Les impacts du cinéma américain sur le cinéma et la société québécoise), 2- O.J. Firestone (Problèmes particuliers au Québec en matière de distribution cinématographique), 3- M. Brûlé (L'imaginaire catalyseur: Deux films perni-

cieux: UN HOMME ET SON PÉCHÉ — SÉRAPHIN), suivi de UN HOMME ET SON PÉCHÉ et la presse.

1265 Directors Guild of Canada. **Pourquoi il faut de l'aide.** Toronto, 1964. 14p.

Traduction-résumé de "A brief urging the development and encouragement of a feature film industry in Canada with emphasis on the need for governmental assistance in financing a national distribution including a specific proposal for the establishment of "The national film distribution scheme' and a recommendation for improved participation by Canada Council, addressed to the Inter-departmental Committee of the Government of Canada on the possibilité of a feature film industry in Canada." On y met en évidence ce qui peut intéresser le Québec.

1266 Lamothe, Arthur. **Poussière sur la ville.** Montréal, s.n., 1965. 35p.

Transcription des dialogues du film.

1267 McGill University. Archives. **A Preliminary Guide to Motion Pictures in the University Archives Collections, McGill University.** Montréal, 1969. 19p.

Préparé par William Galloway, ce guide recense les films anciens que possède McGill. La plupart portent sur le sport et les parties de football jouées par l'équipe universitaire.

1268 **Premier congrès du cinéma québécois.** Montréal, s.n., 1968. 24p.

Cahier des résolutions adoptées par les commissions 1- politique, 2- image publique et festivals, 3- structures professionnelles et industrielles, 4- finances, 5- standards et métiers. Pour chaque commission, on fournit la liste des personnes qui étaient présentes.

1268a Société canadienne de la sclérose en plaques. **Première mondiale Les Plouffe.** Québec, 1981. 48p.

Brochure publiée à l'occasion de la première du film le 7 avril 1981. En plus de renseignements d'usage, contient plusieurs mots de présentations d'hommes politiques dont P.E. Trudeau et R. Lévesque.

1269 Office national du film du Canada. **Premières oeuvres.** Montréal, 1970. 56p.

Document sur cinq films de jeunes réalisateurs: TI-COEUR de Fernand Bélanger, MON ENFANCE À MONTRÉAL de Jean Chabot, QUESTION DE VIE d'André Théberge, JEAN-FRANÇOIS-XAVIER DE de Michel Audy et UN JOUR SANS ÉVIDENCE d'Yvan Patry. Voir aussi no 1184.

1270 Festival international du nouveau cinéma, 10e, Montréal, 1981. **Présence vidéo.** Montréal, 1981. 18p.

Catalogue des productions vidéoscopiques présentées au Festival.

1271 Léger, Raymond-Marie. **Présentation du Ministre M. Claude Simard;** avant-première "Destination Hospitalité" "Carnaval de Québec", Place Ville-Marie. Montréal, Office du film du Québec, 1975. 3p.

Texte introduisant deux films de Roger Cardinal.

R Press Book **voir** Cahier de presse et Dossier de presse.

1272 Amengual, Barthélémy. **Prévert, du cinéma.** Montréal, Cinémathèque québécoise, Musée du cinéma, 1978. 16p. (Les Dossiers de la Cinémathèque, 2)

Réédition d'une étude originellement publiée par Travail et Culture (Alger) en 1952.

1273 Office national du film du Canada. **Preview Library Catalog.** Montréal?, 1946. 229p.
— Suppl. no 1. Montréal, 1947.

Publié en 1945 sous le titre: Preview Catalog.

1274 Association professionnelle des cinéastes. **Principal Recommandations of a Brief Addressed to the Secretary of State by the Association professionnelle des cinéastes Urging the Government of Canada to Promote the Development of a Feature Film Industry in Accordance with the Economic and Cultural Interests of the Country.** Montréal, 1964. 4p.

Résumé des dix-sept principales recommandations que l'on retrouve dans le mémoire intitulé Mesures que l'Association professionnelle des cinéastes recommande au gouvernement du Canada...

1275 **Prise de position des délégués du SNC et du SGCT.** Montréal, 1976. 14p.

Suite à la démission du directeur du Conseil québécois pour la diffusion du cinéma, les délégués de deux syndicats membres du conseil d'administration retracent l'historique du conflit depuis l'automne 75 et l'interprètent comme une "tentative de prise de contrôle par un groupe précis de petits producteurs qui pourtant n'avaient pas été mal servis par le Conseil."

1276 Conseil québécois pour la diffusion du cinéma. **Problématique et perspectives de diffusion à l'étranger, notamment en France et en Belgique.** Montréal, 1975. 13p.

Bilan du travail effectué en Europe par le CQDC, fin 74, début 75, pour y diffuser du cinéma québécois.

1277 Léger, Paul Emile, cardinal. **Le problème du cinéma.** Montréal, A.M., 1954. 1 vol. en pagination multiple.

Lettre (# 159) sur l'apostolat du film et la fondation et l'orientation du Centre catholique du cinéma de Montréal. En appendice une exhortation du pape sur la télévision.

R Production '80; a Review of the Films produced by the National Film Board of Canada during the year 1980 **voir** Production '80; un répertoire...

1278 Office national du film du Canada. **Production.'80; un répertoire des films produits par l'Office national du film du Canada durant l'année 1980.** Montréal, 1981. 56, 56p.

Catalogue bilingue répertoriant d'une part la production française, et de l'autre la production anglaise.

1279 Beaulieu, Pierre-Emile et Chabot, Geneviève. **La production audiovisuelle du BRTS/SMTE/SGME (1962-1974), données quantitatives, analyse et évolution.** Avec la collaboration de Robert Michaud. Montréal, Ministère de l'éducation, Service général des moyens d'enseignement, 1976. 344p.

Rapport d'étude et bilan de la production du BRTS/SMTE/SGME. Certains des documents sont des films.

1280 Office national du film du Canada. **The Production Business Manager.** Montréal, 1951. 46p.

Manuel décrivant tous les aspects de la profession de régisseur.

1281 Maisonneuve, Danielle. **La production cinématographique des compagnies pétrolières au Québec, de 1960 à 1979.** Montréal, Université de Montréal, 1979. 153p.

Thèse de M.A. (histoire de l'art). Étude sur un aspect méconnu du cinéma québécois: le cinéma industriel. Les films qu'on y produit sont à l'usage interne et externe des compagnies. En choisissant un secteur particulier, l'auteur s'attarde aux motivations qui animent les compagnies pétrolières et, parlant de cinéma de propagande, démonte les mécanismes de persuasion utilisés par ces films dans le but de modifier le comportement et la pensée des spectateurs, employés et public. Selon elle, "cette propagande a pour but de défendre un ordre économique, politique et social en propageant une idéologie fédéraliste et capitaliste à monopole multinational". Elle étudie d'abord les films à usage interne (didactique ou d'information générale), particulièrement CANADA de BP. Puis elle s'attarde aux films à usage externe et à leur impact, de LES ARRIVANTS de l'Impériale à LE CENTRE DE DISTRIBUTION AUTOMATIQUE DE MONTRÉAL de Shell. En conclusion, elle estime que ce cinéma est un exemple de récupération de la culture et de l'art par le pouvoir économique multinational et qu'il doit être dénoncé comme étant source d'aliénation publique au profit des super-puissances étrangères. En annexe, document sur LES ARRIVANTS, découpage de LE CENTRE... et répertoire des films des compagnies pétrolières.

1282 Centre d'études, de gestion, d'informatique et de recherches (CEGIR). **La production de messages publicitaires au Québec;** rapport-phase II. Montréal, 1978. 52, 55p.

Les objectifs de l'étude sont les suivants: mesurer le phénomène du déplacement de la production de messages publicitaires du Québec vers d'autres centres de production, identifier les causes du phénomène, suggérer à l'Association des producteurs de films du Québec des stratégies d'action pour que le volume de production augmente au Québec. La première phase donna lieu à un rapport qui mesurait la possibilité d'obtenir de l'information et la collaboration des intéressés. La seconde répond aux objectifs de l'étude et la dernière consistera à assiter l'APFQ à la mise en application des recommandations. Les solutions ne sont pas très nombreuses et vont dans le sens d'une reprise en main de l'industrie par elle-même pour contrer la prolifération de petites entreprises et pour établir un consensus avec les autres associations. En annexe on retrouve des rapports d'entrevues, dix à Toronto et huit à Montréal.

1283 Collège d'enseignement général et professionnel Montmorency, **Production multi-média 389-101; manuel-guide.** Laval, 1974. 58p.

R Production Origin of Education Film in Canada **voir** Origine des films éducatifs utilisés au Canada.

1284 Québec (Province) Direction générale du cinéma et de l'audiovisuel. **Productions.** Montréal, 1978. 13p.

Texte en anglais.

1285 Québec (Province) Direction générale du cinéma et de l'audiovisuel. **Productions.** Montréal, 1979. 14p.

Texte en français.

24 30 giugno
Cinema
Filarmonico

settimana cinematografica internazionale
IL NUOVO CINEMA CANADESE

ESTATE
TEATRALE
VERONESE

1972

on a raison de se révolter

série de 4 films sur les luttes ouvrières au québec

LA POLOGNE ET LE CINÉMA
(tendances des années soixante-dix)

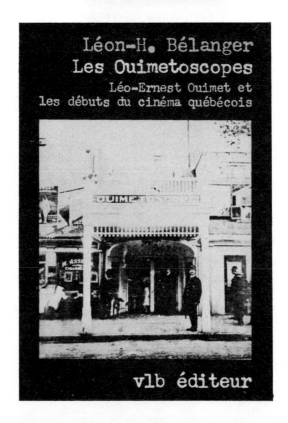

Léon-H. Bélanger
Les Ouimetoscopes
Léo-Ernest Ouimet et
les débuts du cinéma québécois

vlb éditeur

1286 Québec (Province) Direction générale du cinéma et de l'audiovisuel. **Productions.** — New. ed. Montréal, 1979. 12p.

Texte en anglais.

1287 Office du film du Québec. **Les productions de l'Office du film du Québec.** Montréal, 1971. 61p.

Catalogue des films produits par l'OFQ depuis 1965.

1288 Office du film du Québec. **Productions de l'Office du film du Québec présentées au Congrès annuel de l'Association des producteurs de films du Québec.** Montréal, 1975. 9p.

1289 Lavigne, Claude, Le Gal, Jeanne et Mayo, Jeanne. **Profil du programme Société Nouvelle/Challenge for Change, 1969-1976.** Montréal, Office national du film du Canada, 1977?. 29p.

Étude du projet de 1969 à 1976. La plupart de ses aspects sont touchés. Le rapport comprend aussi des annexes.

1290 Office national du film du Canada. Service de distribution. **Program Material.** Montréal, 1953. 1v. (paginations diverses)

Notes diverses sur les productions de l'ONF en 1952-3 regroupées par thème.

1291 Midson, Tony. **Programmation sur ordinateur de la liste des films disponibles au Canada.** Montréal, Office national du film du Canada, 1975. 14p. (Série Programme d'aide à l'éducation # 1)

Rapport sur la nécessité de créer un fichier central.

1292 Arcand, Denys. **Programme cinématographique à l'intention du Centre national des arts du Canada.** Montréal, Office national du film du Canada, 1967. 105p.

Projet soumis par Arcand avec comme producteur Clément Perron. Après avoir classifié les différents média, et y avoir situé le cinéma, les auteurs abordent les questions suivantes: création d'une cinémathèque, emploi du médium cinématographique, le CNA comme lieu de projection et d'expérimentation audiovisuelle et l'utilisation de la photo et du film fixe.

1293 La Rochelle, Réal. **Programme expérimental d'audiovision en pédagogie**; rapport et appréciation des activités. Trois-Rivières, Université du Québec à Trois-Rivières, Campus du Nord-ouest, 1972. 71p.

Présentation et évaluation de 4 projets:
1- Les films pédagogiques de Michel Moreau
2- Le long métrage québécois comme outil d'animation socio-culturelle (films: ON EST LOIN DU SOLEIL, À SOIR ON FAIT PEUR AU MONDE.)
3- Technologie et enseignement (film: COMMENT SAVOIR)
4- Cinéma, intégration, pédagogie nouvelle.
Programme ayant bénéficié de l'aide du CQDC.

1294 Mecque. **Programme répertoire '78**; le marché des moyens d'éducation par le cinéma et l'audiovisuel au Québec. Montréal, 1978. (Annuel)

Programme-répertoire des activités du Mecque et des documents qui y sont présentés.

1295 Office national du film du Canada. **Projecting Women;** a Catalogue of Films. s.l., 1975. 57p.

Catalogue des films tournés par des femmes ou portant sur des femmes à l'ONF. Ils sont regroupés par thème. Un bon nombre sont québécois.

1296 Projection cinématographique. **1975.** Québec, Service des entreprises, Bureau de la statistique. Annuel.

Fournit, par région administrative, des données sur les salles, l'assistance mensuelle, les recettes mensuelles, le prix d'entrée moyen, le nombre de projections et le pourcentage d'occupation.

1297 Ciné-club Dolbeau. **Le projectionniste: conseils au débutant.** Dolbeau, 1963. 9p.

1298 Québec (Province). Commission des valeurs mobilières. **Projet d'énoncé de politique nationale concernant les longs et courts métrages portant visa.** Montréal, 1980. 24p.

Texte pour fins de discussion sur la question du financement par appel public. On y couvre la responsabilité des promoteurs envers les investisseurs, les modalités du projet et la divulgation ou prospectus. Donne certaines règles concernant la production, la distribution et l'exploitation.

1299 Neale, Colin. **Projet d'établissement d'un système d'information et de distribution pour les produits audiovisuels canadiens.** Montréal, Office national du film du Canada, 1977. 12,16p.

Définition du système, traitement des données, sortie des informations, modèle de la mise en place, recommandations. L'auteur propose la création d'une banque de données nationale. Brochure bilingue.

1300 Poirier, Anne Claire. **Projet de budget "B". Programme des femmes.** Montréal, Office national du film du Canada, 1973. 12p.

Historique du projet "En tant que femmes", accueil qui lui fut réservé et proposi-tions pour aller plus loin à l'occasion de l'Année internationale de la femme.

1301 La Rochelle, Réal. **Projet de concentration cinéma.** Laval, Collège d'enseignement général et professionnel Montmorency, 1972. 35p.

Objectifs d'une concentration cinéma et description des cours.

1302 **Projet de loi-cadre du cinéma.** Montréal, s.n., 1970. 12p.

Situation du cinéma québécois, mesures proposées par la Fédération québécoise de l'industrie du cinéma, mesures proposées par le ministère des Affaires cultu-relles. Texte-synthèse probablement rédigé par un fonctionnaire de l'OFQ.

1303 Société des auteurs et compositeurs. **Projet de loi no 1: mémoire.** Montréal, 1975. 14p.

Objections fondamentales de la Société au projet de loi sur le cinéma qu'elle estime trop dirigiste. Elle en demanda le retrait.

1304 Girault, Françoise. **Projet de programme en techniques de la documentation;** option: services publics et documentation audio-visuelle. Laval, Cegep Montmo-rency, 1973. 26p.

Objectifs du programme et description des cours.

1305 Institut québécois du cinéma. **Projet de règlement général concernant l'infor-mation et la classification des films au Québec.** Montréal, 197-, 15p.

1306 Conseil québécois pour la diffusion du cinéma. **Projet de réseau de cinéma-thèques ambulantes.** Montréal, 1975. 8p.

Projet-pilote pour alimenter divers dircuits culturels en films et vidéos québécois à partir du ciné-bus du CQDC

1307 Beaulne, Bernard. **Projet de traitement primaire de l'information émanant des producteurs et distributeurs de documents audio-visuels.** Montréal, Université de Montréal, Centre audio-visuel, 1973. 66p.

Réponse au besoin d'une audiovidéothèque universitaire de fournir à ses usagers une approche systématique de la vaste documentation audiovisuelle disponible à divers niveaux au Canada et à l'étranger. L'essentiel du document porte sur la constitution d'un catalogue, sur l'entrée et la sortie des données.

1308 Coté, Guy L. **Projet pour un fichier de la littérature cinématographique commune aux bibliothèques ou divisions audiovisuelles canadiennes. Suggestions for the Creation of a Card Index to the Books and Magazines on Cinema Shared by Ca-nada's Audio-Visual Departments or Libraries.** Montréal, l'Auteur, 1959. 14p.

Texte envoyé à l'Institut canadien du film pour leur proposer de créer un fichier commun de livres et de périodiques qui regrouperait les principaux centres possédant de la documentation cinématographique, le plus important étant le sien.

1309 Spry, Robin. **Prologue.** Montréal, Office national du film du Canada, 1969. 39p.

Scénario de post-production.

1310 Spry, Robin. **Prologue.** Montréal, Office national du film du Canada, 1969. 53p.

Transcription des dialogues.

1311 **Prologue: revue de presse.** Montréal, Office national du film du Canada, 1970. 76p.

Revue de la presse canadienne et étrangère.

R Proposed Course of Action to Implement an Information/Distribution System for Canadian Audio-visual Products **voir** Projet d'établissement d'un système d'infor-mation et de distribution pour les produits audiovisuels canadiens.

1312 Poirier, Anne Claire. **Proposition pour un studio ayant à sa tête une tête et un coeur de femme.** Montréal, Office national du film du Canada, 1974. 3, 3p.

Ce studio permettrait aux femmes de participer au processus décisionnel et à l'élaboration de politiques et constituerait un lieu de production qui leur serait faci-lement accessible. En annexe, des prévisions budgétaires.

1313 Association des réalisateurs de films du Québec. **Propositions concrètes pour une politique globale du cinéma.** Montréal, 1979. 10p.

Faisant suite aux consultations sur le Livre bleu, l'ARFQ souhaite la création d'une soumission permanente sur le cinéma qui aurait des pouvoirs analogues à ceux du CRTC. Elle en décrit le fonctionnement et les priorités.

1314 Institut québécois du cinéma. **Propositions d'amendements aux lois de 1967 et de 1975, soumises à l'attention du Ministre des communications par l'Institut québé-cois du cinéma, le vendredi 9 février 1979.** Montréal, 1979. 14p.

Ce document parle principalement du Bureau de surveillance et de l'Institut. Il est composé de propositions de modification et de commentaires.

1315 Conseil québécois pour la diffusion du cinéma. **Propositions du conseil d'administration.** Montréal, 1975. 9p.

Propositions concernant les différentes activités du Conseil ainsi que ses structures.

1316 Association canadienne d'éducation des adultes. Commission nationale sur le cinéma. **Putting Films to Work.** Ottawa, National Film Board of Canada, Information & Promotion Division, 1958. 20p.

Sur la façon d'utiliser les films en groupe et de mener une discussion.

1317 Lévesque, Jeannine Bouthillier. **Quand l'idéologie se fait utopie pour la suite du monde**; une analyse sociologique de l'oeuvre de Pierre Perrault; mémoire. Paris, Université de Paris, 1975.

Mémoire non-consulté.

1318 Bruneau, Pierre. **Quand les arbres pleurent. When the Trees Cry.** s.l., s.d. 16, 13p.

Scénario d'un film de 17 minutes.

R Quatre peintres canadiens présentés en quatre films de l'Office national du film — Canada **voir** Four Painters of Canada Presented in Four Films From the National Film Board of Canada.

1319 Festival international du film de Montréal, 4e, 1963. **Quatrième Festival international du film de Montréal du 2 au 11 août/Cinéma Loews. Fourth Montreal International Film Festival, August 2 to 11/Loews Theatre.** Montréal, 1963. 30p.

Programme du Festival avec section spéciale consacrée au Festival du cinéma canadien.

1320 Bastien, Jean-Pierre et Beaudet, Louise. **Québec 75: cinéma.** Montréal, Cinémathèque québécoise, Musée du cinéma; Institut d'art contemporain, 1975. 63p.

Publication qui fait le point sur le cinéma québécois de 1970 à 1975 et fournit des renseignements sur les films de cette période présentés à la Cinémathèque et sur leurs réalisateurs. Brochure bilingue.

1321 Cinémathèque québécoise. Musée de cinéma. **Québec courts métrages 1978.** Montréal, 1979. 146p. (Copie Zéro no 3)

Annuaire des courts métrages, suivi de quelques index.

1322 Guérin, André. **Le Québec et le projet de loi fédérale d'aide au cinéma.** Montréal, 1966. 28p.

Analyse critique du projet de loi fédéral par le président du Bureau de censure et directeur de l'Office du film du Québec. Il propose que le Québec dénonce cette loi et vote sa propre loi-cadre avant celle d'Ottawa. Voir aussi DEMAIN IL SERA TROP TARD.

1323 Guérin, André. **Québec et occident.** Montréal, Bureau de surveillance du cinéma, 1968. 12p.

En marge du film I, A WOMAN, réponse d'André Guérin à M. Claude Ryan, directeur du Devoir, publiée sous la rubrique Point de vue. Ce film, dûment visé, avait été saisi par le police, C. Ryan profita de l'événement pour souhaiter un contrôle plus sévère. A. Guérin explique la philosophie et l'action de son Bureau qui doit concilier liberté et morale publique.

R Quebec Film Industry Handbook 1979-80 **voir** Le cinéma au Québec. Répertoire 1979.

1324 Carle, Gilles. **La Québécoise.** Montréal, s.n., 1971?. 121p.

Premier scénario de LA MORT D'UN BÛCHERON.

1325 Conseil québécois pour la diffusion du cinéma. **Quelques notes sur la production d'un film**. Montréal, 1974? 23p.

Description de ce que sont le scénario, le découpage (plans, angles, la bande sonore), le tournage et le montage. En annexe, les métiers du cinéma. Le contenu élémentaire et proche des années 50 de ce dossier en causa la mise au rancart immédiate.

1326 Chabot, Jean. **La question nucléaire au Québec**. Montréal, s.n., 1977. 17p.

Rapport de la recherche préparatoire au film LA FICTION NUCLÉAIRE. En annexe, une longue étude sur le projet de la Baie James.

1327 Masse, Jean-Pierre. **La quinte du loup**. Montréal, 1981. 55p.

Scénario.

1328 Centre d'essai Le Conventum. **La quinzaine des premiers combattants du cinéma d'hier et d'avant-hier au centre d'essai le Conventum...** Montréal, 1977. 38p.

Présenté par Pierre Falardeau, ce dossier comprend des notes sur les nombreux films présentés lors de la quinzaine qui devait fournir l'occasion d'un questionnement sur la nature du cinéma québécois.

1329 Conseil québécois pour la diffusion du cinéma. **Quinzaine nationale du cinéma québécois: relevé statistique**. Montréal, 1973. 29p.

Tableaux qui témoignent de l'ampleur de cette première quinzaine qui circula à travers tout le Québec.

1330 Conseil québécois pour la diffusion du cinéma. **Rapport.** 1969/1970, Montréal. Annuel.

Rapport des activités, indications pour l'année à venir et prévisions budgétaires. Définition et nature du Conseil.

1331 Centre catholique national du cinéma, de la radio et de la télévision. **Rapport annuel.** v.

1332 Institut québécois du cinéma. **Rapport annuel.** Montréal, 1978 (1977/1978)

Rapport sur les activités de l'IQC et les films et les projets dans lesquels il a investi.

1333 Office du film du Québec. **Rapport annuel.** Montréal, 1962 (1961/1962) — 1975 (1974/1975).

Couvre la production, la distribution, la photographie.

1334 Office national du film du Canada. Service de distribution. **Rapport annuel.** 1968/1969, Montréal.

1335 Québec (Province) Bureau de surveillance du cinéma. **Rapport annuel.** 1975/76, Montréal.

Comprend plusieurs tableaux et graphiques, dont: répartition selon la langue et l'origine des longs métrages et des courts métrages visés, état comparatif en pourcentage selon les catégories de spectateurs. Un des seuls outils statistique publié officiellement par le gouvernement québécois. Fait suite à: BSC. Rapport statistique annuel.

1336 Québec (Province) Direction générale du cinéma et de l'audiovisuel. **Rapport annuel.** Montréal, 1976 (1975/1976).

Bilan des activités

1337 Société de développement de l'industrie cinématographique canadienne. **Rapport annuel.** 1968/1969, Montréal.

Bilan des activités. Comprend la liste des films dans lesquels la SDICC a investi.

1338 **Le Rapport Boyer sur le cinéma.** Quelques appréciations et commentaires. Montréal, L'Action paroissiale, 1927. 16p. (L'Oeuvre des tracts, no 100)

Réactions au rapport du juge Boyer sur l'incendie du Laurier Palace. On y retrouve un texte du journaliste Jules Dorion, du théologien Antonio Huot et du chanoine A. Harbour. Chacun s'en prend au rapport Boyer.

1339 Blouin, Raymond. **Rapport d'évaluation, Opération Bas-St-Laurent 1973-74,** Annexe. Montréal, Office national du film du Canada, 1974. 167p.

Rapport des projections qui eurent lieu dans chacune des 28 paroisses visitées. Complète "Analyse des opérations de distribution effectuées dans la région du Bas-Saint-Laurent". Une publication de Société nouvelle.

1340 Favreau, Robert et Fauteux, Benoît. **Rapport de force.** Montréal, s.n., 1973. 25p.

Scénario d'un film sur le syndicalisme québécois prévu pour Société nouvelle. Après avoir été accepté par les échelons de la hiérarchie, le film est refusé par le commissaire parce que le projet constitue une dénonciation du gouvernement, du patronat et des chefs syndicaux, qu'il ne cadre pas avec les objectifs de Société nouvelle, qu'aucun pigiste ne devrait avoir accès à l'ONF pour réaliser un film politique et que l'ONF ne veut pas ravoir les problèmes qu'il a eus avec RICHESSE DES AUTRES.

1341 Côté, Gisèle et Véronneau, Pierre. **Rapport de l'expertise de la "collection Proulx".** Montréal, Cinémathèque québécoise, 1977. 50p.

Commandé par la province pour évaluer la collection de films que voulait lui vendre l'abbé Maurice Proulx, ce rapport étudie les aspects historique, cinématographique, conservation, technique, légal et commercial de la collection. Comprend cinq annexes dont un rapport de l'historien Robert Comeau et la liste des films étudiés.

1342 Commission royale créée pour s'enquérir des circonstances de l'incendie du théâtre "Laurier Palace". **Rapport de la Commission royale chargée de faire enquête sur l'incendie du "Laurier Palace" et sur certaines autres matières d'intérêt général.** Québec, 1927? 31p.

Dit "Rapport Boyer". Dans un premier temps, le juge étudie les causes de la tragédie. Par la suite, il répond aux tenants de la fermeture le dimanche. Un rapport courageux qui tint tête à l'obscurantisme religieux en matière de cinéma.

1343 Conférence fédérale-provinciale sur le tourisme. **Rapport de la distribution des films touristiques.** Ottawa, Office national du film du Canada, 1969. 14p.

1344 Rencontre nationale des responsables des centres diocésains du cinéma, de la radio et de la télévision, Montréal, 1960. **Rapport de la rencontre nationale des responsables des centres diocésains du cinéma, de la radio et de la télévision, 26-28 février 1960.** Montréal, 1960. 31p.

Allocutions de certains dignitaires de l'église, étude des différents aspects de l'activité des centres diocésains, rapport des différentes commissions (classification morale, enfance) et liste des présences.

1345 Désilets, Daniel. **Rapport de la tournée d'animation (automne 71).** Trois-Rivières, Société Saint-Jean-Baptiste, 1971.

Rapport sur la tournée en Mauricie de FAUT ALLER PARMI L'MONDE POUR LE SAVOIR de Fernand Dansereau.

1346 Semaine du cinéma québécois, Annecy, 1974. **Rapport de M. Carol Faucher, délégué du C.Q.D.C. à la Semaine du cinéma québécois à Annecy — 11 au 18 décembre 1974.** Montréal, 1975. 5p.

Bilan des activités à Annecy.

1347 Conseil québécois pour la diffusion du cinéma. **Rapport de On n'engraisse pas les cochons à l'eau claire de Jean Pierre Lefebvre et rapport de Bar salon d'André Forcier.** Montréal, 1975. 75.

Rapport sur la diffusion des films. Contient en plus des extraits de presse, des chiffres, etc.

1348 Herman, André. **Rapport de recherche sur la pratique du cinéma Super 8 et ses systèmes sonores: soumis au Ministère des communications du Québec, de la faculté des beaux-arts de l'Université Concordia.** Montréal, s.n., 1978. 40p.

Rapport pour déterminer les avantages et désavantages respectifs des systèmes avec son incorporé et avec son séparé. On a demandé à huit cinéastes de tourner un film, la moitié en séparé, l'autre en incorporé. Ces cinéastes ont produit un rapport. Le son incorporé triomphe.

1349 Houle, Michel. **Rapport de recherches sur l'évolution du cinéma au Québec (1896-1967) remis à la Direction générale du cinéma et de l'audio-visuel.** Montréal, 1978. 72p.

Recherche sur les aspects économique, politique et culturel de l'évolution du cinéma au Québec préparée en vue du Livre bleu sur le cinéma où de larges extraits en seront publiés. Il existe de ce rapport une version redactylographiées de 123p.

1350 Québec (Province) Office franco-québécois pour la jeunesse. **Rapport de stage Q-802-76 "Cinémathèques".** Québec, 1976. 1v. (paginations diverses)

Rapport des stagiaires de l'OFQJ suite à un voyage en France pour étudier le fonctionnement des cinémathèques. Comprend 5 sections: Visionnement, Méthodologie, Documentation, Conservation, Diffusion.

1351 Québec (Province) Ministère des communications. **Rapport des activités.** 1970-Québec. Annuel.

1352 Journées d'étude sur l'utilisation du film, Montréal, 1952. **Rapport des journées d'études sur l'utilisation du film** organisées par le Conseil français du film de Montréal sous les auspices de la Société canadienne d'enseignement postscolaire. Montréal, Conseil français du film de Montréal, 1952. 1 v. (paginations multiples)

Ces journées se déroulèrent à l'Université de Montréal les 25-26 janvier 1952.

1353 Office national du film du Canada. **Rapport du comité d'enquête sur les structures de l'Office national du film du Canada.** Montréal, 1968. 130p.

Pour chaque service, le comité analyse la situation et formule des recommandations à partir du présent et en prévision de l'avenir.

1354 Office national du film du Canada. **Rapport du comité de la crise, septembre 1969.** Montréal, 1969. 27p.

Propositions des moyens à prendre pour revitaliser l'ONF au lieu de consentir à son affaiblissement. Chacun des services est étudié.

1355 Centre catholique national du cinéma, de la radio et de la télévision. **Rapport du Stage national d'études organisé par le Centre catholique national du cinéma, de la radio et de la télévision à l'intention des responsables des centres diocésains, 29 juin au 4 juillet 1960.** Montréal, 1960. 136p.

Porte sur 4 points principaux:
1- Organisation et orientation des Centres diocésains
2- Introduction au monde des techniques de diffusion
3- Les diverses méthodes d'éducation cinématographique
4- Le Dimanche des techniques de diffusion.

1356 Allaire, Francine. **Rapport du voyage effectué par Francine Allaire, cinéaste, en Europe du 7 septembre '79 au 28 novembre '79.** Montréal, 1979. 15p.

Voyage en Hollande, Suisse, Belgique et France. Voyage d'information et d'exploration.

1357 Conseil québécois pour la diffusion du cinéma **Rapport et évaluation du cinéma québécois, Valleyfield du 2 au 10 août 1974.** Montréal, 1974. 5p.

Rapport d'un festival du cinéma québécois organisé par le CQDC dans le cadre des Jeux du Québec.

R Le rapport Grierson dans son contexte **voir** Rapport sur les activités cinématographiques du gouvernement canadien.

1358 Association professionnelle des cinéastes. **Rapport préparé par l'Association professionnelle de cinéastes au sujet de la production de films de long métrage en Belgique.** Montréal, 196-? 9p.

Résumé des démarches belges dans le but de réviser la loi en matière d'aide à l'industrie cinématographique. L'APC souhaite une démarche semblable pour le Québec.

1358a Société de recherches en sciences du comportement. **Rapport présenté à Monsieur F.N. Macerola commissaire adjoint à l'O.N.F..** Montréal, 1981. 97p.

Rapport sur le programme de régionalisation entrepris par l'ONF depuis 1974. Abandonné en 1978, ce programme connut un prolongement en Acadie avec la mise sur pied du studio E. Suite aux pressions des Acadiens, l'ONF confia à Sorécom un mandat d'étude sur toute la question. La société entreprit surtout une enquête auprès du Comité d'action régionale. Puis son intérêt se tourna vers les témoignages d'autres groupes. Ne voulant pas se poser en arbitre, Sorécom ne formule pas de conclusions mais avance les propositions de solutions amenées par ses interlocuteurs.

1359 Hamel, Richard. **Rapport: recherche effectuée auprès des universités canadiennes sur les méthodes et techniques d'évaluation des réactions d'auditoires.** Montréal, Office national du film du Canada, 1975. 52p.

Publiée par le Service des besoins et réactions du public, cette brochure rend compte d'une enquête menée par l'ONF auprès des universités canadiennes et en décrit en détail la méthodologie. En annexe on retrouve le texte de Hamel: "L'audio-visuel comme sujet d'analyse: bibliographie sommaire". Travail utile pour les études psycho-pédagogiques du cinéma.

1360 Office national du film du Canada. **Rapport Saumier sur les mises à pied à l'O.N.F. / Saumier Report on Lay-off at N.F.B.** Montréal, 1970. (paginations diverses).

Diverses réactions au rapport Saumier.

1361 Québec (Province). Bureau de surveillance de cinéma. **Rapport statistique annuel.** 1970/1971- Montréal.

Deviendra BSC. Rapport annuel.

1362 Université du Québec à Rimouski. **Rapport statistique sur les demandes d'emprunt de films adressées à la Cinémathèque.** Rimouski, 1974. 67p.

1363 Association canadienne des distributeurs de films. **Rapport sur l'industrie de distribution de films au Canada.** Toronto, 1978. 44p.

Publié aussi en anglais sous le titre: A Report on the Motion Picture Distribution Industry in Canada. Notes sur l'Association, son implication dans l'industrie cinématographique, sur la production, la distribution et la situation du cinéma au Canada. Malgré les apparences cette association ne regroupe que des distributeurs torontois d'extraction américaine. Le rapport demande que les films canadiens soient concurrentiels au plan commercial. Concerne indirectement le Québec.

1364 **Rapport sur la distribution des films touristiques.** 1946?- Montréal, Office national du film du Canada. Annuel.

1365 Institut canadien d'éducation des adultes. Comité d'étude sur l'utilisation du film en éducation des adultes. **Rapport sur la distribution du film.** Montréal, 1967. 79p.

Description factuelle de la distribution non-commerciale au Québec et au Canada. Le comité était composé de différents intervenants dans le domaine. Une attention particulière est accordée à l'ONF, au CFI et à l'OFQ.

1366 Rémillard, Jean. **Rapport sur la possibilité d'un accord entre la D.G.C.A. et l'U.Q. concernant l'utilisation des facilités informatiques & audiovisuelles, les réseaux de communication et d'audiovidéothèques.** Longueuil, l'Auteur, 1977. 34p.

Travail pour un cours en science politique, Université du Québec à Montréal.

1367 Daudelin, Robert. **Rapport sur la situation du cinéma au Québec.** Montréal, 1970. 35p.

Document qui se veut une carte cinématographique du Québec en prévision de la conférence de Dakar (FIFEF). Tous les aspects de la situation sont abordés. Il recommande que l'Agence de coopération culturelle et technique aide à l'affirmation culturelle du cinéma, québécois et au Québec, en facilitant les échanges, en s'impliquant dans la production et en assurant un lien permanent entre les cinéastes francophones.

1368 Conseil d'orientation économique du Québec. **Rapport sur le projet de classification.** Québec, 1963. 37, 22p. (Le cinéma, document IV)

Rédigé par le Bureau de censure, ce texte fait suite au Rapport du Comité provisoire pour l'étude de la censure du cinéma en tenant compte de facteurs nouveaux depuis 1962. On y étudie en détail ce rapport, donnant commentaires et suggestions et proposant de nouvelles recommandations. En annexe on retrouve les recommandations du Bureau de censure de la province de Québec et des Critères d'appréciation suggérés par l'Office catholique national des techniques de diffusion.

1369 Grierson, John. **Rapport sur les activités cinématographiques du gouvernement canadien.** Précédé de: **Le rapport Grierson dans son contexte,** par Pierre Véronneau. Montréal, Cinémathèque québécoise, Musée du cinéma, 1978. 39p. (Les Dossiers de la Cinémathèque, 1).

Traduction du célèbre rapport qui préconisa la création de l'Office national du film et qui en orientera l'activité.

1370 Association des cinéastes amateurs du Québec. **Rapport sur les activités de l'Association des cinéastes amateurs du Québec Inc.** Montréal, 1975 (1974/1975) — 1978 (1977/1978). Annuel.

Devient le Rapport de l'Association pour le jeune cinéma québécois en mars 1979.

1371 Société de développement de l'industrie cinématographique canadienne. **Rapport sur les coproductions canadiennes (1963-1979).** Montréal, 1980. 22p. (3p.)

Définition, historique des coproductions, pays avec lesquels le Canada a signé des accords, analyse de 31 coproductions (1976-79), administration. En annexes, films produits en vertu des accords avec Israël, Allemagne, Italie, Grande-Bretagne. Constatant quelques déséquilibres du côté créatif, l'étude conclut que l'expérience est positive pour l'industrie et les producteurs.

1372 Saumier, André. **Rapport sur les licenciements à l'Office national du film.** Ottawa, s.n., 1970. 10p.

Préparé en quelques semaines à l'intention du Secrétaire d'Etat Gérard Pelletier, ce rapport analyse la difficulté qu'a l'ONF d'appliquer la politique gouvernementale globale d'austérité annoncée par P.E. Trudeau le 13 août 1969, situation que l'on a baptisée la Crise de l'ONF et qui a mené à des prises de décisions incohérentes.

1373 Désilets, Daniel et Bastien, Jean-Pierre. **Rapport sur les tournées d'animation et l'utilisation du film FAUT ALLER PARMI L'MONDE POUR LE SAVOIR de Fernand Dansereau.** Trois-Rivières, s.n., 1971. 24p.

Comprend quatre chapitres: Analyse du film en tant que moyen et instrument d'animation (ses thèmes); le rôle de l'animateur; suggestions pour un travail d'animation; suggestions pour l'utilisation de ce film.

1374 Office national du film du Canada. **Rapports entre la production de l'Office national du film et les auditoires de jeunes et les auditoires scolaires.** Montréal, 1969. 10p.

Rapport pour répondre aux inquiétudes du gouvernement canadien au sujet du rôle que l'ONF joue dans le domaine de l'éducation. On y parle des objectifs de l'ONF en produisant de tels films, des aspects constitutionnels de la question et des liens de l'ONF avec l'université.

1375 Thérien, Gilles. **Ratopolis.** Montréal, Presses de l'Université du Québec, 1975. 130p.

Volume sur le rat, sa zoologie, son éthologie, son écologie et sa dimension mythologique. Il complète et prolonge le film RATOPOLIS de Thérien et alimente la réflexion comparatiste (rat-homme) que le film suscite.

1376 Gandol, Pedro. **Reactions to Selected Environmental Films.** Montréal, Office national du film du Canada, 1975, 19, 36p.

Publié par le Service des besoins et des réactions du public, ce rapport mesure l'accueil réservé à cinq films commandités par Environnement Canada. En annexe, les questionnaires utilisés et les tableaux des réponses.

1377 Ste-Marie, Gilles. **La réalisation d'un film.** Montréal, Société Radio-Canada, 1953. 7p.

Conférence dans la série Radio-Collège.

1378 Centre diocésain du cinéma de Montréal. Commission des ciné-clubs. **Le réalisme au cinéma: stages d'été 1959.** Montréal, 1959. 3v.

Documents préparatoires à trois stages de cinéma pour les jeunes gens et les jeunes filles organisés sous la direction de Léo Bonneville et de Gisèle Montbriand. Chaque volume contient les mêmes textes; seule la liste des participants varie.

1379 Société nouvelle/Challenge for Change. **Recherche effectuée par Société nouvelle/CC sur Le bonhomme.** Montréal, Office national du film du Canada, 1972. 300p.

Texte mentionné en annexe de "Mesurer les changements d'attitude, premières tentatives".

1380 Lévesque, Claire. **Recherche sur l'attention audio-visuelle des enfants sous-doués, âgés de un à trois ans, de la crèche St-Vincent-de-Paul de Québec.** Québec, Université Laval, 1949. 45p.

Baccalauréat en pédagogie. L'auteur veut vérifier si, face à des représentations filmiques, l'enfant de crèche manifeste des symptomes habituels d'attention et d'organisation perceptuelle, et s'il est possible d'utiliser le film pour développer cette sensibilité. Une centaine d'enfants visionnèrent quatre films étrangers distribués par le SCP. Les résultats individuels sont colligés et analysés. Puisque l'enfant manifeste assez d'attention, l'auteur suggère d'utiliser des films préparés à l'intention des orphelins.

1381 Desmarais, Anne Marie. **Recherche sur l'auditoire en milieu scolaire "projet E".** Rapport. Montréal, Office national du film du Canada, 1973. 18, 8p.

Puisque 85% de la distribution des films de l'ONF se fait en milieu scolaire, cette étude veut découvrir si ces utilisateurs sont satisfaits et s'ils ont des suggestions à faire pour améliorer le service des prêts.

RENCONTRES
INTERNATIONALES
POUR
UN NOUVEAU
CINEMA

cahier 1
projets et résolutions

RÉTROSPECTIVE
MAURICE PROULX

CINÉMA ET CULTURE

LA STRUCTURE
DRAMATIQUE D'UN FILM

ANDRE RUSZKOWSKI

1

RÉPERTOIRE
DES DOCUMENTS AUDIOVISUELS
SUR L'ART
ET LES ARTISTES
QUÉBÉCOIS

RENE ROZON

1382 École des hautes études commerciales **Recherche sur la diffusion du long métrage et sur les considérations financières d'une nouvelle formule de visa favorisant le développement de l'industrie québécoise du cinéma effectuée par l'École des hautes études commerciales pour le compte du Ministère des communications.** Montréal, 1979. 96, 35p.

Évaluation de l'impact sur l'ensemble de l'industrie du cinéma de l'implantation d'une formule de visa dont l'objectif fondamental est de créer une masse monétaire pouvant servir au développement du cinéma québécois et de l'industrie québécoise du cinéma. La recherche se divise en 3 volets:
— Analyse de la diffusion du long métrage au Québec.
— Un nouveau visa: considérations.
— L'incidence sur les structures de l'industrie (producteurs, distributeurs, exploitants).

1382a Chapdelaine, André. **Recommandation pour la Commission d'étude sur la réforme de la loi cadre du cinéma.** Cap-aux-Meules, Ciné-club des Gens du Large, 1981. 3p.

Présenté devant la Commission d'étude sur le cinéma et l'audiovisuel, ce document recommande que le cinéma parallèle ait la place qui lui revient dans le monde de l'expression artistique.

1382b Association des professionnels du cinéma du Québec. **Recommandations présentées par l'Association des professionnels du cinéma du Québec à la Commission d'étude sur le cinéma et l'audio-visuel;** mémoire. Montréal, 1981. 9p.

Revendiquant la préséance des techniciens du cinéma du Québec sur tout autre technicien étranger, l'APCQ réfléchit également aux conditions de travail générales des techniciens et se penche sur d'autres sujets comme le visa, le financement et les maisons de services.

1383 Conference of Canadian Film Censors, Regina, 5th, 1961. **Record of Minutes.** Regina, 1961. 121p.

Procès-verbal de la conférence des censeurs canadiens. Louis de G. Prévost y représente le Québec.

1384 Centre diocésain du cinéma, de la radio et de la télévision de Montréal. **Recueil des films de 1955 et 1956.** Montréal, Editions Bellarmin, 1957. 362p.

Recueil reprenant les fiches "Films à l'écran". Comprend un résumé du film et une appréciation esthétique et morale.

1385 Centre catholique national du cinéma, de la radio et de la télévision. **Recueil des films,** Montréal, 1957-60. Annuel

Suite du précédent.

1386 Office catholique national des techniques de diffusion. **Recueil des films.** Montréal, 1961-66. Annuel.

Suite du précédent.

1387 Office des communications sociales **Recueil des films.** Montréal, 1967-. Annuel.

Suite du précédent.

1388 Carle, Gilles et Flaiano, Ennio. **Red.** Montréal, Onyx-Fournier, 1968? 194p.

Scénario. Existe en version anglaise traduit par Margaret Dore.

1389 Cinépix. **Red.** Montréal, 1969. 16p.

Brochure publicitaire du film de Gilles Carle.

1390 Coristine, E.S. **Re-examination of the Board's Purposes.** Montréal, National Film Board of Canada, 1967. 18p.

Rédigé par le directeur de l'administration, ce rapport touche à neuf sujets qui posent problème à l'ONF.

R Le regard **voir** Ce n'est certainement pas son vrai nom.

1391 Marsolais, Gilles. "Regard sur le cinéma au Canada et au Québec." in **Arts et culture.** Montréal, comité organisateur des jeux de la XXIe Olympiade, 1976. 304p.

Texte de circonstance de 10 pages, traduit également en anglais, sur l'histoire du cinéma au Canada et au Québec de 1896 à 1976.

R Région de l'Atlantique: films 16mm **voir** Atlantic region: 16mm films.

1392 Léger, Paul-Emile. **Règlements du cinéma pour les institutions éducationnelles et les salles sous la juridiction de l'Eglise dans le diocèse de Montréal.** Montréal, 1955. 27p.

Précédés d'une lettre du Cardinal Léger sur le Centre catholique du cinéma de Montréal, les règlements touchent à quatre points.
1- Les privilèges de l'Association au Centre
2- Règlements pour l'Enfance et la Jeunesse

3- Règlements pour les adultes
4- Les cotes morales.

1393 Association des cinéastes amateurs du Québec. **Règlements généraux.** Montréal, 1975. 13p.

1394 Québec (Province). Service général des moyens d'enseignement. **Règles et procédures pour la préparation des soumissions.** Montréal, 1976. 15p.

1395 Québec (Province) Direction générale du cinéma et de l'audiovisuel. **Règles et procédures pour la préparation des soumissions.** Montréal, 1979. 15p.

Désignation des parties, jury, devis, procédures.

1396 Office national du film du Canada. **Le règne du jour.** Montréal 1967. 63p.

Revue de presse du film de Pierre Perrault: à la télévision, au 5e Festival du cinéma canadien, à Cannes (échos du Canada et de France) et articles sur le cinéaste.

1397 Perrault, Pierre. **Le règne du jour,** par Pierre Perrault, Bernard Gosselin et Yves Leduc. Montréal, Lidec, 1968. 161p.

Description du film et transcription des paroles. Illustration abondante.

1398 Benoit, Jacques et Arcand, Denys. **Réjeanne Padovani.** Montréal, Cinak, 1972. 90p.

Scénario du film d'Arcand.

1399 Lévesque, Robert. **Réjeanne Padovani;** dossier établi par Robert Lévesque sur un film de Denys Arcand. Montréal, L'Aurore, 1976. 111p. (Le Cinamatographe, 2)

Présentation, découpage après montage, dialogues in extenso, choix de critiques et illustration abondante.

R The Relationship of the National Film Board's Program Activities to the Youth Audience and Education **voir** Rapports entre la production de l'Office national du film et les auditoires de jeunes.

1400 Herlich, Bram Stephen. **Relationships Between Culture and Society; a Political and Economic Context for Eisenstein's Early Work.** Montréal, McGill University, 1977. 117p.

Thèse de M.A. (communications). Puisque l'oeuvre (films et écrits) d'Eisenstein est l'objet d'une coupure épistémologique qui coïncide grosso modo avec le muet et le parlant, l'auteur choisit de n'aborder que la période muette du cinéaste dans une perspective de critique sociologique. Il établit d'abord sa grille d'analyse qui est en partie tributaire du travail d'Althusser sur les Appareils idéologiques d'État (AIE). Dans un premier chapitre, il étudie les films et les écrits d'Eisenstein en s'attardant particulièrement à OCTOBRE. Puis, pour mieux saisir le contexte économique où s'inscrit le travail du cinéaste, il analyse les revendications pour un contrôle ouvrier qui sont formulées pour après 1917. Il note que l'Eisenstein de 1928 manifeste une idéologie qui correspond au contexte 1917-21 et explique ce décalage. Finalement il élargit encore son champ de vision en examinant l'industrie cinématographique soviétique jusqu'en 1940; cela lui permet d'expliquer comment celle-ci est progressivement devenue un AIE au service des intérêts du pouvoir d'État.

1401 Comité des ciné-clubs. **Relevé de presse.** Montréal, 1962? 20p.

Relevé et résumé de divers sujets abordés par la presse: Situation du cinéma, Économie, ciné-clubs, censure. Constitue une bibliographie intéressante.

1402 Office catholique national des techniques de diffusion. **Relevé des ciné-clubs au Canada français.** Montréal, 1963. 36p.

Enquête sur 346 ciné-clubs. Les données sont ramenées sous forme de tableaux.

1403 Associated Screen News Limited, Montreal. Benograph. **Religious Films: 16mm Short Subjects.** Montréal, 1952? 32p.

Catalogue de courts métrages religieux.

1404 Pâquet, André. **Rencontre avec le groupe Filmcentrum (Stockholm).** Montréal, Cinémathèque québécoise; Comité d'action cinématographique, 1977. 19p.

Présentation du groupe, entretien avec Carl Henrik Svenstedt et Ulf Berggren et notes sur les films.

1405 Pâquet, André. **Rencontre avec le groupe ISKRA (Paris).** Montréal, Cinémathèque québécoise; Comité d'action cinématographique, 1977. 15p.

Présentation du groupe, entretien recueilli par Guy Hennebelle et notes sur les films au programme

1406 Ruszkowski, André. **Le rendez-vous d'Alfred Hitchcock.** Montréal, Office catholique national des techniques de diffusion, 1962. 3p.

Résumé d'une causerie prononcée à l'occasion du Stage national de cinéma pour les éducateurs tenu à Rigaud du 9 au 14 juillet.

1407 Centre canadien du film pour la jeunesse. **Renseignements sur le Centre canadien du film pour la jeunesse** (en voie de formation). Montréal, 1960. 1 v. (non paginé)

Propositions pour créer l'équivalent canadien du Centre international du film pour la jeunesse, une des voix de l'Église dans le milieu du cinéma. Rôle moteur du Centre catholique national du cinéma et de l'abbé J.M. Poitevin.

1408 Centre catholique national du cinéma, de la radio et de la télévision. **Renseignements sur les films présentés au stage national, 1960.** Montréal, 1960. 6p.

1409 **Répertoire bio-filmographique des réalisateurs québécois du cinéma et de la télévision.** Montréal, Bibliothèque de la Cinémathèque nationale. (Non-publié)

1410 Cinémathèque québécoise. **Répertoire de découpures de presse portant sur le cinéma québécois.** Montréal, 1977- (Feuilles 8.5" x 11" rassemblées dans des cartables)

1411 Vézina, Réal. **Répertoire de documents audio-visuels.** Québec, Ministère de l'industrie et du commerce, 1976. 35p.

Répertoire de films portant sur différents aspects de la vie économique.

1412 Rousseau, Camille, Alexandre, Claude et Labrecque, Olivette. **Répertoire de films accessibles aux jeunes scientifiques.** Montréal, Conseil de la jeunesse scientifique, 1975, 147p.

Répertoire de films canadiens et étrangers.

1413 **Répertoire de films amateurs du Québec.** Montréal, Association des cinéastes amateurs du Québec, 1975.
Devient **Répertoire des films amateurs et artisans du Québec.**

1414 Université de Montréal. Audiovidéothèque. **Répertoire de producteurs-distributeurs de documents audio-visuels.** Montréal, 1975. 197p.

Index des réseaux de distribution et des catalogues.

1415 Commission des écoles catholiques de Montréal. Bureau des media d'enseignement. **Répertoire des documents audiovisuels.** Montréal, 1976. 93p.

1416 De Varennes, Jacques. **Répertoire des documents audio-visuels.** Québec, Agriculture-Québec, 1978? 67p.

Répertoire de documents portant sur l'agriculture.

1417 Rozon, René. **Répertoire des documents audiovisuels sur l'art et les artistes québécois.** Montréal, Bibliothèque nationale du Québec; Direction générale du cinéma et de l'audiovisuel, 1980. 319p.

Les documents (films, vidéos, diapositives) sont classés sous 11 rubriques thématiques. Comprend 5 index: séries, titres, artistes, réalisateurs, distributeurs. Un outil de travail bien réalisé.

1418 **Répertoire des établissements de spectacles cinématographiques: les salles, les ciné-parcs, les salles parallèles.** Montréal, Bureau de surveillance du cinéma, 1974- (semestriel).

Répertoire paraissant deux fois par année. Donne l'adresse de l'établissement et celle du siège commercial.

1419 Collège d'enseignement général et professionnel André-Laurendeau. Service de documentation. **Répertoire des films 16mm.** Préfacé par Odette Beaulne... et al. LaSalle, 1973. 85p., circa 225p.

1420 Commission des écoles catholiques de Montréal Bureau des techniques audio-visuelles. **Répertoire des films 16mm.** 1973. 64p.

1421 Cinéma libre. **Répertoire des films 1979-80.** Montréal, 1979. 37p.

Catalogue d'un distributeur spécialisé en film artisanal, culturel ou non-commercial.

1422 Richer, Dyane. **Répertoire des films amateurs du Québec.** Montréal, Association des cinéastes amateurs du Québec, 1975. 44p.

Répertoire d'une centaine de films avec coordonnées des réalisateurs.

1423 **Répertoire des films amateurs et artisans du Québec.** Montréal, Association des cinéastes amateurs du Québec, 1977- , Annuel.

Continue Répertoire de films amateurs du Québec. Contient une liste de 99 cinéastes, 228 films, quelques textes publiés à l'occasion du Festival populaire de l'image.

1424 Office national du film du Canada. **Répertoire des films de géographie.** Montréal, 1981. 71p.

Les films sont classés par thème à l'intention des enseignants du primaire au collégial.

1425 Walser, Lise. **Répertoire des longs métrages produits au Québec, 1960-1970.** Montréal, Conseil québécois pour la diffusion du cinéma, 1971. 110p.

Comprend, pour chaque film, le générique, un résumé ainsi qu'une bibliographie des textes qui lui sont consacrés.

1426 **Répertoire des longs métrages produits au Québec de 1937 à 1975.** Montréal, Bibliothèque de la Cinémathèque nationale. (Non publié)

1427 Québec (Province) Ministère de l'éducation. Service général des communications. **Répertoire des productions audiovisuelles du SGME.** Québec, 1978. 46p.

1428 Québec (Province) Ministère des affaires culturelles **Répertoire des salles de spectacles: salles de 450 sièges et moins;** Nouv. éd. Québec, 1978, 1 vol.

Comprend théâtres, cinémas, etc.

1429 Festival international du film sur l'environnement humain, 1er, Montréal, 1973. **Répertoire du premier Festival international du film sur l'environnement humain. Repertory of the First International Film Festival on the Human Environment.** Édité par Arnold-Jean Drapeau. Montréal, Section du génie de l'environnement, Département de génie civil, Ecole polytechnique, 1974. 201p.

Le thème du festival était: la technologie et les ressources au service de l'homme et de son environnement. Ce répertoire fournit des informations sur les films reçus.

1430 Drapeau, Arnold Jean. **Répertoire international des films 16mm sur les sciences de l'eau.** Montréal, Ecole polytechnique, 1972. 98p. (Publication, no 100-1-72 du Centre de recherche documentaire sur l'eau).

Répertoire de plus de 600 films. On donne pour chacun un résumé et quelques informations techniques. En annexe, liste des sources.

R Repertory of the First International Film Festival on the Human Environment **voir** Répertoire du premier Festival international du film sur l'environnement humain.

1431 National Film Board of Canada. **A Report on How It Works, What It Costs, Some of its Achievements and Some of its Problems.** Montréal, 1971. 96p.

Préparé par le Service de la distribution, ce document analyse la distribution commerciale, non-commerciale, dans les ambassades, à la télévision, etc.

1432 Toole, Gary. **Report on Screenings Across Canada of "Beyond Kicks".** Montréal, National Film Board, 1973? 13p.

Rapport par l'auteur sur la diffusion d'un film sur la drogue.

R A Report on the Motion Picture Distribution Industry in Canada. **Voir** Rapport sur l'industrie de distribution de films au Canada.

1433 Québec (Province) Ministère de l'éducation. **La reproduction, dans les établissements d'enseignement du Québec, de documents protégés par le droit d'auteur.** Québec, 1979. 10, 3p.

Rappel d'un problème qui touche tous les secteurs de l'audiovisuel.

1434 Centre catholique national du cinéma, de la radio et de la télévision. **Résultats d'enquête sur l'influence du cinéma, de la radio et de la télévision auprès de la jeunesse étudiante.** Montréal, 1960. 94p.

L'enquête porte sur 1278 personnes auxquelles on a posé 34 questions sur le cinéma. Les résultats sont compilés en 53 pages. Aucune synthèse n'est produite.

1435 Congrès technique & exposition d'équipement, 110e, Montréal, 1971. **Résumé des mémoires.** New York, Society of Motion Picture and Television Engineers, 1971. 97p.

Durant ce congrès, quelques ateliers portèrent sur le cinéma: systèmes de cinématographie, le film de télévision, caractéristiques des salles de projection et cinémas.

1436 Cruickshank, Lyle R. **Résumé des recherches effectuées dans le cadre du programme d'aide à l'éducation.** Montréal, Office national du film du Canada, 1975. 12p. (série Programme d'aide à l'éducation).

Mise en situation du programme dont les recherches sont effectuées sous la responsabilité du directeur du Service média et recherche.

1436a La Semaine du jeune cinéma québécois de l'Abitibi-Témiscamingue. **Résumé du rapport présenté à la Commission d'étude sur le cinéma et l'audio-visuel.** Rouyn, 1981. 3p.

Mémoire de l'organisme anciennement appelé Semaine du cinéma régional de l'Abitibi-Témiscamingue. L'organisme se plaint de manquer de subvention et d'appui gouvernemental. En annexe, une lettre de refus du Ministère des affaires culturelles.

1437 Elia, Maurice. **Résurgence du courant romantique dans le cinéma américain contemporain.** Montpellier, Université Paul Valéry, 1973. 234p.

Thèse de doctorat (troisième cycle). Analyse d'une tendance du cinéma américain des années 60-70. La première partie analyse la tendresse qu'on y repère, le retour à l'amour, la description de la jeunesse et de la bourgeoisie. La seconde se penche sur le retour à l'Ouest ou le rêve de la fuite. La troisième, plus du tiers de la thèse, donne les biofilmographies de 40 cinéastes. L'auteur conclut que le paradis perdu des enfants de jadis va tracer la voie au nouveau devenir du cinéma américain.

1438 **Retranscription de la consultation du 20 février, Institut de l'hôtellerie.** Montréal, s.n., 1979. 194p.

Dans le cadre de la consultation sur le Livre bleu, retranscription des témoignages de tous ceux qui sont intervenus.

1439 Cruickshank, Lyle R. et Nycz, Marie. **Rétroinformation sur les auditoires communautaires.** Montréal, Office national du film du Canada, 1973. 39p.

Le but de ce projet est d'étudier la distribution communautaire des films de l'ONF, en augmenter l'efficacité, et de fournir aux cinémathécaires le plus d'informations possibles. Étude réalisée par le Service média et recherche.

1440 Cinemateca nacional (Portugal) **Retrospectiva Norman McLaren. Exposicao Norman McLaren.** Lisboa, Secretariado nacional da informacao, cultura popular e turismo, 1966. 13, 13p.

En gros, traduction de la brochure de la Cinémathèque sur McLaren.

1441 **Rétrospective Albert Tessier,** Publié sous la direction de Eugénie Lévesque. Québec, Éditeur officiel du Québec, 1977. 63p.

Notes sur les diverses facettes de la carrière de Tessier: cinéaste, photographe, écrivain, etc. René Bouchard en rédige la plus grande partie. Abondamment illustré.

1442 Cinémathèque canadienne, Musée du cinéma. **Rétrospective du cinéma canadien. Canadian Film, Past and Present.** Montréal, 1967. 1 vol.

Notes sur les centaines de films présentés de septembre 1966 à avril 1967 à la Cinémathèque. Tout y passe, court et long métrage, fiction et animation, ONF et télévision, Montréal et Toronto, 1940 et 1965. Ces notes reprennent des textes déjà publiés, ont recours à des originaux, comprennent des biographies, des filmographies, des données historiques. Une mine d'informations.

1443 Marsolais, Gilles. **Rétrospective du cinéma direct au Canada (1958-1972).** Nyon, Société suisse des festivals internationaux de cinéma, 1976. 32p.

Brochure faisant l'historique du cinéma direct au Canada.

1444 Cinémathèque québécoise. **Rétrospective Jutra.** Montréal, 1973. 25p.

Notes ou témoignages sur chacun des films de Jutra jusqu'à MON ONCLE ANTOINE.

1445 Québec (Province) Direction générale du cinéma et de l'audiovisuel. **Rétrospective Maurice Proulx.** Québec, 1978. 55p.

Textes et notes de Luc Chartier, Antoine Pelletier, Pierre Demers et Maurice Proulx. Pour chacun des films de la rétrospective, on donne un commentaire actuel du cinéaste et une appréciation critique. Complète la brochure "Collection Maurice Proulx".

1446 Cinémathèque québécoise. **Rétrospective Oskar Fischinger: le processus de travail;** rétrospective et brochure réalisées sous la direction de Louise Beaudet. Montréal, 1976. 16p.

Brochure préparée à l'occasion du Festival international du cinéma d'animation Ottawa '76. On y retrouve deux études sur le peintre-animateur: "The Importance of Being Fischinger" de William Moritz et "Pourquoi il faut voir, revoir et revoir encore les films de Oskar Fischinger" de André Martin.

1447 Cinémathèque canadienne **Réunion générale annuelle. Annual general meeting.** Montréal, 1964-1970.

Bilan de l'activité annuelle de la Cinémathèque présenté à ses membres: conservation, manifestations publiques, publications, cinémas québécois et canadien, animation, activités à l'étranger, administration. A partir de 1971, c'est la Cinémathèque québécoise qui produit le rapport et il cesse d'être bilingue à partir de 1974.

1448 Labonté, François et Tremblay, Rodrigue. **Réveillon.** Montréal, Les productions La corniche, 1981. 25, 8p.

Scénario et biofilmographie des scénaristes.

1449 Institut québécois du cinéma. **Révision des lois sur le cinéma.** Montréal, 1980. 106p.

Rapport qui fait suite au mandat qui a été confié à l'IQC de procéder à une évaluation des lois régissant le cinéma. Six sous-comités furent créés pour consulter tout le milieu du cinéma: Orientation de la loi, Conservation et documentation, Production, Exploitation-distribution, Audio-vidéothèque, Fonctionnement de l'Institut. Ce rapport couvre donc vraiment tous les aspects du cinéma au Québec, avance des recommandations lorsqu'il y a consensus et énonce les points de vues opposés en cas de divergence. Ce rapport indique la voie que suivra la Commission d'étude sur le cinéma et l'audiovisuel.

1450 Québec (Province) Bureau de surveillance du cinéma. **Revue de presse.** Montréal, 1977-81. Irrégulier.

Revue d'articles regroupés sous trois rubriques: société, cinéma, censure. Change son nom en "Documentation".

1451 Office national du film du Canada. **Revue de presse/News Clips. Montréal,** 1957-. Paginations diverses.

Publiée à partir de 1957 par le Service de l'information, cette brochure reprend, à peu près tous les deux mois, les articles consacrés à l'ONF ici et à l'étranger. On est rendu au numéro 189 en septembre 81. Fait suite à "NFB in the Press" publié à Ottawa au moins depuis 1950.

1452 **Revue de presse portant sur le film Le bonhomme;** construction de l'instrument de mesure. Montréal, Office national du film du Canada, 1973. 27p.

Annexe IV à "Mesurer les changements d'attitude, premières tentatives".

1453 Le Nouveau Réseau. **Revue de presses des films diffusés par Le Nouveau Réseau: saison 76/77.** Montréal, 1978? 1v. (paginations diverses)

Le Nouveau réseau diffusa des dizaines de courts et longs métrages québécois. Le recueil reprend aussi bien les communiqués de presse que les articles originaux.

1454 Sparling, Gordon. **Rhapsody in Two Languages.** Montréal, Associated Screen News, 1934. 13p.

Scénario d'un des plus célèbres CANADIAN CAMEO.

1455 Béliveau, Thérèse. **Rhétorique d'un discours publicitaire: les annonces de films dans le cahier Arts et lettres de La Presse.** Montréal, Université du Québec à Montréal, 1980. 136p.

Thèse de M.A. (études littéraires). L'auteur étudie les messages de deux cahiers de 1975 et 1976. Cette étude exhaustive lui sert à bâtir son modèle. Elle cerne d'abord la nature du pavé publicitaire puis en fait ressortir les composantes de base. Elle s'attarde ensuite aux codes visuels de la marque et réfléchit sur le rapport représentation iconique / signification; c'est là qu'elle définit le pavé comme discours social et sur la société. Enfin, après avoir analysé le verbal et ses fonctions dans le pavé, elle dégage la rhétorique particulère du texte. Une thèse marquée au coin de la sémiologie.

1456 Amiel, Mireille et Lefebvre Jean Pierre. **Rimbaud est mort.** Montréal, Cinak compagnie cinématographique, 1975. 65p.

Scénario.

1457 Sorel, Julia. **Rocky.** Montréal, Les Éditions Quinze, 1977. 190p.

Traduit de l'américain. Roman tiré du film de J.G. Avildsen.

1458 Québec (Province) Direction générale du cinéma et de l'audiovisuel. **Le rôle de la DGCA comme coordonnateur des productions gouvernementales.** Montréal, 1977. 20p.

Sur les commandites, les rapports entre la DGCA et les ministères et les maisons de production. Se présente comme un commentaire de la loi.

1459 Québec (Province) Direction générale du cinéma et de l'audiovisuel. **Le rôle de la D.G.C.A. en matière de promotion gouvernementale du cinéma québécois.** Montréal, 1977. 18p.

Sur l'activité des divisions Diffusion, Festivals et Commercialisation.

1460 Roberge, Guy. **Rôle et influence du cinéma.** Montréal, 1957. 23p.

Texte d'une conférence prononcée lors des Semaines sociales de Montréal. Le nouveau commissaire de l'ONF réfléchit sur le cinéma en général et l'ONF en particulier.

1461 Office national du film du Canada. **Ronde carrée.** Montréal, 1961. 16p.

Brochure illustrant la démarche pédagogique du film d'animation de René Jodoin.

1462 Office national du film du Canada. **Rough English Translation of Script on Sir Louis-Hypolite** (sic) **Lafontaine.** Montréal, 1961. 35p.

Description de l'image et des dialogues du film de Pierre Patry.

1462a Véronneau, Pierre. **Roumanie. Un cinéma à la recherche de sa propre voie;** rétrospective 24-28 février 1981. Montréal, Cinémathèque québécoise / Musée du cinéma, 1981. 13p.

Publiée à l'occasion d'une rétrospective, cette brochure comprend quelques faits sur le cinéma roumain et des notes sur les six films présentés.

S

1463 Pageau, Pierre. **S.M. Eisenstein: son théâtre, son époque.** Montréal, Université de Montréal, 1974. 167p.

Thèse de M.A. (études françaises). L'auteur donne d'abord un aperçu du théâtre russe et du théâtre soviétique puis étudie la formation et les expériences théâtrales d'Eisenstein qui tente de réconcilier réalisme et formalisme. Il démontre en quoi le théâtre du cinéaste relève à la fois de facteurs individuels et de facteurs contextuels.

1464 Office national du film du Canada. **St-Jérôme.** Montréal, 1968. 91p.

Transcription des dialogues du film de Fernand Dansereau.

1465 Office du film du Québec. **Les salles de cinéma et le court-métrage québécois;** communiqué du 10 mars 1975. Montréal, 1975. 4p.

Communiqué où l'OFQ fait part de l'entente intervenue avec Les Productions Mutuelles pour une collaboration dans la production de courts métrages pour salles. Le film MONIQUE PROULX en sera la première réalisation.

1466 Vallerand, Noël. **Salut les copains.** Montréal, 1965. 69p.

Scénario du film de Denis Héroux PAS DE VACANCES POUR LES IDOLES.

1467 Associated Screen News Limited. **A Salute to the First Annual Associated Screen Studios Motion Picture and Television Workshop.** Montréal, 1954. 1v. (paginations diverses)

Notes sur différents aspects de la réalisation d'un film ou d'une émission de télévision.

1468 Société de coopération artistique de Montréal. **Samedi jeune cinéma 10 avril 1965.** Montréal, 1965. Feuilles volantes dans une chemise.

Prolongement de la série "Images en tête", animée par Jean-Yves Bigras. Table ronde: "Les professeurs face à l'éducation cinématographique" par A. Strouvens, "A la défense de ceux qui ne seront toujours que spectateurs" de L. Bonneville, "Responsabilité de l'état moderne en matière d'éducation cinématographique" de P. Saucier, et "Texte du projet de coopérative" de Jean Laplante.

1469 Charest, Ginette et Ross, Gary. **Les sciences du comportement: filmographie;** première partie: l'enfance et l'adolescence inadaptées. Montréal, Centre d'information sur l'enfance et l'adolescence inadaptées, 1975. 4v. (141p., 640f).

Le premier volume de cette filmographie comprend l'index des titres, des noms cités, des séries, des organismes et des sujets. Les trois autres constituent le répertoire des 640 films recensés portant sur l'enfance et l'adolescence. Cette édition constitue une révision de la version 1971.

R Script for Presentation of Education Support Program Summary **voir** Résumé des recherches effectuées dans le cadre du programme d'aide à l'éducation.

1470 Léger, Jean-Marc, **Séance inaugurale des séminaires sur le livre et le cinéma.** Dakar, 1970. 5p.

1471 Interdepartmental Committee on the Possible Development of Feature Film Production in Canada. **Second Report to the Cabinet.** Ottawa, 1965. 17p.

Présidé par Guy Roberge, ce comité avait d'abord soumis en avril 64 un premier rapport où il concluait qu'une industrie du cinéma était possible au Canada à condition que le gouvernement l'aide en créant une banque de fonds disponibles. En juillet 65, après un an d'études additionnelles, le comité recommande la création d'une SDICC dont il définit le mandat.

1472 Our Lady of Mount-Royal School. **A See Think and Do Book.** Montréal, 1975. 33p.

Brochure d'initiation à l'animation rédigée par les étudiantes de l'école en collaboration avec l'ONF.

1473 Page, James E. **Seeing Ourselves: Films for Canadian Studies.** Montréal, National Film Board of Canada, 1979. 210p.

Dans un premier volet, l'auteur analyse 11 thèmes particuliers en donnant des films qui s'y rapportent. Ensuite vient le répertoire des films avec évaluation de chacun. Une approche thématique fort utile. Le Québec y tient une place particulière.

1474 Office catholique national des techniques de diffusion. Commission du cinéma. Comité jeunesse. **Sélection de courts métrages pour ciné-clubs (16 & 35mm.).** Montréal, 1963. 98p.

Brève description pour chacun des films.

1475 Office des communications sociales. **Sélection de films en 16mm.** Montréal, 1978. 366p.

Classement par titres, réalisateurs, genres, thèmes, sources littéraires.

1476 **Sélection de films pour ciné-clubs.** 1ère- éd.; 1962, Montréal, Office des communications sociales. Continue **Films pour ciné-clubs.**

Donne pour chaque film le genre, deux lignes de résumé, deux lignes d'appréciation morale et esthétique. Comprend aussi un index des auteurs, des acteurs et des thèmes. La version 1966 fait 195 pages, celle de 1970, 224p.; elle est mieux présentée et plus accessible.

1477 **Self Portrait: Essays on the Canadian and Québec Cinemas.** Edited Under the Direction of Pierre Véronneau; English Ed. Edited by Piers Handling. Ottawa, Canadian Film Institute, 1980. 257p. (Canadian Film Series, 4)

Traduction et mise à jour du livre LES CINÉMAS CANADIENS, complétée de quelques articles nouveaux et de nouvelles biofilmographies de cinéastes.

1478 AAC. **Semaine de cinéma québécois du 11 au 18 décembre 1974.** s.l., 1974. 7p.

Brochure publiée à l'occasion d'une semaine organisée en France par le Conseil québécois pour la diffusion du cinéma. Notes sur les films présentés.

1479 Véronneau, Pierre. **Semaine de cinéma québécois du 25 au 30 mai 1970.** Trois-Rivières, Centre culturel de Trois-Rivières, 1970. 29p.

Présentation et mise en situation du cinéma québécois. Extraits de critiques sur les treize films présentés.

1480 Festival international du film de Montréal. **Semaine du cinéma italien. 31 mai-5 juin. Place des Arts. May 31-June 5. Italian Film Week.** Montréal, 1964. 31p.

Notes sur le cinéma italien et sur les films présentés au 5e Festival international du film de Montréal.

1481 Festival international du film de Montréal. **Semaine du cinéma italien;** sondage scientifique auprès des spectateurs. Montréal, 1964. 39p.

Étude des réactions du public aux films LES FIANCÉS (I Fidanzati) d'Ermanno Olmi et LA CORRUPTION (La Corruzione) de Mauro Bolognini. Cf. numéro précédent.

1482 Semaine du cinéma québécois, Longueuil. **Semaine du cinéma québécois.** Longueuil, Collège Édouard-Montpetit, 1973. 41p.

Fiches sur tous les films présentés et propos de quelques cinéastes et critiques.

1483 Semaine du cinéma québécois, Montréal, 1979. **La Semaine du cinéma québécois.** Montréal, 1979. 70p.

Programme de ce festival du cinéma québécois qu'est la Semaine.

1484 Semaine du cinéma québécois, Montréal, 1980. **La semaine du cinéma québécois, 1980.** Montréal, 1980. 14p.

Texte où les responsables de la semaine décrivent le renouveau et l'esprit qu'ils veulent insuffler à la version 1980 de l'événement cinématographique.

1485 Centre culturel de Trois-Rivières. **Semaine du cinéma québécois du 25 au 30 mai 1970.** Trois-Rivières, 1970. 8p.

Comprend essentiellement un texte de Pierre Véronneau intitulé "Introduction à la semaine du cinéma québécois".

1486 **Semaine du cinéma québécois du 14 au 19 avril.** Montréal, 1975. 27p.

Programme de la 2e Semaine du cinéma québécois qui coïncide avec le 1er Festival du cinéma artisanal québécois.

1487 Festival international du film de Montréal. **Semaine du cinéma suédois.** Montréal, 1966. 28p.

Programme du festival. Organisé en collaboration avec l'Institut suédois de la cinématographie. Notes sur le cinéma suédois et sur les films présentés et entretiens avec les cinéastes Kenne Fant et Jörn Donner. Cette semaine est organisée par le Festival international du film de Montréal.

1488 Cinéma Verdi. **La semaine politique, 10 au 16 février 1968.** Montréal, 1968. 23p.

Notes sur des films politiques et présentation du sujet par l'organisateur de la semaine, le Comité d'information politique.

1489 Levy, David. **The Semiology of Film.** Montréal, McGill University, 1973. 88p. (Série A Modular introduction to film # 5)

Comme dans tous les ouvrages de cette série, il ne faut pas y chercher de plan, de table des matières. Les idées et les notions s'enfilent. Ici l'auteur a néanmoins un peu plus d'ordre: l'origine de la sémiologie, les théories d'Eisenstein, le travail de C. Metz, retour critique sur la question. Série sous la direction de Donald F. Theall et Morrie Ruvinsky.

1490 Larouche, Michel. **Le sens de la parole dans le cinéma de Pierre Perrault.** Montréal, Université de Montréal, 1975. 106p.

Thèse de M.A. (études françaises). L'auteur articule sa thèse autour de trois chapitres qui correspondent à l'évolution du travail de Perrault: une parole vécue (POUR LA SUITE DU MONDE), une parole vivante (LE RÈGNE DU JOUR, LES VOITURES D'EAU), une parole collective (UN PAYS SANS BON SENS, L'ACADIE, L'ACADIE). De là il avance que Perrault s'oriente vers une nouvelle écriture du vécu au cinéma où la différence entre la parole et l'écriture s'estompe. Perrault est montré comme un homme qui recherche la parole captée dans son surgissement même, qui permet une identité culturelle inséparable d'un pouvoir de communication qui rend à un haut degré l'existence affective humaine.

1491 Festival international du film de Montréal, 7e, 1966. **Septième Festival international du film de Montréal, Cinéma Loew's, 29 juillet-4 août. 1966. Seventh Montreal International Film Festival, Loew's Cinema, July 29-August 4.** Montréal, 1966. 40p.

Programme du festival et notes sur le 4e Festival du cinéma canadien.

1492 Festival international du nouveau cinéma, 10e, Montréal, 1981, **Série: Lothar Lambert.** Montréal, 1981. Paginations diverses (22p.).

Brochure sur un cinéaste allemand auquel le Festival rendait hommage. Réimpression d'entretien et de critiques.

R   Série: Netsilik eskimos **voir** Netsilik Eskimos Series.

1493 Québec (Province) Direction générale du cinéma et de l'audiovisuel. **Service de la DGCA pour les oeuvres réalisées par un ministère ou organisme gouvernemental.** Montréal, 1977. 5p.

Description du soutien technique offert par la DGCA.

1494 Roy, Hortense. **Le service de la distribution et le programme "Cinéma en recherches sociales".** Montréal, Office national du film du Canada, 1968. 18, 28p.

Préparé à l'occasion de la journée "cinéma/recherces sociales" où les cinéastes Fernand Dansereau, Michel Régnier et Maurice Bulbulian jouaient un rôle actif. Ce texte précise les objectifs du projet "Guerre à la pauvreté" à l'ONF, réfléchit sur la place du cinéma dans l'action sociale et la fonction des films-outils et envisage des solutions de distribution. En annexe on retrouve le rapport de F. Dansereau "Notes pour un programme de films en recherches sociales", et des documents se rapportant aux films ST-JÉRÔME, LA PETITE BOURGOGNE et L'ÉCOLE DES AUTRES et à leur utilisation. Un document très intéressant pour comprendre le projet Société nouvelle.

1495 Québec (Province) Office provincial de publicité. Service de ciné-photographie. **The Service of Cine-Photography and Popular Education by Means of Films.** Québec, 1948? 13p.

Brochure décrivant le SCP et comment bénéficier de ses services.

R   Seventh Montreal International Film Festival, Loew's Cinema, July 29-August 4, 1966 **voir** Septième Festival international du film de Montréal, Cinéma Loew's, 29 juillet-4 août 1966.

1496 Syndicat général du cinéma et de la télévision — ONF. **S.G.C.T.** Montréal, 1975. 2p.

Bref mémoire soumis lors de la consultation qui suivit l'adoption du projet de loi sur le cinéma; on essaie de replacer l'ONF dans ce débat.

1497 Ruszkowski, André. **La signification d'un film.** Montréal, Centre diocésain du cinéma, 1958. 32p. (Cinéma et culture # 3)

Après s'être interrogé sur "la signification, pour qui?", l'auteur étudie les facteurs de la signification. En annexe, une analyse de EXECUTIVE SUITE (1954) de Robert Wise.

1498 Centre diocésain du cinéma, de la radio et de la télévison. Commission étudiante. **Silence on tourne; fiches d'initiation au cinéma.** Préparé par André Poupart et al. Valleyfield, 1960. 25p.

Exemple d'analyse filmique à laquelle on procédait dans les ciné-clubs.

1499 Académie du film de Montréal ciné production. **Silence on tourne;** un centre d'entraînement pour acteurs et techniciens de cinéma et de télévision. **Silence Roll It;**

A Training Centre for Actors and Technicians in Cinema and Television. Montréal, 1961. 4,4p.

Brochure publicitaire sur les cours de cinéma offerts par l'Académie.

R   Silence Roll It **voir** Silence on tourne.

1500 Leclerc, Jean. **Sindbad.** Montréal, s.n., 1971. 145p.

Scénario non-réalisé.

1501 Conseil de la culture de l'Est du Québec. **Situation des ciné-clubs et/ ou cinémas parallèles de l'État de l'Est du Québec;** rapport. Rimouski, 1981. 25p.

Après une enquête effectuée au printemps 80, le CCEQ constate que la distribution constitue la difficulté majeure pour les ciné-clubs de la région. Ceux-ci ont par ailleurs des problèmes de financement et de fréquentation qui sont néanmoins acceptables.

1502 Pelletier, Robert. **A Situation Report on the Project Challenge for Change/Société nouvelle.** Montréal, Multi Services professionnels, 1974. 27p.

Texte qui propose un arrêt temporaire du projet pour l'évaluer. On pense qu'il ne devrait pas exister comme tel car il n'est pas représentatif de la société canadienne.

1503 Melançon, André. **Les six doigts de la main.** Montréal, Les productions Prisma, 1977. 137p.

Scénario de COMME LES SIX DOIGTS DE LA MAIN.

1504 O'Hearn, Walter. **Sixty Years of Motion Pictures in Montreal.** S.l., s.n., s.d. 3p.

Texte d'une conférence prononcée devant les membres du Quebec Film Pioneers.

1505 Tassé & Associés. **S.M.A. + une situation excitante.** Montréal, 1970. 11p.

Rapport sur la situation de SMA après l'acquisition d'Onyx Films.

1506 Spry, Robin. **The Social Utility of Film Drama or Why the NFB Should Make Dramatic Film** Montréal, L'auteur, 1969?. 22p.

Plaidoyer en faveur du film de fiction à l'ONF. Ce texte éclaire la démarche du réalisateur à cette époque.

1507 Beaulieu, Léo. **Société nouvelle. Rapport intérimaire;** Neuf mois de distribution communautaire. Octobre 1977 à juin 1978. Montréal, Office national du film du Canada, 1978. 98p.

Rapport qui couvre les films suivants: FAMILLE ET VARIATIONS de Mireille Dansereau, QUÉBEC À VENDRE de Raymond Garceau, RAISON D'ÊTRE d'Yves Dion, LA P'TITE VIOLENCE de Thomas Vamos et LES HÉRITIERS DE LA VIOLENCE d'Hélène Girard. Ramène principalement les réactions du public et les exprime sous forme de tableaux.

1508 Conseil québécois pour la diffusion du cinéma. **Sociétés de distribution membres de l'Association canadienne des distributeurs indépendants de films d'expression française.** Montréal, 1973. 7p.

1509 Cinémathèque canadienne. **Soirée Claude Fournier.** Montréal, 1966. 19p.

Comprend une biofilmographie du cinéaste, des textes de lui-même et de Louis Portugais et le programme de la rétrospective.

1510 Cinémathèque canadienne. **Soirée Raymond Garceau.** Montréal, 1966. 27p.

Filmographie et texte du cinéaste sur l'expérience ARDA. Nombreuses illustrations.

1511 Office national du film du Canada. **Le soleil a pas d'chance: revue de presse.** Montréal, 1976? 1 vol.

43 pages de textes parus au Québec entre novembre 1975 et mai 1976 sur le film de Robert Favreau.

1512 Association des réalisateurs de films du Québec. **Solutions à court et moyen terme.** Montréal, 1975. 18p.

Mémoire soumis lors de la consultation qui suivit l'adoption en première lecture du projet de loi du cinéma. L'ARFQ ne s'attaque qu'aux aspects économiques du cinéma québécois, production et distribution.

1513 Burwash, Gordon. **Sommes-nous des moutons?;** scénario écrit pour la série de télévision Passe-Partout de l'Office national du film. Adaptation de Fernand Dansereau d'après une idée originale de Gordon Burwash. Montréal, 1955. 28p.

Scénario. Titre anglais: ARE PEOPLE SHEEP?

1514 **Son copain.** St-Hyacinthe, Québec-Productions, 1950. 121p.

Découpage du film de Jean Devaivre.

1515 Fresnais, Gilles. **Son, musique et cinéma.** Chicoutimi, Gaétan Morin éditeur, 1980. 232p.

Ouvrage qui touche à tous les aspects techniques du son au cinéma. Comprend plusieurs chapitres: le son, enregistrement et reproduction; procédés d'enregistrement; prise de son; équipement; musique; mixage; post-synchronisation; enregistrement optique; enregistrement magnétique; repiquage et transfert; reproduction; synchronisation; simple et double système. Un ouvrage qui intéresse au premier chef tous ceux qui travaillent dans le domaine du son et tous ceux que la technique concerne. À noter une illustration claire et abondante.

1516 Cruickshank, Lyle R. et Nycz, Marie. **Sondage sur les cinémathèques. 1973. Survey of Film Libraries.** Montréal, Office national du film du Canada, 1974. 23p.

Préparé par le Service média et recherche, ce rapport bilingue compile de l'information diverse soumise à la réflexion des cinémathécaires. Plusieurs tableaux.

1517 Majerczyk, Elliot. **Sound and the cinema.** Montréal, McGill University, 1973. 51p. (Série A Modular introduction to film # 9)

Considérations diverses sur le cinéma sonore: historique, utilisation, etc. Série sous la direction de Donald F. Theall et Morrie Ruvinsky.

1518 Lareau, Danielle. **Souris, tu m'inquiètes;** synthèse du compte-rendu des commentaires et réactions recueillies par téléphone à la suite de la présentation du film à la télévision. Montréal, Office national du film du Canada, 1974. 9p.

Pour Société nouvelle, un texte sur le film d'Aimée Danis.

1519 Jacob, Jacques. **Souvenirs d'ailleurs.** Montréal, Office national du film du Canada, 1973. 47p.

Scénario du film de Jean Beaudin PAR UNE BELLE NUIT D'HIVER.

1520 Ste-Marie, Gilles. **Les spectateurs ont les films qu'ils méritent.** Montréal, Société Radio-Canada, 1954. 6p.

Conférence dans la série Radio-Collège. Le cinéma, art commercial; connaissance de ces structures.

1521 Office des techniques de diffusion du diocèse de Saint-Jean. **Stage de cinéma pour éducateurs, 1964.** Saint-Jean, 1964. Brochures dans une pochette.

Jeu de fiches filmographiques.

1522 Service d'éducation cinématographique de Montréal. **Stage de cinéma pour les étudiants et les étudiantes, 29 août au 3 septembre 1963.** Montréal, 1963. 40p.

Programme d'un stage dirigé par Léo Bonneville. Études sur le ciné-club et ciné-fiches.

1523 Office des techniques de diffusion du diocèse de Saint-Jean. **Stage de formation au cinéma au ciné-club pour éducateurs, 1965.** Saint-Jean, 1965. Brochures dans une pochette.

Fiches de présentation des films et documents sur la conduite d'un ciné-club.

1524 Service d'éducation cinématographique de Montréal. **Stages de cinéma pour les jeunes filles, 3 au 8 juillet 1960.** Montréal, 1960. 35p.

Programme du stage, notes sur les films, résumés des exposés, textes de réflexion.

1525 Benedict, Joan Ada. **Stanley Kubrick's A Clockwork Orange: The Ambivalence of Violence.** Montréal, McGill University, 1978. 135p.

Thèse de M.A. (communications) Après avoir situé le film par rapport au roman d'Anthony Burgess, l'auteur analyse les thèmes cinématographiques, sémiologiques et mythologiques du film de Kubrick. Pour elle, la satire constitue l'aspect fondamental de la démarche du cinéaste car c'est ainsi qu'il peut critiquer les valeurs socio-politiques du monde contemporain. Pour parvenir à ses fins, Kubrick fait appel au grotesque (au sens défini par Bakhtine) et à la caricature, que l'auteur repère aux niveaux musical, chromatique, visuel, sonore, etc.

1526 Canadian Society of Cinematographers, Montreal Branch. **A Statement Dealing with Certain Matters Vital to the Interest of the Canadian Film Industry.** Montréal, 1969. 22, 22p.

Présidée par Roger Racine, la section montréalaise discute des neuf principaux problèmes que rencontre l'industrie cinématographique et qui retarde l'établissement d'une conscience culturelle nationale.

1527 National Film Board of Canada. **Statement of the Film Commissionner to the Committee of the House of Commons on the National Film Board.** Ottawa, 1952. 33p.

Le commissaire fait part de l'orientation d'après-guerre des réalisations de l'ONF, de leur distribution et de ses projets futurs. La version française fait 31 pages.

1528 **Statement of the Government Film Commissionner to the Parliamentary Committee on Broadcasting, Film and Assistance to the Arts.** Montréal, Office national du film du Canada, 195-?. Annuel.

La loi obligeant l'ONF à rendre des comptes, chaque année le commissaire doit comparaître devant un comité parlementaire. A cette occasion le commissaire y va d'un exposé déjà écrit et répond ensuite aux questions des députés. Tout ce matériel est ensuite repris dans les "Procès verbaux et témoignages" du Comité permanent de la radiodiffusion, des films et de l'assistance aux arts (fascicule variable), Chambre des Communes.

1529 McPherson, Hugo. **A Statement on Policy Prepared for Board of Governors.** Montréal, National Film Board of Canada. 1967. 8p.

Le commissaire explique pourjectifs généraux et spécifiques qu'il entrevoit.

1529a Lamonde, Yvan et Hébert, Pierre-François. **La statistique du cinéma au Québec (1896 à nos jours).** Montréal, s.n., 1980. 320p.

Travail réalisé pour le service de la recherche du ministère des Communications. L'étude comprend quatre principaux chapitres: la période pré-statistique du cinéma (1896-1930), l'exploitation du cinéma après 1930, la distribution du cinéma après 1930 et la production après 1930. Par la suite l'auteur regroupe les tableaux statistiques afférents à ses chapitres; cela fait plus de la moitié du travail. La plupart sont des reprises de tableaux déjà compilés par d'autres organismes (vg Statistique Canada) et en reprennent les erreurs ou les aspects criticables. Cette volumineuse étude a le mérite de regrouper des informations autrement disparates mais ne constitue pas l'étude scientifique qu'on aurait voulu voir réaliser sur le sujet. Publié sous le titre LE CINÉMA AU QUÉBEC.

1530 Association des professionnels du cinéma (Québec). **Statut.** Montréal, 1976. 27p.

1531 Westley, Frances R. **A Structural Analysis of Charlie Chaplin Films as Myth.** Montréal, McGill University, 1975. 179p.

Thèse de M.A. (sociologie) qui discute le postulat qui dit qu'il existe un lien entre les média et les mythes. En appliquant la méthode d'analyse structurale du mythe de Lévi-Strauss à douze films de Chaplin réalisés en 1916-17, l'auteur repère d'abord l'existence d'un des éléments constitutifs du mythe, le paradoxe, dans la contradiction perçue entre une élévation de statut et le maintien de l'ordre social. Puis il estime que l'analyse structurale des blagues et des farces suggère leur fonction méditatrice qui consiste en l'unification des oppositions à l'aide de formation de similitudes ou d'atteintes aux tabous. Enfin la thèse démontre que Chaplin, en tant que clown, résoud l'opposition entre nature et culture qui se situe au centre même des mythes.

1532 Beattie, Eleanor. **Structural Element in Harold Pinter Drama and Film Script.** Montréal, McGill University, 1970. 78p.

Thèse de M.A., (English). Après avoir étudié la structure dramatique de Pinter, l'auteur se penche sur deux textes particuliers, THE SERVANT et ACCIDENT.

1533 Ruszkowski, André. **La structure dramatique d'un film.** Montréal, Centre diocésain du cinéma, 1958. 31p. (Cinéma et culture.)

Découpage d'un film en ses parties, étude des conflits et du récit, présentation graphique de la marche d'un film et analyse de THE WRONG MAN de Hitchcock.

1534 Tremblay-Daviault, Christiane. **Structures sociales et idéologies dans la préhistoire du cinéma québécois (Longs métrages de fiction de 1942 à 1953).** Montréal, Université de Montréal, 1979. 381p.

Cette recherche s'inspire de deux mouvements fondamentaux: comprendre les oeuvres en examinant leurs structures internes et les expliquer en montrant comment les modèles idéologiques présentés à l'imagination des spectateurs s'insèrent dans une structure sociale, politique, et économique globale. Elle cherche à cerner fort pertinemment le long métrage de cette époque. L'auteur met en lumière les thèmes-charnières de ces oeuvres: l'Église-mère, la femme-mère, le fils élu, le prêtre, la paroisse mythique, l'étranger mythique, le rachat, le médecin-narrateur-Dieu-le-père, etc. Elle en conclut que le cinéma québécois de ces années est un cinéma orphelin de lui-même tout autant que de sa propre tradition: un cinéma de dédoublement et de rupture, une tragi-comédie qui, sous le mode de l'antiphrase et de l'antinomie, épouse les formes du transfert et du dédoublement. Une étude importante pour situer le cinéma qui tournait autour de Renaissance Films et de Québec-Productions. Thèse publiée sous le titre de UN CINÉMA ORPHELIN.

1535 Pâquet, André. **Le Studio 9, le Cinéma d'art et d'essai de Québec.... présente un hommage au musical américain 1950-60.** Québec, Le Studio 9, 1966. 13p.

Propos sur le film musical américain, notes sur certains de ses principaux artisans: Minelli, Donen, Cukor, Mamoulian.

1536 Ste-Marie, Gilles. **Le style ou l'art d'écrire avec les images.** Montréal, Société Radio-Canada, 1953. 6p.

Conférence dans la série Radio-Collège.

1537 Cinémathèque canadienne. **Submission Presented to the Tariff Board by la Cinémathèque canadienne Reference No. 134 Equipment for Hospitals and Other Institutions September, 1965.** Montréal, 1965. 15p.

Présentation de la Cinémathèque et demande d'exemption de tarif douanier.

1538 National Film Board of Canada. **A Submission to the Senate Special Committee on Science Policy Presented by the National Film Board of Canada.** Montréal, 1969. 18p.

Énoncé du rôle de l'ONF dans le domaine scientifique, liste des films qu'il a produits et projets futurs.

1539 DesRochers, Gilles. **La substitution de la télévision au cinéma.** Montréal, *L'actualité économique*, octobre-décembre 1959. pp. 403-13.

Tiré-à-part d'un article paru dans la revue de l'École des hautes études commerciales. L'auteur compare fréquentation des salles et acquisition de téléviseurs et donne la télévision gagnante sur le cinéma.

1540 Véronneau, Pierre. **Le succès est au film parlant français: histoire du cinéma au Québec 1.** Montréal, Cinémathèque québécoise, Musée du cinéma, 1979. 164p. (Les Dossiers de la Cinémathèque, 3)

Le premier volet de cet ouvrage traite de la présence du film français à Montréal, de la création de France-Film et de la venue de J.A. DeSève au cinéma. Le second volet parle plus spécifiquement des différentes compagnies Renaissance jusqu'à leur faillite, des films qui y furent tournés et de la situation du cinéma catholique au Québec et en Europe (Confédération internationale du film, Rex Film, etc). Une étude qui jette un éclairage nouveau sur une période de notre cinéma qui s'étend jusqu'au milieu des années 50.

R Suggestions for the Creation of a Card Index to the Books and Magazines on Cinema Shared by Canada's Audio-Visual Departments or Libraries **voir** Projet pour un fichier de la littérature cinématographique commune aux bibliothèques ou divisions audio-visuelles canadiennes.

1541 Office national du film du Canada. **Summary of References to the National Film Board in Submissions to the Royal Commission on Arts, Letters and Sciences Including Briefs and Verbal Comments at Public Hearings.** Ottawa, 1950. 59p.

Recueil de toutes les références à l'ONF qui ont été faites par les intervenants devant la commission Massey.

1542 Orlando, Joe. **Superman: le film**; conception graphique et texte: Joe Orlando, Jack C. Harris, Michael L. Fleisher. Saint Lambert, Héritage, 1979. 64p.

Traduction d'un album américain consacré aux vedettes, aux costumes, aux décorse et aux effets spéciaux du film de Richard Donner. Nombreuses illustrations.

1543 Directors Guild of Canada. **A Supplementary Brief to the Inter-Departmental Committee on the Possibility of a Feature Film Industry in Canada.** Toronto, 1965. 22p.

voir A Brief Urging the Development...

1544 Saucier, Pierre. **La surveillance du cinéma en pays démocratique.** Montréal, Bureau de surveillance du cinéma, 1971. 28p.

Allocution où l'auteur explique le rôle du Bureau de surveillance, aborde la question de la pornographie et réfléchit sur notre jeune cinéma national.

1545 Gallant, William et Cruickshank, Lyle R. **Survey of Canadian NFB Film Libraries. November 1972/Novembre 1972. Sondage sur les cinémathèques ONF au Canada.** Montréal, Office national du film du Canada, 1973. 21p.

Mené par le Service de recherches et statistiques, ce sondage veut comprendre le service de prêt de films pour l'améliorer si nécessaire.

1546 Coté, Guy-L.(?). **A Survey of Film Legislation in Several Countries with Particular Reference to National Feature Film Production and Including Statistical Data for 1963**; A Report for the Interdepartmental Committee on the Possible Development of Feature Film Production in Canada. Montréal, 1965. 2 vol. (148p.)

Après avoir étudié le cas de plusieurs pays, l'auteur en conclut que les pays européens fournissent une aide importante à leurs cinémas nationaux, que plusieurs accordent de l'importance au volume de la production et que les plus petits estiment qu'une tendance à l'internationalisation peut avoir des conséquences malheureuses au plan culturel. L'auteur valorise surtout les exemples suisse, belge et suédois.

1547 Forcier, André et Tremblay, Robert. **Sweet Cancer.** Montréal, s.n., 1971. 94p.

Première version du scénario d'un film non-réalisé.

1548 Forcier, André, Tremblay, Robert, Guérin, Céline et Gagné, Jean. **Sweet Cancer (l'exception du monde).** Montréal, s.n., 1971. 167p.

Découpage d'un film non-réalisé.

1549 Forcier, André et Tremblay, Robert. **Sweet Cancer.** Montréal, s.n., 1971. 243p.

Deuxième version du découpage.

LES DOSSIERS DE LA CINÉMATHÈQUE

3

Pierre Véronneau
LE SUCCÈS EST AU FILM PARLANT FRANÇAIS
(Histoire du cinéma au Québec I)

LA CINÉMATHÈQUE QUÉBÉCOISE/MUSÉE DU CINÉMA

UN CINÉMA POUR QUI?

LA QUINZAINE NATIONALE
conseil québécois pour la diffusion du cinéma

STRUCTURES MENTALES ET SOCIALES DU CINÉMA QUÉBÉCOIS (1942-1953)

Un cinéma orphelin

CHRISTIANE TREMBLAY-DAVIAULT

QUÉBEC/AMÉRIQUE

T

1550 Québec (Province) Service général des moyens d'enseignement. **Table d'équi-valences cinématographiques 16mm: pieds, mètres, images, heures, minutes, se-condes.** Québec, 1978. 125p.

Table d'équivalences qui s'étend de 1 à 3125 pieds.

1551 Québec (Province) Bureau de surveillance du cinéma. **Table durée-métrage des films en 35 mm et 16 mm.** Montréal, 1974. 5p.

1552 Unesco. **Table ronde sur la valeur culturelle du cinéma, de la radio et de la télé-vision dans la société contemporaine (Montréal, 9-13 septembre 1968);** rapport final. Montréal, 1968. 42p.

Comprend 7 chapitres
   1- Tour d'horizon
   2- Nouveaux courants dans l'étude des communications de masse.
   3- Expérience de recherche
   4- Culture- Recherches
   5- Communication de masse et sous-développement
   6- Dangers
   7- Directives
On y retrouve des interventions de cinéastes et de spécialistes de plusieurs pays du monde.

1553 Daudelin, Robert. **Table ronde sur la valeur culturelle du cinéma, de la radio et de la télévision dans la société contemporaine:** rapport. Montréal, 1968. 46p.

Rapport préparé par le service audiovisuel de l'Université de Montréal pour la Commission canadienne pour l'Unesco. Il reprend en résumé les principales inter-ventions de la table ronde qui réunissait 15 participants de 11 pays. On y retrouve aussi les recommandations et résolutions présentées.

1554 Mankiewicz, Francis. **Tableaux de la vie d'une femme.** Montréal, s.n., 197-. 54p.

Scénario non-tourné.

R   Take It All voir A tout prendre.

1555 Office national du film du Canada. **Talking about Films; Notes for a Discussion Leader.** Ottawa, 195? 12p.

Guide sur la façon de mener une discussion après la projection d'un film.

1556 Industries théâtrales unies du Québec. **La taxe d'amusements et l'industrie du cinéma;** mémoire présenté par les Industries théâtrales unies du Québec inc. au Ministère (sic) des finances, l'honorable Jean Lesage et au ministre du revenu, l'honorable Paul Earl. Montréal, 1962. 10p.

Plaidoyer pour l'abolition de la taxe d'amusements, ce qui devrait prolonger l'exis-tence de l'industrie. Le mémoire est complété de 4 tableaux-statistiques.

1557 Thérien, Gilles, Dupont, Jacques et Beaudin, Jean. **T.D.B.Q.** Montréal, s.n., 1972. 105p.

Scénario d'un film non-réalisé composé de trois histoires distinctes.

R   Teacher Education in Audio-visual Techniques **voir** Formation des maîtres quant à l'utilisation des moyens audio-visuels d'enseignement.

1558 Office national du film du Canada. **Technical Aspects of NFB Animation Chiefly in the 1941-1951 Period.** Montréal, 1981. 25p.

Comprend une table-ronde avec Bob Verrall, Norman McLaren, Grant Munro, Colin Low et Gerald Graham où ils racontent leurs souvenirs. Ce texte est com-plété de notes et de remarques rédigées par Guy Glover.

1559 Office national du film du Canada. **Technical Operations; Annual Report.** Mon-tréal.

1560 Association canadienne d'éducation des adultes. Commission nationale sur le cinéma. **Techniques d'utilisation du film**. Ottawa, Office national du film, 1961. 15p.

"Principes dont peuvent s'inspirer les groupes sociaux pour étudier les films avec fruit".

R Télévision éducative, mémoire présenté au Comité permanent de la radiodiffusion, des films et de l'assistance aux arts par l'Office national du film **voir** Brief of the National Film Board to the Parliamentary Committee on Broadcasting, Films and Assistance to the Arts.

1560a Institut canadien d'éducation des adultes. **La télévision payante: à éviter**; position de l'Institut canadien d'éducation des adultes sur la télévision payante relativement à l'examen des requêtes présentées aux audiences du CRTC. Montréal, 1981. 6p.

Préparé par le Groupe de travail sur les communications de l'ICEA, ce mémoire d'abord préparé pour le CRTC fut par la suite soumis à la Commission d'étude sur le cinéma et l'audiovisuel. Décrivant les effets négatifs de l'introduction de la télévision payante, l'ICEA demande un moratoire sur toute cette question. Ce mémoire servit d'introduction à celui préparé spécifiquement pour la Commission: NON AU MODÈLE AMÉRICAIN.

1560b Office national du film du Canada. **La télévision payante procède-t-elle de l'intérêt public?**; un mémoire de l'Office national du film du Canada, septembre 1981. **Pay Television: In the Public Interest?**; A Brief by the National Film Board of Canada, September 1981. Montréal, 1981. 28, 5, 23, 5p.

L'ONF énonce d'abord les principes qui devraient prévaloir sur la question de la télévision payante. Elle analyse ensuite les impératifs économiques qu'on devrait respecter et défend la question du contenu acadien. Ce mémoire fut présenté au Conseil de la radiodiffusion et des télécommunications canadiennes en réponse à l'appel de demandes de licences de télévision payante.

1561 Office national du film du Canada. **Le temps d'une chasse**. Montréal, 1972. 73p.

Dossier de presse du film de Francis Mankiewicz.

1562 Marsolais, Gilles. **Le temps d'une chasse;** dossier sur un film de Francis Mankiewicz. Avec la collaboration de Danielle Potvin et Volkmar Ziegler. Montréal, Le Cinématographe; VLB éditeurs, 1978. 169p. (Le Cinématographe, 5)

Présentation du film, découpage après montage, dialogues in extenso, illustrations abondantes et choix de critiques.

1563 Mankiewicz, Francis. **Le temps d'une chasse ou Coup de feu**. Montréal, s.n., 1970. 134p.

Scénario préliminaire.

1564 Académie de Québec. **Le temps d'une famille;** un film de Ciné-Académie, année 1965-66. Québec, 1966. 11p.

Brochure sur le deuxième film tourné par les étudiants de l'Académie. Une réalisation de Fernand Bélanger et Jean-Yves LeBlanc.

1565 Leduc, Jacques. **Tendresse ordinaire**. Montréal, Office national du film du Canada, 1973. 32p.

Transcription des dialogues.

1566 Tremblay, Robert et Leduc, Jacques. **La tendresse ordinaire;** notes de tournage. Montréal, 1971. 1v. (paginations diverses)

Découpage illustré du film de Jacques Leduc.

1567 **Tendresse ordinaire;** un film de Jacques Leduc. Montréal, Office national du film du Canada, 1973. 35p.

Présentation du film, notes sur les principaux cinéastes, extraits des dialogues et du découpage.

1568 Moreau, Michel. **Tentative de systématisation de l'utilisation de la rétroaction dans l'élaboration de films destinés à provoquer un changement de comportement dans une population donnée**. Montréal, Université du Québec, 1974. 160p.

Thèse de M.A. (psychologie). Réflexion entreprise par Moreau pour éclairer ses expériences filmiques antérieures en faisant appel à des modèles de la psychologie clinique et sociale et à celle de la communication. En première partie il décrit certaines expériences (préparation, réalisation, animation) menées à l'aide de films de changement qui exploitent la rétroaction. En seconde, il rationalise son expérience empirique pour élaborer un ensemble de modèles et de principes qui pourront modifier son action future. Cette réflexion, de la pratique à la théorie, lui a permis de mesurer l'écart entre les modèles intuitifs utilisés et les nouveaux modèles élaborés. Cette thèse permet une bonne introduction à l'oeuvre du cinéaste de 1968 à 1972.

1569 Laboratoires de films Québec. **Terminologie du cinéma: français-anglais. Film Terminology: English-French.** Montréal, 1970. 12, 13p.

1570 Aubry, Jean-Marie. **Test de maturité d'après les réactions devant le cinéma et la télévision.** Montréal, Centre catholique national du cinéma, 1959. 25p.

Questionnaire, table de correction, administration du test.

1571 Carle, Gilles et Barzman, Ben. **La tête de Normande St-Onge.** Montréal, s.n., 1974. 148p.

Scénario.

1572 Coté, Guy L. **Text of a Speech Delivered at the Annual General Meeting of the Canadian Society of Cinematographers Saturday May 9th, 1964, at the Royal York Hotel, Toronto.** Montréal, Association professionnelle des cinéastes, 1964. 20p.

Conférence prononcée par le président de l'APC. Il fait l'historique de la production cinématographique au Québec, analyse certains de ses problèmes, parle de l'ONF et situe l'APC dans tout cela.

1573 Léger, Raymond-Marie. **Texte de l'allocution;** association des producteurs de films du Québec, 5 avril 1974 — Estérel. Montréal, Office du film du Québec, 1974. 9p.

Texte parfois lyrique où l'auteur cite de larges extraits d'un discours de Denis Hardy sur la politique culturelle où il est question de loi-cadre imminente.

1574 Léger, Raymond-Marie. **Texte préparé à l'intention de Monsieur Denis Hardy;** discours de deuxième lecture de la Loi no 1. Montréal, 1975. 6p.

Texte écrit par le directeur de l'OFQ. Réflexions générales sur le phénomène cinématographique.

1575 Le Moyne, Jean et Godbout, Jacques. **Textes inédits de MM. Jean Le Moyne et Jacques Godbout sur le long métrage canadien "Trouble fête" (de Pierre Patry)** à l'occasion de sa première mondiale à Montréal, le vendredi 20 mars 1964. Montréal, 1964. 76p.

Deux textes de présentation et générique du film.

1576 Pie XII. **Théâtre, cinéma, radio, presse.** Montréal, Ecole sociale populaire, 1947, 16p. (Actes pontificaux, no 12)

1577 Malus, Michael et Spry, Robin. **Then... end.** Montréal, s.n., 1968?. 75p.

Première version du scénario du film de Robin Spry, PROLOGUE, aussi appelé provisoirement CHICKEN LITTLE WAS RIGHT.

1578 Malus, Michael et Spry, Robin. **Then... end.** Montréal, s.n., 1968?. 141p.

Deuxième version du scénario du film de Robin Spry PROLOGUE.

1579 Malus, Michael et Spry, Robin. **Then... end.** Montréal, s.n., 1968? 92p.

Probablement la troisième version du scénario du film de Robin Spry PROLOGUE.

R   Third International Film Festival of Montreal, August 10-16 Loew's Theatre **voir** IIIe Festival international du film de Montréal, 10-16 août 1962 au cinéma Loew's.

1580 Knelman, Martin. **This is Where We Came In.** Toronto, McClelland and Stewart, 1977. 176p.

Sous-titré "The Career and Character of Canadian Film", cet ouvrage consacre quelques chapitres au cinéma québécois et discute particulièrement de certains longs métrages. Un ouvrage où le métier de critique de cinéma de l'auteur se remarque.

1581 Noël, Jean-Guy. **Ti-cul Tougas ou Le bout de la vie.** Montréal, s.n., 1974. 131p.

Découpage.

1582 Morin, Jean P. et Carrière, Marcel. **Ti-Mine, Bernie pis la gang.** Montréal, Office national du film du Canada, 1974. 123p.

Premier scénario soumis au Comité du programme.

1583 Morin, Jean P. et Carrière, Marcel. **Ti-Mine, Bernie pis la gang.** Montréal, Office national du film du Canada, 1974. 148p.

Deuxième version du scénario.

1584 Richer, Gilles. **Tiens-toi bien après les oreilles à papa.** Montréal, Mojack Film, 1971. 229p.

Découpage du film de Jean Bissonnette.

1585 Richer, Gilles. **Tiens-toi bien après les oreilles à papa...** comédie. Montréal, Leméac, 1971. 100p.

Texte du film de Jean Bissonnette.

1586 Office national du film du Canada. Service de distribution. **Titles in Active Distribution at 1 October 1968 in Alphabetical Sequence.** Montréal, 1968. 84p.

1587 Office national du film du Canada. Service de distribution. **Titles in Active Distribution at 1 October 1968: Numerical Listing**. Montréal, 1968. 75p.

1588 Daigneault, Gilles et Deslauriers, Ginette. **La toile d'araignée**. Montréal, Office national du film, 1979. 36p.

Document d'accompagnement au film de Jacques Giraldeau LA TOILE D'ARAIGNÉE qui porte sur les arts plastiques au Québec.

1589 Carle, Gilles. **La tour — The Tower**. Montréal, s.n., 1965. 107p.

Scénario non-tourné.

1590 Rousseau, Françoise Lamy. **Traitement automatisé des documents multi-media avec les systèmes ISBD et PRECIS**. Montréal, Ministère de l'éducation, Service général des moyens d'enseignement, 1974. 214p.

Publication qui a pour but d'expérimenter et de démontrer une approche nouvelle du traitement documentaire. Touche entre autres au cinéma. S'adresse à un public spécialisé.

R Travel Film Distribution: Annual Report **voir** La Distribution des films touristiques: rapport annuel.

1591 Centre diocésain du cinéma de Montréal. **Trois aspects du cinéma américain**. Montréal, 196-?. 35p. (Cinéma et culture; 5)

Comprend 3 textes: Renouveau du cinéma américain par Gilles Ste-Marie, La critique sociale dans le cinéma américain par Gilles Marcotte et Les jeunes rebelles dans le cinéma américain par Léoo Bonneville.

1592 Patry, Pierre et Lord, Jean-Claude. **Trouble-fête**. Montréal, s.n. 1964, 76p.

Découpage du film après montage. Description des bandes image et son.

1593 Noël, Jean-Guy. **Tu brûles**. Montréal, s.n., 1972, 95p.

Scénario.

1594 Noël, Jean-Guy. **Tu brûles**. Montréal, s.n., 1972. 124p.

Découpage technique.

1595 **Tu brûles... tu brûles...** Montréal, Association coopérative de productions audio-visuelles, 1973. 23p.

Brochure publicitaire sur le film de Jean-Guy Noël et notes sur l'ACPAV. Sera essentiellement repris par le CQDC.

1596 **Tu brûles... tu brûles...** Montréal, Conseil québécois pour la diffusion du cinéma, Léger, Raymond-Marie. **Un bien étrange paradoxe;** bilan de 1970-75 de l'Office

Synopsis, notes sur le film, entretien avec le réalisateur Jean-Guy Noël et notes sur l'ACPAV.

1597 Pâquet, André. **Tunisie: cinéma récent, février 1974**. Montréal, Cinémathèque québécoise, Musée du cinéma, 1974. 16p.

Entretien avec Abdellatif Ben Ammar, Sodok Ben Aicha et Hassen Daldoul.

R Twenty-two Reasons why the Canadian Government Should Encourage the Establishment of a Feature Film Industry in Canada and why it Should Concern Itself with the Economic and Cultural Consequences of the Present Status of Distribution and Exploitation of Films **voir** Vingt-deux raisons pour lesquelles le Gouvernement du Canada...

1598 Chetwynd, Lionel. **Two Solitudes**. Montréal, s.n., 1977. 1 vol.

Scénario d'après l'oeuvre de Hugh MacLennan.

1599 Kemp, Hugh. **Two Solitudes: a Quebec Productions Feature Film Initial Treatment and Analysis**. Saint-Hyacinthe, s.n., 1947. 59p.

Nouvelle de Hugh MacLennan et pré-scénario de Hugh Kemp préparé pour la Québec-Productions. Ne sera pas tourné.

1600 Bélanger, Fernand et Bodo, Robert. **Ty-Peupe**. Montréal, s.n., 1970. 65p.

Scénario du film de Bélanger.

U

1601 Ste-Marie, Gilles. **Un art nouveau utilisant tous les arts**. Montréal, Société Radio-Canada, 1953. 7p.

Conférence dans la série Radio-Collège.

1602 Léger, Raymond-Marie. **Un bien étrange paradoxe;** bilan de 1970-75 de l'Office du film du Québec. Montréal, Office du film du Québec, 1976. 20p.

Tableaux et données numériques qui donnent un bilan quantitatif de l'OFQ au moment où on décide de sa dissolution. L'auteur constate qu'au niveau des moyens, cette période est caractérisée par la décroissance alors que les résultats témoignent de cinq ans de croissance. Une contradiction qu'il voudrait voir clarifier.

1603 Major, Ginette. **Un cinéma à la recherche d'un public.** Montréal, Université de Montréal, 1979. 221p.

Thèse de M. Sc. (Communication). L'auteur défend l'hypothèse que "toutes les formes d'aide présentes et à venir seront sans effets si la teneur même du produit reste inchangée". Afin d'illustrer son propos, elle choisit dix films (TI-CUL TOUGAS, L'AMOUR BLESSÉ, O.K. LALIBERTÉ, PANIQUE, POUR LE MEILLEUR ET POUR LE PIRE, L'EAU CHAUDE L'EAU FRETTE, RÉJEANNE PADOVANI, LE SOLEIL SE LÈVE EN RETARD, LA TÊTE DE NORMANDE ST-ONGE, J.A. MARTIN PHOTOGRAPHE), en analyse le contenu de façon sémantique et avance que le film est une forme de représentation collective, miroir de l'inconscient. A la fin de sa thèse, l'auteur dresse le tableau cumulatif des sèmes dominants de l'ensemble de son corpus: sujet, cadre, comportement, activités, tonalité, etc. tout y passe. L'auteur conclut que pour dynamiser une représentation de la vie perçue comme statique, notre cinéma devra se vivifier, retrouver le sens des images et la sensibilité et se tourner vers des valeurs de vie, sinon il sera une fois de plus sans avenir.

1604 Tremblay-Daviault, Christiane. **Un cinéma orphelin;** structures mentales et sociales du cinéma québécois (1942-53). Montréal, Québec-Amérique, 1981.

Publication de la thèse de doctorat soutenue par l'auteur (# 1534).

1605 Conseil québécois pour la diffusion du cinéma. **Un cinéma pour qui?** Montréal, 1973. 48p.

Notes sur les films présentés à la quinzaine nationale du cinéma québécois. En introduction: "Une industrie du cinéma... Pour qui?".

1606 Fotinas, Constantin. **Un ensemble de trois objets didactiques;** contribution à l'enseignement de la réalisation audiovidéographique. Montréal, Université de Montréal, 1972. 42p.

A l'époque, l'auteur espérait mettre au point un enseignement systématique de la communication multi-média. Ce texte présente quelques éléments constitutifs de sa recherche sur une didactique active du cinéma. Après avoir précisé sa nouvelle approche didactique, il s'attarde à trois objets mis au point pour ses besoins: une lunette VI-CA, des écouteurs EC-MA et un jeux de cartes RE-MO. Il discute enfin des résultats de l'expérimentation de ces trois objets.

R   Un guide des cours de cinéma et de télévision offerts au Canada **voir** A Guide to Film and Television Courses in Canada.

1607 Grignon, Claude-Henri. **Un homme et son péché**. St-Hyacinthe, Québec-Productions, 1948. 70p.

Scénario du film de Paul Gury.

1608 **Un homme et son péché**. Montréal, France-Film?, 1949. 9p.

Scénario publicitaire du film de Paul Gury produit par Québec-Productions. L'histoire du film y est racontée par Claude-Henri Grignon.

1609 Ste-Marie, Gilles. **Un langage aux possibilités multiples**. Montréal, Société Radio-Canada, 1953. 8p.

Conférence dans la série Radio-Collège. Capacité d'enrichissement intellectuel et artistique.

1610 Chabot, Jean. **Un monde d'hommes!** Montréal, s.n., 1970. 35p.

Synopsis.

1611 Chabot, Jean. **Un monde d'hommes!.** Montréal, s.n., 1971. 68p.

Scénario non-tourné.

1612 Guérin, André. **Un organisme unique, un unique ministère: seule chance du cinéma québécois.** Montréal, 1965. 20p.

Document étudiant la situation du cinéma au Québec et proposant l'adoption d'une loi-cadre et le regroupement des grandes Directions du cinéma (Industries, Censure, OFQ) dans un centre unique.

1613 Perrault, Pierre. **Un pays sans bon sens**, par Pierre Perrault et autres. Montréal, Editions Lidec, 1972. 243p.

Transcription des dialogues et monologues du film et notes diverses par l'auteur. Illustration abondante.

1614 **Un pays sans bon sens! (ou Wake up mes bons amis).** Montréal, Office national du film du Canada, 1970. 104p.

Texte et découpage du film de Pierre Perrault établi pour le monteur Yves Leduc. Pour chaque bobine on indique le piétage des plans.

1614a Association pour le jeune cinéma québécois. **Une alternative pour un cinéma populaire et accessible;** mémoire présenté à la Commission d'étude sur le cinéma et l'audiovisuel. Montréal, 1981. 21p.

L'association demande principalement que soit reconnu le rôle du Super-8 dans le développement d'une cinématographie nationale authentique et populaire et que des programmes d'aide à la production et à la diffusion soient mis sur pied.

1615 Jutra, Claude et Sachs, Charles. **Une bonne année pour les olives.** Montréal, Office national du film du Canada, 1967? 146p.

Scénario non-tourné.

1616 Association Le Vieux-Port. **Une Cité du cinéma dans le Vieux-Port? Les pours et les contres analysés par l'Association/Le Vieux-Port. A Cité du Cinéma in Le Vieux-Port? The Pros and Cons Analysed by the Association/Le Vieux Port.** Montréal, 1980. 14p.

Annexe à "Une stratégie de réaménagement pour le Vieux-Port de Montréal", ce mémoire évoque les arguments pour et contre une cité du cinéma et sa localisation dans le Vieux-Port.

1617 Bienvenue, Alain. **Une expérience de ciné-jeunes.** Montréal, Centre catholique national du cinéma, de la radio et de la télévision, 1961. 37p.

Réflexions d'un jésuite qui fut 5 ans moniteur de ciné-jeunes. Il se penche d'abord sur l'enfant et le film et s'interroge sur son comportement et ses besoins de spectateur. Il explique ensuite comment organiser un ciné-jeunes. Finalement il donne les résultats d'une enquête menée en 1957 sur les 19 films présentés à son ciné-jeunes cette année-là.

1618 Coté, Nancy. **Une expérience de cinéma pour les tout-petits — 1958/59, Paroisse de St. Hippolyte, St. Laurent, Qué.** St.-Laurent, Qué., 1960. 9p.

Rapport de Nancy Coté préparé pour le Centre canadien du film pour la jeunesse, un organisme bénévole du CFI. Programme des 8 séances présentées et appréciation des enfants.

1619 Cinémathèque canadienne. **Une exposition Georges Méliès.** Montréal, 1964. 17p.

Comprend un hommage à Méliès par Norman McLaren et le catalogue de l'exposition.

1620 Ménard, Robert et Fournier, Roger. **Une journée en taxi.** Montréal, Les productions Vidéofilms, 1979? 77p.

Scénario du film de Ménard.

1621 Ménard, Robert et Fournier, Roger. **Une journée en taxi.** Montréal, Les productions Vidéofilms, 1979. 109p.

Scénario.

1622 Benoît, Jacques. **Une maudite galette.** Montréal, s.n., 1971. 144p.

Scénario du film de Denys Arcand.

1623 Fournier, Edith et Moreau, Michel. **Une naissance apprivoisée.** Montréal, Éditions de l'Homme, 1979. 108p.

Les cinéastes racontent leur film qui est l'histoire d'une grossesse et d'un accouchement, les leurs, vécus en famille. De nombreuses illustrations du film.

1624　Ste-Marie, Gilles. **Une nouvelle grammaire, celle des images.** Montréal, Société Radio-Canada, 1953. 6p.

Conférence dans la série Radio-Collège.

1625　Chabot, Jean. **Une nuit en Amérique.** Montréal, s.n., 1972. 100p.

Deuxième version du scénario.

1626　Chabot, Jean. **Une nuit en Amérique ou La nuit électrique de l'Amérique.** Montréal, s.n., 1972. 79p.

Première version du scénario.

1627　Grierson, John. **Une politique du film pour le Canada.** *Affaires canadiennes,* v.1, no 11 (15 juin 1944). 19p.

Texte d'un exposé du fondateur de l'ONF où il précise les réalisations de son organisme.

1628　**Une semaine dans la vie de camarades ou Edgar Azède Plamondon mène l'enquête.** Montréal, Les productions 89, 1976. 112p.

Transcription des dialogues du film de Jean Gagné.

1629　Collège Ste-Croix. **Une semaine de cinéma canadien.** Saint-Laurent, *Le trait d'union,* v. 25, no 8, 1965. 10p.

Numéro spécial à l'occasion d'une semaine de cinéma. On y trouve des textes sur LE CHAT DANS LE SAC, l'ONF, les ciné-clubs (Léo Bonneville) l'éducation cinématographique et le rapport Parent (Gilles Blain), et des entretiens avec Gilles Groulx et Jean Dansereau.

1630　Sauriol, Brigitte. **Une si longue absence.** Montréal, s.n., 1973. 115p.

Scénario de L'ABSENCE.

1631　Ste-Marie, Gilles. **Une syntaxe qui modifie le temps, le montage.** Montréal, Société Radio-Canada, 1953. 6p.

Conférence dans la série Radio-Collège.

1632　Rousseau, Françoise Lamy. **Uniformisation des règles de catalogage des documents visuels et sonores: description d'une expérience.** En collaboration avec Martine Paquet. Montréal, Ministère de l'éducation, Service général des moyens d'enseignement, 1973. 35p.

Étude comparative basée sur les règles de catalogage de ISBD.

1633　Cutler, May Ebbitt. **The unique genius of Norman McLaren.** *Canadian art,* mai/juin 1965, no 97. 17p.

Tiré-à-part.

1634　Ayfre, Amédée. **L'univers de Robert Bresson.** Montréal, Office Diocésain des techniques de diffusion, 1963. 32p. (Cinéma et culture; 6)

Textes de quelques conférences que devaient prononcer au Québec l'abbé Ayfre.

1635　Archambault, Jocelyne. **Urbanose. Analyse des activités de distribution.** Montréal, Office national du film du Canada, 1973. 42p.

Sur la série de Michel Régnier. La démarche de production, le pré-lancement et la distribution communautaire et télévisée.

1636　Société nouvelle/Challenge for Change. **Urbanose. Revue de presse.** Montréal, Office national du film du Canada, 1972. 61p.

Sur la série de Michel Régnier.

1637　Deroy, Michel. **L'utilisation d'un film dans l'enseignement d'une passe au hockey.** Montréal, Université de Montréal, 1972. 63p.

Thèse de M.A. (pédagogie audiovisuelle). Recherche qui a pour but de vérifier si un film pédagogique peut faciliter la compréhension d'un processus quelconque, ici une passe. L'auteur estime que les techniques audiovisuelles sont pour le professeur d'éducation physique un apport valable dans la mesure où celui-ci leur voit un rôle de diffusion plus rapide. Il prolonge en cela nombre de recherches américaines et va plus loin en utilisant des données mathématiques pour démontrer la valeur réelle du film, en l'occurence ici un film réalisé pour les besoins de la recherche et vérifié sur 40 jeunes. L'auteur en conclut que, pour cette matière donnée, l'enseignement audiovisuel équivaut à l'enseignement conventionnel.

1638　Anctil-Fortier, Janine. **L'utilisation du cinéma dans les loisirs pour enfants.** Québec, Université Laval, 1961. 85p.

Thèse de maîtrise en service social. L'auteur se questionne sur la façon de reconstruire un univers d'images pensées en termes adultes et qui viole la psychologie de l'enfant. Elle étudie aussi la question du film pour enfants. Elle s'intéresse finalement au rôle du travailleur social dans le domaine cinématographique et dans l'élaboration des programmes de ciné-loisir et de ciné-club. Après avoir mené son expérience auprès d'enfants de huit à onze ans, l'auteur estime que le travailleur social doit se servir du cinéma comme moyen d'intégrer l'enfant à un groupe, de développer son génie créateur et de lui apprendre à comprendre ce moyen d'expression.

1639 Lubelsky, Marietta H. **The Utilization of Loop films with Mentally Handicapped.** Montréal, Université de Montréal, 1972. 179p.

Thèse de M.A. (éducation). Étude expérimentale à l'aide de films d'apprentissage visuel où la personne doit apprendre à distinguer avant et arrière plan, la permanence des formes, à comprendre la relation entre des objets qu'on pivote, à repérer des patterns de comportement. Elle compare des handicapés à des personnes normales et étudie chaque cas. Elle analyse ses résultats en comparant les caractéristiques du film, les comportements et les réponses obtenues durant l'apprentissage. Même si elle ne veut pas généraliser ses conclusions, elle estime que son étude démontre que le film peut être utilisé bénéfiquement avec des handicapés pour développer leur habileté perceptuelle.

1640 Bonneville, Léo. **Les vacances de Monsieur Hulot**. Montréal, Centre de culture cinématographique, 1964. 8p.

Fiche culturelle sur le film de Jacques Tati lors de sa présentation dans le cadre de Ciné Week-End.

1641 Valérie. Montréal, s.n., 1968. 30p.

Transcription des dialogues du film de Denis Héroux.

1642 Thériault, Yves. **Valérie.** Montréal, Editions de l'Homme, 1969. 123p.

Roman inspiré par le film de Denis Héroux.

1643 Service d'éducation cinématographique de Montréal. **Les valeurs humaines au cinéma**; stage de cinéma 1965. Montréal, 1965. (feuilles)

Programme d'un stage de l'Office diocésain des techniques de diffusion, dirigé par Léo Bonneville et Robert-Claude Bérubé et destiné aux éducateurs et aux étudiants. Notes sur les thèmes abordés et fiches pour les films au programme.

1644 Thérien, Gilles et Dufaux, Georges. **VAPE**. Montréal, Office national du film du Canada, 1970. 109p.

Scénario.

1645 Variations sur trois thèmes. Montréal, Editions F. Pilon, 1946. 497p.

Ouvrage qui regroupe un choix de chroniques de trois collaborateurs du journal La Presse sur la musique, le théâtre et le cinéma. Léon Franque est responsable de cette dernière rubrique (pp. 185-324). Malheureusement le livre ne possède pas d'index.

1646 Labrecque, Jean-Claude et Gurik, Robert. **Les vautours**. Montréal, 1974. 103p.

Scénario.

1647 Labrecque, Jean-Claude. **Les vautours**. Montréal, s.n., 1974. 95p.

Version tournage du scénario.

1648 Labrecque, Jean-Claude. **Les vautours**. Montréal, s.n., 1974. 150p.

Découpage.

1649 Office national du film du Canada. **Vers l'An III du plan Lamy à l'ONF**. Montréal, 1978. 14p.

Revue de presse de la tournée du commissaire André Lamy dans six régions du Québec et propos sur la régionalisation.

1650 Ste-Marie, Gilles. **Vers le cinéma sentant du meilleur des mondes**. Montréal, Société Radio-Canada, 1953. 9p.

Conférence dans la série Radio-Collège. Développement technique très rapide: couleurs, trois dimensions, cinérama, cinémascope.

1651 Québec (Province) Bureau de surveillance du cinéma. **Vers une politique du cinéma au Québec: commentaires du Bureau de surveillance du cinéma**. Montréal, 1979. 37p.

Commentaires du BSCQ au Livre bleu de la DGCA. L'auteur de ce mémoire, André Guérin, fait connaître ses réserves et ses suggestions aux nonbreuses recommandations du Livre bleu: sa réflexion dépasse également les limites du Livre bleu pour couvrir tout le problème du cinéma québécois.

1652 Québec (Province) Direction générale du cinéma et l'audiovisuel. **Vers une politique du cinéma au Québec: document de travail**. Québec, 1978. 213p.

Connu aussi sous le nom de Livre bleu sur le cinéma, ce document se veut une réflexion globale sur le cinéma québécois qui devait faciliter la révision en profondeur de la législation et des diverses politiques touchant le cinéma. On y retrouve un certain nombre de principes qui devraient diriger une politique du cinéma, une étude historique préparée par Michel Houle, un exposé sur les secteurs public et privé, un chapitre sur les problèmes et besoins du cinéma au Québec et des propositions pour la refonte des lois touchant au cinéma. Ce document est un ouvrage très précieux pour qui veut connaître et réfléchir sur le cinéma québécois, et plus particulièrement sur son économie. Il fut néanmoins trop critiqué pour devenir l'énoncé de politique gouvernementale qu'il devait être.

1653 Office national du film du Canada. **Vertige**; une production de l'Office national du film du Canada; un film de Jean Beaudin. Montréal, 1969?. 12p.

Brochure précisant la démarche pédagogique d'un film qui veut instruire au domaine du jeu.

1654 Shanks, Serge et Lafrance, André. **Vidéo et super-8**. Ill. de Clément Bérubé. Montréal, Editions de l'Homme, 1979. 198p.

Manuel sur la pratique du vidéo et du super-8.

1655 Université de Montréal. Centre d'essai. **La vie devant soi**; 10 films sur les moins de vingt ans. Montréal, 1976. 18p.

Notes sur 10 films québécois et étrangers.

1656 Dansereau, Mireille. **La vie rêvée**. Montréal, s.n., 1970. 72, 6p.

Scénario.

1657 Gonzalez, Rodrigo. **Le vieux professeur**. Montréal, Office national du film du Canada, 1974. 17p.

Scénario d'un épisode de IL N'Y A PAS D'OUBLI.

1658 Daudelin, Robert. **Vingt ans de cinéma au Canada français**. Québec, Ministère des affaires culturelles, 1967. 69p. (Art, vie et sciences au Canada français, 8)

Écrite en plein éveil du cinéma québécois, cette étude veut lui fournir une perspective historique. Péchant au chapitre de la préhistoire, elle est au contraire plus intéressante dans ses notules informatives et parfois critiques sur une vingtaine de cinéastes. Voulant marquer le coup, cet ouvrage est néanmoins fort daté.

1659 Association professionnelle des cinéastes. **Vingt-deux raisons pour lesquelles le gouvernement du Canada doit favoriser la création d'une industrie de cinéma de long métrage au Canada et s'inquiéter des conséquences économiques et culturelles de l'état actuel de la distribution et de l'exploitation de films**. Montréal, 1964. 13p.

En février-mars 64, un an après sa fondation, l'APC produisit trois mémoires pour les gouvernements du Québec et du Canada. Les mémoires couvrent l'ensemble de la situation cinématographique: production, distribution, État, culture, etc. Celui-ci en est un. Ils ont été traduits en anglais.

1660 Carle, Gilles. **Le viol d'une jeune fille douce**. Montréal, s.n., 1967. 128p.

Scénario.

1661 **Le viol d'une jeune fille douce**. Montréal, s.n., 1968. 129p.

Transcription des dialogues du film de Gilles Carle.

1662 Bertrand, Marie-André. **La violence à l'écran et la délinquance juvénile**. Montréal, s.n., 1969. 34p.

Texte prononcé lors de la 8e conférence des bureaux de surveillance du cinéma du Canada, Montréal, 16-19 septembre 1969, par une criminologue de l'Université de Montréal. Elle traite des réactions anti-sociales que les films de violence sont susceptibles de provoquer chez les enfants et les adolescents.

1663 Vita Film. **Vita Film Presents....** Montréal, 195-. 32p.

Catalogue d'une compagnie spécialisée dans la distribution de films allemands tournés entre 1947 et 1951.

1664 Ayfre, Amédée. **Vittorio de Sica**; causerie prononcée à l'occasion du Stage national de cinéma pour les éducateurs, tenu à Rigaud, du 9 au 14 juillet 1962. Montréal, Office catholique national des techniques de diffusion, 1962. 14p.

Causerie pour mettre en relief la dimension chrétienne de De Sica.

Vers une politique du cinéma au Québec
Document de travail

CINE

161178

UN FILM DE PIERRE PERRAULT, BERNARD GOSSELIN,
MONIQUE FORTIER, SERGE BEAUCHEMIN, ALAIN DOSTIE,
PRODUCTION GUY L. CÔTÉ, JACQUES BOBET POUR L'ONF.

les
voitures
d'eau

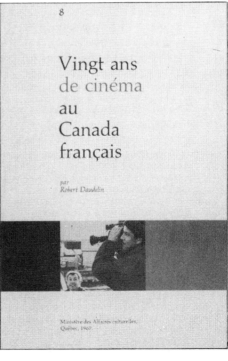

8

Vingt ans
de cinéma
au
Canada
français

par
Robert Daudelin

Ministère des Affaires culturelles,
Québec, 1967.

1665 Office national du film du Canada. **Vive l'animation!** Montréal, 1966. 25p.

Projet d'un long métrage sur l'animation coproduit internationalement et destiné aux salles. Ne s'est pas matérialisé.

1666 Office national du film du Canada. **Vivre sa culture et se reconnaître**; un mémoire présenté au Comité d'étude de la politique culturelle fédérale. Montréal, 1981. 1v. (paginations diverses)

Le mémoire soutient que le gouvernement devrait accorder une priorité beaucoup plus haute à la culture puisqu'elle joue un rôle prépondérant dans la survie du Canada. En annexe on retrouve un sondage sur l'industrie du cinéma, un bilan de la production et de la distribution à l'ONF en 1979-80, un énoncé des objectifs de l'ONF et des réflexions sur la radiodiffusion (qui sont en fait son mémoire de mars 80 devant la CRTC).

1667 Beauclair, René. **Vocabulaire anglais-français des vedettes-matières de la F.I.A.F.** Montréal, Centre de documentation cinématographique, 1979. 1v. (non paginé)

Mise au point et traduction des vedettes-matières de la Fédération internationale des archives du film.

1668 Perrault, Pierre, Gosselin, Bernard et Fortier, Monique. **Les voitures d'eau.** Montréal, Lidec; Editions Ici Radio-Canada, 1969. 171p.

Texte du film. Nombreuses illustrations.

1669 Blackburn, Marthe. **Vos lettres reçues à l'Office national du film à l'occasion de la télédiffusion des quatre films de la série En tant que femmes présentés en 1974.** Montréal, Office national du film du Canada, 1974. 144p.

Extraits de lettres choisis par M. Blackburn et regroupés par titre de films: J'ME MARIE, J'ME MARIE PAS, SOURIS, TU M'INQUIÈTES, À QUI APPARTIENT CE GAGE, LES FILLES DU ROY. Chacun de ces films est introduit par les réalisatrices.

1670 Québec (Province) Service général des moyens d'enseignement. **Vous avez beau jeu: 4 films 16mm.** Montréal, 1972. 47p.

Document d'accompagnement d'une série, destinée au Secondaire II, sur les perceptions, l'agir, les émotions et l'imaginaire.

1671 Carle, Gilles. **La vraie nature de Bernadette.** Montréal, Les Productions Carle-Lamy, 1971. 192p.

Scénario.

1672 Carle, Gilles. **La vraie nature de Bernadette.** Montréal, s.n., 1972?, 88p.

Transcription des dialogues.

1673 Carle, Gilles. **La vraie nature de Bernadette.** Paris, *Avant-Scène*, no 130 (1972). 50p.

Découpage après montage, présentation du film et du cinéaste, accueil de la critique européenne. En supplément, LA MAUDITE GALETTE de Denys Arcand et MON ONCLE ANTOINE de Claude Jutra.

1674 Semaine du cinéma québécois, 8e, Montréal, 1980. **Vues d'ici et d'ailleurs.** Montréal, Semaine du cinéma québécois, 1980. 14p.

Publié en format journal, cet ouvrage reprend un certain nombre de textes: Présentation de la Semaine; Petite histoire du comité de sélection; Un cinéphile passionné, Denis Vaugeois; Passé composé, présent indéfini par Bernard-Richard Émond; Arcand, Duplessis et après; Comment transformer votre salon en salle de cinéma par Louise Gendron; Un producteur c'est quoi avec Claude Godbout; Guy L'Écuyer, condamné à être heureux. Et des notices par ou sur Sylvie Groulx, Francine Allaire, le cinéma régional, l'ARFQ, le SNC, Les films du crépuscule, Cinéma libre, André Melançon, Jean-Guy Noël.

1675 Emond, Bernard-Richard. **Vues et bévues du cinéma ethnographique.** Québec, Département d'anthropologie, Université, Laval, 1978. 101p. (Collection Documents, Travaux, Rapports de recherche, no 2)

Remarques sur le cinéma ethnographique, pour que le cinéma joue un rôle dans la réappropriation de l'analyse sociale par les acteurs sociaux eux-mêmes et devienne l'instrument d'une pédagogie progressiste et démocratique. L'auteur étudie le couple cinéma/ anthropologie, le film de recherche et le documentaire public. En annexe deux textes sur POUR LA SUITE DU MONDE, LE RÈGNE DU JOUR et LE GOÛT DE LA FARINE de Pierre Perrault.

1676 Cinémathèque québécoise. **Vues sur le cinéma québécois**; colloque de l'Association canadienne des études cinématographiques. Montréal, 1981. 94p. (Copie Zéro no 11)

Numéro sous la direction de Pierre Véronneau. Texte des communications et des débats de l'ACEC. On y retrouve des études sur Pierre Perrault (Yves Lacroix et David Clanfield), André Blanchard (Piers Handling), Arthur Lamothe (Réal La Rochelle), MOURIR À TUE-TÊTE (Carole Zucker), DE LA TOURBE ET DU RESTANT (Michel Houle), les femmes dans le cinéma québécois (Louise Carrière et Jocelyne

Denault), l'homosexualité dans le cinéma québécois (Tom Waugh), le Service de ciné-photographie (Pierre Véronneau), le jeune cinéma (Jean-Claude Jaubert) ainsi qu'un exposé de Jacques Leduc et une table ronde sur le cinéma québécois aujourd'hui.

1677 Evans, Gary. **The War for Men's Minds: Government Film Propaganda in Britain and Canada, 1914-1945.** Montréal, Dept. of History, McGill University, 1977. 434p.

Thèse de doctorat. Étudie l'émergence du mouvement documentaire en Grande-Bretagne, le rôle de John Grierson, son action au Canada à l'ONF. Evans met l'accent sur les dimensions idéologiques de la propagande, particulièrement en temps de guerre. Excellent travail sur un sujet trop peu documenté que vient compléter une bibliographie pertinente.

1678 Di Villadorata, Massimo N. **The way of the warrior.** Montréal, Concordia University, 1975. 99p.

Thèse de M.A. (Educational Technology). Après avoir réalisé un film super-8mm d'après le livre LA VOIE DU GUERRIER, qui décrit cinq disciplines psychophysiques orientales (judo, yoga, aikido, t'ai chi, tae kwon do), l'auteur le présente à soixante personnes. Il veut ainsi évaluer la connaissance factuelle procurée par le film et la motivation du spectateur à choisir ou ne pas choisir telle discipline.

R When the Trees Cry **voir** Quand les arbres pleurent.

1679 Daudelin, Robert. **William Klein.** Montréal, Cinémathèque québécoise, 1975. 25p.

Biofilmographie et entretien avec le cinéaste américain.

1680 Le Serge, Diane.**Willie Lamothe: trente ans de show-business.** Préf. de Doris Lussier. Montréal, Publioption; Anjou: distributeur exclusif, Eclair, c1975. 164p.

Biographie du comédien-chanteur western. Contient un chapitre sur les films auxquels a participé Lamothe.

1681 Internationale Filmfestspiele, XVIII, Berlin, 1968. **Woche des Jungen Films Kanada 1968.** Berlin, Cinémathèque canadienne et Berliner Film festspiele GMBH, 1968. 47p.

Programme d'une semaine de jeune cinéma canadien tenue dans le cadre du Festival de Berlin. On y retrouve un entretien avec plusieurs cinéastes effectué par Gideon Bachmann.

R World Film Festival of Canada, August 19-28, 1977 **voir** Festival canadien des films du monde, 19-28 août, 1977.

1682 Lavoie, Richard et Liccioni, Jean-Pierre. **Yogine.** Tewkesbury. Les Films Boréas. 197-?. 73p.

Scénario d'un film non-réalisé.

R You Know Something? I'm Happy: Project Outline **voir** Vive l'animation.

1683 Tassé & Associés. Your **Your Ticket Is No Longer Valid;** une production cinématographique long métrage. Montréal, 1979. 9p.

Brochure de souscription qui vante les mérites du film de George Kaczender et les avantages fiscaux d'investir dans un tel film.

1684 **Your Ticket Is No Longer Valid.** Montréal, RSL Films, 1980, 7p.

Brochure publicitaire sur le film de George Kaczender et sur les films produits par RSL.

Z

1685 Cinémathèque québécoise. **Zagreb à Montréal;** 59 des meilleurs films présentés au 2e Festival international du film d'animation à Zagreb (1974) 29, 30 et 31 octobre. Montréal, 1974. 34p.

Générique des films présentés à Montréal.

La mise à jour de cette bibliographie sera publiée annuellement dans la revue de la Cinémathèque COPIE ZÉRO

INDEX GÉNÉRAL *

Cet index comprend les titres de films (en majuscules), les réalisateurs (lorsqu'ils ne sont pas les auteurs du texte), les personnes reliées à la publication, les éditeurs et les sujets. Dans les cas de sujets multi-termes où le mot cinéma figure, celui-ci n'est généralement pas placé en premier. Par exemple: Littérature et cinéma, et non pas Cinéma et littérature.

D

Daldoul, Hassen: 1597

Danis, Aimée: 77, 571, 573, 1518, 1669

DANS NOS FORÊTS: 75

Dansereau, Fernand: 99, 113, 214, 295, 439, 534, 648, 652, 1096, 1345, 1373, 1464, 1494, 1513

Dansereau, Jean: 325, 482, 1629

Dansereau, Mireille: 77, 214, 301, 571, 573, 885, 1136, 1507, 1669

Darcus, Jack: 586

Daudelin, Robert: 330, 667, 690

DE LA TOURBE ET DU RESTANT: 472, 542

De Sica, Vittorio: 1664

Delacroix, René: 338, 770, 1540

Delannoy, Jean: 51

Demers, Rock: 690

DEPUIS QUE LE MONDE EST MONDE: 482a

DERNIÈRES FIANÇAILLES (LES): 483-4

DERRIÈRE L'IMAGE: 485

DÉLIVREZ-NOUS DU MAL: 476

DES ILES-DE-LA-MADELEINE: 488

Desbiens, Lucien: 929

DeSève, Joseph-Alexandre: 338, 1540

Desmarteau, Charles: 1211

DESTINATION HOSPITALITÉ: 1271

DEUX FEMMES EN OR: 492-3

Devaivre, Jean: 338, 825, 1514

DIABLE EST PARMI NOUS (LE): 1207

DIEU A BESOIN DES HOMMES: 51

Dion, Yves: 1507, 1136

Direction générale du cinéma et de l'audiovisuel: Voir Québec (Province) Direction générale du cinéma et de l'audiovisuel

Distribution: 86, 320a, 379, 423, 430, 433, 435, 475, 504-5, 510-1, 585, 623, 634a, 684, 784, 836-7, 845, 881, 1032, 1037, 1114, 1126, 1181, 1230, 1248-9, 1261, 1264, 1299, 1363-5, 1414, 1431, 1439, 1449, 1508, 1540, 1545

Ditvoorst, Adrian: 901

DOCTEUR LOUISE: 1540

Donner, Jörn: 1487

Donner, Richard: 1542

Dossiers de la Cinémathèque, Les (collection): 129, 286, 316, 338, 1185, 1272, 1369, 1540

Dovjenko, Alexandre: 28

Drogue et cinéma: 537-8, 1432

Dubé, Marcel: 7, 487

Ducharme, Réjean: 1138

Duchêne, Nicole: 410

Dufaux, Georges: 119, 128, 750

Dugal, Louise: 482a

DUPLESSIS: 543

Durand, Claude: 454

Duras, Marguerite: 1010, 1010a

E

EAU CHAUDE, L'EAU FRETTE (L'): 555-6, 1603

ÉCOLE DES AUTRES (L'): 546, 1165, 1494

École des hautes études commerciales: 132, 388, 605, 607, 610, 631, 844, 1539

École sociale populaire (L'): 327, 1241, 1576

Économie: 55, 93, 185, 320a, 373, 388, 413, 423, 433, 499, 643, 824, 825a, 936-49, 880, 1053, 1057, 1060, 1111, 1157, 1242b, 1246, 1298, 1371, 1411, 1539, 1683

Education et cinéma: 73, 118, 125, 179, 193, 268-71, 333, 349-51, 386, 399, 529-30, 549-54, 559, 561, 620, 634, 696, 720, 741-2, 744, 777, 810, 846, 850, 852, 855, 857, 857a, 860, 870-2, 1001, 1024, 1031, 1055, 1072-3, 1118, 1126, 1139, 1162-3, 1176, 1200, 1221, 1232, 1250, 1293, 1352, 1365, 1374, 1381, 1424, 1461, 1521, 1523, 1529a, 1560, 1568, 1606, 1629, 1637, 1639, 1653, 1670, 1678

Eisenstein, Serguéi Mikhailovitch: 563, 1400, 1463

ELIZA'S HOROSCOPE: 567

Élysée (cinéma de Montréal): 662

En tant que femmes (série): 36, 74, 77, 435, 516, 571-3, 885, 1300

Enfants et cinéma: voir aussi Jeunes et cinéma

Enfants et cinéma: 25, 82, 83, 92, 357, 386, 434, 523, 577, 579, 612, 928, 942, 953, 1064, 1162, 1213, 1241, 1380, 1618, 1638, 1662

Enfants et télévision: 1007

Enfants (Films faits pour les): 377, 386

Enseignement du cinéma: 108-10, 122, 333, 349, 351, 360, 405, 460, 496, 583, 598, 628-9, 696, 779-80, 926-7, 1014, 1042, 1054b, 1073-4, 1100, 1166, 1301, 1433, 1499

ENTRE LA MER ET L'EAU DOUCE: 584

Equivalences cinématographiques: 1550-1551

ÉRIC: 590

Erotisme: 276, 422a, 591, 1098, 1544

ESPRIT DU MAL (L') 338

Esthétique du cinéma: voir Langage cinématographique

État et cinéma: 105, 599, 604-6, 836, 848-9, 934, 1043, 1046, 1054, 1060, 1077, 1659

Ethnographie et cinéma: 367, 589, 686, 1675

ÉTIENNE BRULÉ, GIBIER DE POTENCE: 338

H

Handicapés et cinéma: 706, 722, 1469, 1639

Hardy, Denis: 1573-4

Harel, Pierre: 296

Hébert, Anne: 921

Hébert, Pierre: 33, 661

HÉRITIERS DE LA VIOLENCE (LES): 1507, 1136

Héroux, Denis: 71-2, 177, 296, 849, 1466

Heynowski, Walter: 786

Histoire du cinéma:300, 320a, 338, 364, 378, 381-2, 385, 397-8, 424, 458, 503, 515, 562, 570, 598, 677, 788, 789-91, 793-5, 819, 822, 824, 1112, 1124-5, 1128, 1130, 1185, 1204-5, 1255, 1349, 1367, 1442, 1473, 1504, 1540, 1580, 1645, 1652, 1658

Hitchcock, Alfred: 1406, 1533

HIVER BLEU (L'): 796

Hollande: 534, 901, 1152, 1356

HOMME À TOUT FAIRE (L'): 102

Hongrie: 371

Hough, John: 825a

Houle, Michel: 330, 1652

Hubley, John: 28

Huston, John: 531, 909

I

I, A WOMAN: 1323

Idéologie et cinéma: 1534, 1540

IL ÉTAIT UNE FOIS DANS L'EST: 817-8

II N'Y A PAS D'OUBLI: 121, 930, 1657

INCONNUE DE MONTRÉAL (L'): voir SON COPAIN

INCUBUS: 825a

Inde: 288

INDROGABLES (LES): 538

Industrie cinématographique: 87, 88, 101, 132, 180, 185, 208-9, 215, 321-2, 348, 379, 384, 423, 438, 474, 510, 593, 599, 605, 607, 609-11,614, 631, 643-4, 684, 743, 747, 823-4, 836-49, 865, 880, 1008, 1077, 1088, 1147, 1158-9, 1265, 1268, 1382, 1471, 1526, 1556, 1612, 1616, 1659, 1666

Industrie, Films pour l': 708-9, 716, 721, 725

Industries théâtrales unies du Québec (Les): 131, 437, 1556

Institut québécois de recherche sur la culture: 320a

Institut québécois du cinéma: 463, 602, 611, 837, 845, 868, 934a, 985, 1004a, 1060a, 1159, 1246, 1260

INTERDIT (L'): 1134

International Cinema Corporation: 1242b

Iskra: 1405

Israël: 1371

Italie: 840, 852, 875, 882, 1152, 1371, 1480-1

IXE-13: 135, 883, 892

J

J'ME MARIE, J'ME MARIE PAS: 77, 571, 573, 885, 1669

J.A. MARTIN PHOTOGRAPHE: 886-7, 1603

Janin, Alban: 1540

Jarvis, Richard: 338

Jaubert, Maurice: 799

JAWS: 891

JEAN-FRANÇOIS-XAVIER DE...: 1184, 1269

Jeunes et cinéma: 155, 349, 353-4, 358, 422a, 547, 551, 574, 621, 724, 852, 871, 1203, 1212, 1344, 1374, 1407, 1434, 1469, 1472, 1524, 1617, 1662

JEUX DE LA XXIe OLYMPIADE: 903-5

Jeux olympiques, Montréal, 1976: 389, 903-5, 1223, 1391

Jodoin, René: 778, 1461

Jodorowski, Alexandro: 56a

Juneau, Pierre: 338, 1183

JUSQU'AU COEUR: 915-6

Jutra, Claude: 33, 37, 214, 297, 392, 400, 416, 588, 661, 858, 919-21, 1093, 1444

K

Kaczender, George: 54, 1683-4

KAMOURASKA: 917-21

Keaton, Buster: 190, 558

King, Allan: 404

Klein, William: 1679

Klopcic, Matjaz: 1017

Kobayashi, Masaki: 923

KORINTHA: 924

Kubrick, Stanley: 1525

Kung Fu: 922

KWAIDAN: 923

L

Labrecque, Jean-Claude: 52-3, 297, 413, 415, 730, 787, 884, 893, 903-5, 1108

Lafrance, André: 33, 661

Lalonde, Bernard: 661

Lambert, Lothar: 1492

Lamothe, Arthur: 106, 330, 600, 690, 1120

Lamothe, Willie: 1680

Lamy, André: 1649

Lanctôt, Micheline: 301

INDEX DES AUTEURS

Beaudin, Jean: 450, 538, 675, 886, 1557

Beaugrand, Claude: 144

Beaugrand-Champagne, Raymond: 627

Beaulieu, Janick: 69

Beaulieu, Léo: 1507

Beaulieu, Pierre-Émile: 1279

Beaulne, Bernard: 1307

Beaulne, Jean: 286

Beaulne, Odette: 1419

Beauvais, Jean: 781

Bédard, Roger: 496

Bégin, Jean-Yves: 685, 691

Bélanger, Fernand: 472, 542, 1600

Bélanger, Léon H: 1204-5

Béliveau, Martin: 350

Béliveau, Thérèse: 1455

Bell, Don: 679

Benchley, Peter: 891

Benedict, Joan Ada: 1525

Benesova, Maria: 906

Benoit, Denyse: 150, 641a

Benoit, Jacques: 52-3, 417, 1398

Benoit-Lévy, Jean: 768

Berson, Alain: 1238

Bertrand, Marie-André: 1662

Bérubé, Renald: 385, 894

Bibliothèque nationale du Québec: 481, 826

Bienvenue, Alain: 1617

Bigras, Jean-Yves: 1229

Bird, Charles: 1001

B.I.R.O.: 837, 845

Blackburn, Marthe: 1669

Blanchard, André: 142, 796

Blouin, Raymond: 76, 1339

Bobet, Jacques: 389, 391, 633, 1223

Bochner, Sally: 58

Bodo, Robert: 1600

Boissonnault, Robert: 300

Boivin, Gilles: 1181, 1248

Boivin, Robert: 376

Bonin, Laurier: 1024

Bonneville, Léo: 304, 312, 382, 532, 550, 1591, 1640

Bonnière, René: 774

Bonville, Jean de: 153

Borde, Raymond: 129, 286

Bordeleau, Louise Julien: 611

Bouchard et associés: 1031

Bouchard, Michel: 167, 169

Bouchard, René: 694

Boughedir, Férid: 320

Bourgeois, Jean-Claude: 193

Brassard, André: 818

Brault, Eustache: 306

Brault, Guy: 413

Brault, Huguette: 574

Brault, Michel: 584, 1195-7

Breton, Gabriel: 735

Brisebois, Claude: 510

Brodeur, Ghyslaine: 340

Brodeur, René: 762, 1140

Brouillard, Marcel: 1085

Brousseau, Pierre: 95

Brûlé, Michel: 381, 465, 537, 1240, 1264

Bruneau, Pierre: 1225, 1318

Brunel, Julien: 1219

Bureau de surveillance du cinéma: voir Québec (Province) Bureau de surveillance du cinéma

Burger, George: 1137

Burnett, Ronald F: 1166, 1233

Burwash, Gordon: 100, 439, 1513

Buttrum, Keith: 217

Byrd, Christopher John: 1244

C

Cadieux, Fernand: 841, 1183

Cadieux, Pauline: 451

Cailhier, Diane: 130, 1235

Camden, Réjean: 1182

Canada. Bureau fédéral de la statistique: 1113-4

Canada. Lois, statuts, etc.: 968, 977, 980-1

Canada. Ministère du travail: 423

Canada, Secrétariat d'État: 1155, 1230

Canada. Secrétariat d'État. Bureau d'émission des visas de films: 26, 474

Canada. Secrétariat d'État. Direction générale des arts et de la culture: 689, 836

Canadian Film Institute: 941

Canadian Society of Cinematographers: 180, 1526

Capistran, Michel: 165

Carle, Gilles: 453, 642, 815, 1002-4, 1107, 1177, 1231, 1324, 1388, 1571, 1589, 1660, 1671-3

Caron, André: 1207

Caron, Rosaire: 154

Carrier, Roch: 736, 1013

Carrière, Louise: 385, 1676

Carrière, Marcel: 1582-3

Carter, Urbain: 1232

Castonguay, Viateur: 792

Caulfield, Tom: 873

G

H

I

J

K

L

M

Pie XI: 346, 575

Pie XII: 393, 932-3, 1576

Piotte, Jean-Marc: 757

Plamondon, Léo: 1011

Poirier, André: 605, 1032

Poirier, Anne Claire: 572, 647, 1300, 1312

Poitevin, Jean-Marie: 1119

Poliquin, Henri: 388

Pollet, Ray Jules: 331

Pontaut, Alain: 146, 148, 912

Portugais, Louis: 815

Potvin, Danielle: 1562

Poupart, André: 1498

Prédal, René: 900

Productions Albinie (Les): 55

Proteau, Donald: 871

Proulx, Alphonse: 230, 250, 278

Q

Québec (Province) Bureau de censure du cinéma: 200, 377, 929

Québec (Province) Bureau de surveillance du cinéma: 198, 517, 1335, 1361, 1450, 1551, 1651

Québec (Province) Comité provisoire pour l'étude de la censure du cinéma: 1051

Québec (Province) Commission des valeurs mobilières:1298

Québec (Province) Conseil exécutif. Service de ciné-photographie: 702

Québec (Province). Conseil des directeurs de communications: 281, 504

Québec (Province). Département de l'Instruction publique: 268-71

Québec (Province) Direction générale du cinéma et de l'audiovisuel: 38, 239, 240, 251, 252, 356, 421, 512-3, 944, 1086, 1173, 1247, 1284-6, 1335-6, 1395, 1445, 1458-9, 1493, 1652

Québec (Province) Direction générale du cinéma et de l'audiovisuel. Centre de documentation cinématographique: 920, 1198

Québec (Province) Lois, statuts, etc.: 70, 955-61, 964-7, 969-76, 978-9, 982, 985-90

Québec (Province) Ministère de l'agriculture: 138

Québec (Province) Ministère de l'éducation: 1433

Québec (Province) Ministère de l'éducation. Service général des communications: 1427

Québec (Province) Ministère des affaires culturelles: 175, 1428

Québec (Province) Ministère des affaires intergouvernementales: 877

Québec (Province) Ministère des communications: 771, 1351

Québec (Province) Ministère des communications. Service de diffusion des documents audiovisuels: 243

Québec (Province) Ministère du Conseil exécutif. Secrétariat des conférences socio-économiques: 848-9

Québec (Province) Office franco-québécois pour la jeunesse: 1350

Québec (Province) Office provincial de publicité. Service de ciné-photographie: 230, 703, 1495

Québec (Province) Service d'aménagement rural et du développement agricole: 99

Québec (Province) Service des moyens techniques d'enseignement: 266

Québec (Province) Service général des moyens d'enseignement: 242, 1007, 1250, 1394, 1550, 1670

Queffélec, Henri: 51

R

Rached, Tahani: 996

Racine, Pierre: 510

Radio-Cinéma: 272

Radio-Québec: voir Office de radio-télédiffusion du Québec

Rakstis, Ted J: 205

Ramsaye, Terry: 1236

Rasselet, Christian: 895

Raymond, Marie-José: 493, 998-9

Régnier, Michel: 1106

Reid, Alison: 216

Reid, Gilbert: 111

Reif, Tony: 398

Rémillard, Jean: 1366

Renaissance Films Distribution: 373

Renaud, Madeleine Fournier: 160

Rencontre nationale des responsables des centres diocésains du cinéma, de la radio et de la télévision, Montréal, 1960: 1344

Rencontres internationales pour un nouveau cinéma, Montréal, 1974: 201, 534

René, Pierre: 634a

Revueltas, Rosaura: 129

Rex Film: 229

Rich, Tom: 558

Richer, Dyane: 1422

Richer, Gilles: 1584-5

Rivard, Fernand: 1194

Roberge, Gaston: 288

Roberge, Guy: 850, 1460

Robert Anderson Associates, Aylmer East, Québec: 722

Robert, Doris: 131

Robert, Jean-Claude: 366

Roger, Harold: 1202

Rolland, Hélène: 1219

Rolland, John: 1115

Ross, Gary: 1469

Rouleau, X.: 614

Rousseau, Camille: 1412

Rousseau, Françoise Lamy: 879, 1590, 1632

Roussil, Robert: 105

Roux, Gilles: 1011

Roy, André: 1010

Roy, Hortense: 435, 516, 581, 1494

Roy, Jean-Luc: 158

Rozon, Gilbert: 384

Rozon, René: 1417

Ruszkowski, André: 431, 788, 924, 1162-4, 1406, 1497, 1533

Ruvinsky, Morrie: 874

S

Sabourin, Marcel: 450, 730, 807, 886

Sachs, Charles: 1615

St-Laurent, Jacques: 843

Saint-Pierre, Léopold: 190

Sainte-Marie, Gilles: 101, 143, 317, 318, 368, 387, 396, 469-70, 601, 727, 1084, 1377, 1520, 1536, 1591, 1601, 1609, 1624, 1650

Salvy, Jean: 1121

Sande, Janssen van der: 621

Saucier, Pierre: 370, 1544

Saul Oscar: 1231

Saumier, André: 1372

Sauriol, Brigitte: 40-42, 993, 1630

Sauvageau, France: 322

Savignac, Pierre: 793-4, 870

Savoie, Madelaine: 170

Schieman, Arnold: 876

Schirmer, Audrey: 996

Secas-Adimec: 1031

Séguin, Fernand: 649

Séguin, Gilles: 333

Semaine du cinéma. Ciné-Laurentien, 1960: 328

Semaine du cinéma, Hull, 1966: 325

Semaine du cinéma québécois, Annecy, 1974: 1346

Semaine du cinéma québécois, Longueuil, 197?: 1482

Semaine du cinéma québécois, Montréal, 1979: 525, 1483

Semaine du cinéma québécois, Montréal, 1980: 308, 1484, 1674

Semaine du jeune cinéma québécois de l'Abitibi-Témiscamingue (La): 1436a

Séminaire de Sherbrooke. Bibliothèque: 295-300, 533, 755, 888a, 1239

Séminaire de Sherbrooke. Séminaire: 294

Service d'éducation cinématographique de Montréal: 541, 636, 1524, 1643

Service de ciné-photographie: voir Québec (Province) Office provincial de publicité. Service de ciné-photographie ET Québec (Province) Conseil exécutif. Service de ciné-photographie

Service général des moyens d'enseignement: voir Québec (Province) Service général des moyens d'enseignement

Settimana cinematografica internazionale Veronese: 1174

Shanks, Serge: 1654

Sheard, Kathleen: 797

Sheppard, Gordon: 567

Sim, R. Alex: 720

Siskind, Jacob: 718

Slatzer, Robert F.: 582

Société canadienne de la sclérose en plaques: 1268a

Société de coopération artistique de Montréal: 660, 1468

Société de développement de l'industrie cinématographique canadienne: 626, 681, 710, 775, 1371

Société de recherches en sciences du comportement: 1358a

Société des auteurs et compositeurs: 962, 1303

Société nouvelle/Challenge for Change: 573, 1087, 1136, 1379, 1636

Société québécoise du cinéma: 454

Société Radio-Canada. Service des recherches: 622

Solanas, Fernando: 320

Sorel, Julia: 1457

Sparling, Gordon: 1454

Spencer, Michael: 209

Spottiswoode, Raymond: 497

Spry, Robin: 45, 46, 862, 1191, 1309-10, 1506, 1577-9

Storr, Carter B: 553

Straram, Patrick: 191, 757, 1010a, 1193

Syndicat des travailleurs en communication de l'Abitibi-Témiscamingue: 1054a

Syndicat général du cinéma et de la télévision: 181, 459, 1068-70, 1080, 1496

Syndicat national du cinéma: 174, 853, 868, 1262

T

Tadros, Connie: 321

Tadros, Jean-Pierre: 321-2

Tana, Paul: 769

Tassé & Associés: 1505, 1683

Taylor, Anne: 83, 92

Taylor, Elizabeth: 80

Tessier, Benoît: 535

Théberge, André: 59, 785

Thériault, Yves: 1642

Thérien, Gilles: 1375, 1557, 1644

Théroux, Gaston H.: 437

Thiboutôt, Yvon: 1035

Tille, Vaclav: 316

Toole, Gary: 1432

Tougas, Kirk: 398

Tousignant, Pierre: 596

Tremblay, Michel: 638, 818, 1215

Tremblay, Robert: 1547-9, 1566

Tremblay, Rodrigue: 1448

Tremblay-Daviault, Christiane: 1534, 1604

Trudeau, Robert: 631

Trudel, Suzanne Bérubé: 78

Turner, D. John: 111

U

Unesco: 1552

Union des artistes: 963

Université de Montréal: 629, 1414, 1655

Université de Montréal. Département d'histoire de l'art: 628

Université de Montréal. Service d'animation culturelle: 335, 737

Université du Québec à Rimouski: 47, 255, 1362

Université Laval, Québec. Audio-vidéothèque: 232-3

Université Laval, Québec. Cinémathèque: 235, 237, 254, 256

V

Vachet, Aloysius: 273

Vachon, Henri Paul: 791

Valcour, Pierre: 417

Vallée, Maurice: 847

Vallerand, Claudine Simard: 1213

Vallerand, Noël: 1466

Vallet, Antoine: 547, 742

Vanherweghem, Robert: 150

Venne, Marcel: 1241a

Véronneau, Denise: 74

Véronneau, Pierre: 23, 48, 112, 336, 338, 371, 398, 418, 486, 563, 586, 786, 789-90, 800, 889, 896, 921, 1091, 1185, 1251, 1341, 1462a, 1477, 1479, 1485, 1540, 1676

Vézina, Réal: 1411

Viau, Bélanger et Associés: 1037

Viguier, Alain: 1138

Villeneuve, Rodrigue: 375

Vincent, Solange: 671-2

Vincente: 995

Vita Films: 1663

Vitale, Frank: 1104-5

Von Radvanyi, Jeza: 171

Voyer, Bernard: 322

W

Walser, Lise: 176, 383, 1425

Walsh, Hal: 875

Waugh, Thomas: 1676

Webb, Barbara: 161

Wener, Normand: 724

Westley, Francis R.: 1531

White, Michael: 536

Woods, Clement: 171

Y

Young & Rubicam: 747

Yourenev, Rostislav: 563

Z

Ziegler, Volkmar: 1562

Zmijewsky, Boris: 569

Zmijewsky, Steven: 569

Zucker, Carole: 1676

INDEX DES ANNÉES
DE PUBLICATION

INDEX DES ANNÉES

INDEX DES ANNÉES